비교 VOCA 1500

30단어×50일

고교
기본

구성과 특징 한눈에 보기

1 내신 및 모의평가 최빈출 중학 핵심 단어 200개 확인

2 고교 필수 어휘 1500개, 하루 30단어씩 50일 완성

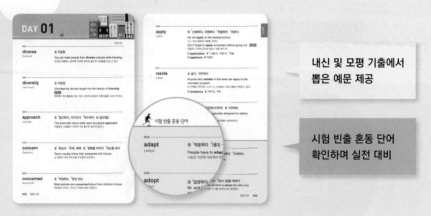

내신 및 모평 기출에서
뽑은 예문 제공

시험 빈출 혼동 단어
확인하며 실전 대비

기호 설명	명 명사	대 대명사	동 동사	형 형용사	부 부사	전 전치사	접 접속사
	반 반의어	복 명사의 복수형	● 파생어, 숙어, 관용 표현				

002

3 매일 학습한 어휘를 바로바로 확인하는 바로 테스트

크로스워드 퍼즐로
복습도 재미있게!

4 5일마다 학습한 어휘를 어원으로 복습하며 어휘력 확장

표제어 암기용 MP3 파일 제공 (QR코드) *(단어), (단어+뜻)	암기 테스트용 어휘 출제 프로그램 제공 (book.chunjae.co.kr)	짬짬이 암기용 〈휴대용 암기카드〉 제공	특별 자료

목차 확인하기

학습 계획표 짜기

★ DAY별로 각각 첫 번째 공부한 날과 두 번째 공부한 날의 날짜를 쓰세요.

DAY	1회독		2회독		DAY	1회독		2회독	
01	월	일	월	일	26	월	일	월	일
02	월	일	월	일	27	월	일	월	일
03	월	일	월	일	28	월	일	월	일
04	월	일	월	일	29	월	일	월	일
05	월	일	월	일	30	월	일	월	일
06	월	일	월	일	31	월	일	월	일
07	월	일	월	일	32	월	일	월	일
08	월	일	월	일	33	월	일	월	일
09	월	일	월	일	34	월	일	월	일
10	월	일	월	일	35	월	일	월	일
11	월	일	월	일	36	월	일	월	일
12	월	일	월	일	37	월	일	월	일
13	월	일	월	일	38	월	일	월	일
14	월	일	월	일	39	월	일	월	일
15	월	일	월	일	40	월	일	월	일
16	월	일	월	일	41	월	일	월	일
17	월	일	월	일	42	월	일	월	일
18	월	일	월	일	43	월	일	월	일
19	월	일	월	일	44	월	일	월	일
20	월	일	월	일	45	월	일	월	일
21	월	일	월	일	46	월	일	월	일
22	월	일	월	일	47	월	일	월	일
23	월	일	월	일	48	월	일	월	일
24	월	일	월	일	49	월	일	월	일
25	월	일	월	일	50	월	일	월	일

발음 기호 살펴보기

글자	대표 음가	예시 단어	글자	대표 음가	예시 단어
A a	[a], [ei] 등	art, name	N n	[n]	new, can
B b	[b]	boy, ball	O o	[ʌ], [ou] 등	other, old
C c	[k], [s]	cap, pencil	P p	[p]	park, drop
D d	[d]	doll, duck	Q q	[k]	queen, quiet
E e	[e], [i] 등	end, easy	R r	[r]	room, read
F f	[f]	foot, wife	S s	[s], [z]	sun, busy
G g	[g], [ʒ], [dʒ]	pig, giraffe	T t	[t]	tree, want
H h	[h]	home, hello	U u	[ʌ], [u], [ju], [ə] 등	uncle, use
I i	[i], [ai] 등	sit, ice	V v	[v]	very, love
J j	[dʒ]	jam, join	W w	[w]	win, woman
K k	[k]	king, milk	X x	[ks], [gz]	fox, exam
L l	[l]	long, cold	Y y	[i], [ai]	baby, try
M m	[m]	monkey, some	Z z	[z]	zoo, zebra

1 모음

모음	a ㅏ	e ㅔ	i ㅣ	o ㅗ	u ㅜ
	æ ㅐ	ɛ ㅔ	ɔ ㅗ/ㅓ중간	ʌ ㅓ(강하게)	ə ㅓ(짧게)

* 모음 뒤에 [ː]를 붙이면 길게 읽습니다.

이중 모음	ja ㅑ	je ㅖ	jə ㅕ	jo ㅛ	ju ㅠ
	wa ㅘ	we ㅞ	wi ㅟ	wɔ ㅝ/ㅘ	wə ㅝ

* 모음 앞에 [j]가 붙으면 "야, 여, 요", [w]가 붙으면 "와, 웨, 워"와 같이 발음합니다.

2 자음

유성 자음 발음할 때 목이 떨리는 자음	b ㅂ	* v ㅂ	d ㄷ	g ㄱ	z ㅈ
	l ㄹ	* r ㄹ	m ㅁ	n ㄴ	ŋ 받침 ㅇ
	* ð ㄷ	ʒ 쥐	dʒ 쥐(짧게)	h ㅎ	j 이

* [v]: 윗니로 아랫입술을 살짝 깨뭅니다.   * [r]: 혀가 입천장에 닿지 않습니다.
* [ð]: 이 사이로 혀끝을 내밉니다.

무성 자음 발음할 때 목이 떨리지 않는 자음	p ㅍ	* f ㅍ/ㅎ	t ㅌ	k ㅋ	s ㅅ
	* θ 쓰	ʃ 쉬	tʃ 취(짧게)		

* [f]: 윗니로 아랫입술을 살짝 깨뭅니다.   * [θ]: 이 사이로 혀끝을 내밉니다.

우리말 뜻을 가리고 모르는 단어에 체크해 보세요.

001	**ability** [əbíləti]	☐	몡 할 수 있음, 능력
002	**career** [kəríər]	☐	몡 ¹(전문적인) 직업 ²경력, 이력
003	**architect** [άːrkətèkt]	☐	몡 건축가
004	**manage** [mǽnidʒ]	☐	동 ¹관리[경영]하다 ²간신히 해내다
005	**achieve** [ətʃíːv]	☐	동 성취하다, 달성하다
006	**athlete** [ǽθliːt]	☐	몡 운동선수
007	**necessary** [nésəsèri]	☐	혱 필요한, 필수의
008	**improve** [imprúːv]	☐	동 향상시키다, 개선하다
009	**develop** [divéləp]	☐	동 발달하다, 발전시키다, 개발하다
010	**promote** [prəmóut]	☐	동 ¹촉진하다, 장려하다 ²승진시키다
011	**gradually** [grǽdʒuəli]	☐	붸 점차, 서서히
012	**overcome** [òuvərkʌ́m]	☐	동 극복하다, 이겨내다
013	**difficulty** [dífikʌ̀lti]	☐	몡 어려움, 곤경
014	**trouble** [trʌ́bl]	☐	몡 문제, 곤란, 곤경
015	**challenge** [tʃǽlindʒ]	☐	몡 ¹도전 ²난제, 어려운 일 동 도전하다
016	**interest** [íntərəst, -tərèst]	☐	몡 ¹흥미, 관심 ²이자 동 관심을 끌다
017	**support** [səpɔ́ːrt]	☐	동 ¹지지하다 ²지원하다 ³부양하다
018	**voluntary** [vάləntèri]	☐	혱 자발적인
019	**volunteer** [vὰləntíər]	☐	몡 자원봉사자 동 자원봉사하다
020	**reward** [riwɔ́ːrd]	☐	몡 보상 동 보상하다, 보답하다

우리말 뜻을 가리고 모르는 단어에 체크해 보세요.

021	**possible** [pάsəbl]	☐	혱 가능한, 있을 수 있는
022	**impossible** [impάsəbl]	☐	혱 불가능한, 있을 수 없는
023	**educate** [édʒukèit]	☐	동 교육하다, 가르치다
024	**college** [kάlidʒ]	☐	명 (단과) 대학
025	**degree** [digríː]	☐	명 ¹학위 ²(각도·온도 등의) 도 ³정도
026	**earn** [əːrn]	☐	동 ¹(돈을) 벌다 ²얻다, 획득하다
027	**praise** [preiz]	☐	명 칭찬 동 칭찬하다
028	**field** [fiːld]	☐	명 ¹영역, 분야 ²들판
029	**language** [lǽŋgwidʒ]	☐	명 언어
030	**general** [dʒénərəl]	☐	혱 일반적인, 전반적인 명 장군
031	**common** [kάmən]	☐	혱 ¹흔한, 평범한 ²공통의, 공유의
032	**divide** [diváid]	☐	동 나누다, 분리하다
033	**add** [æd]	☐	동 추가하다, 더하다
034	**addition** [ədíʃən]	☐	명 ¹덧셈 ²추가, 부가 ³첨가(물)
035	**chemical** [kémikəl]	☐	혱 화학의, 화학적인 명 화학 제품[물질]
036	**material** [mətíəriəl]	☐	명 ¹물질, 재료 ²(책 등의) 소재, 자료
037	**melt** [melt]	☐	동 녹다, 용해하다
038	**result** [rizʌ́lt]	☐	명 결과 동 (~의 결과로) 발생하다
039	**fact** [fækt]	☐	명 사실, 실제
040	**truth** [truːθ]	☐	명 진실, 사실

👆 우리말 뜻을 가리고 모르는 단어에 체크해 보세요.

041 **information** [ìnfərméiʃən] 　　명 정보

042 **figure** [fígjər] 　　명 ¹숫자, 계산 ²그림, 도형 ³모습, 인물

043 **form** [fɔːrm] 　　명 모습, 형태　동 형성하다

044 **through** [θruː] 　　전 ~을 통하여　부 ¹관통하여 ²줄곧

045 **experience** [ikspíəriəns] 　　명 경험　동 경험하다

046 **imagine** [imædʒin] 　　동 상상하다

047 **clever** [klévər] 　　형 영리한, 똑똑한

048 **curious** [kjúəriəs] 　　형 호기심 많은

049 **attention** [əténʃən] 　　명 ¹주의 (집중), 주목 ²관심

050 **care** [kɛər] 　　명 ¹걱정 ²돌봄 ³조심, 주의

051 **careful** [kéərfəl] 　　형 주의 깊은, 조심성 있는

052 **mind** [maind] 　　명 ¹마음, 정신 ²생각　동 언짢아하다

053 **accept** [æksépt, ək-] 　　동 받아들이다

054 **calm** [kɑːm] 　　형 고요한, 침착한　동 진정시키다

055 **still** [stil] 　　형 고요한　부 ¹아직도 ²그럼에도 불구하고

056 **relief** [rilíːf] 　　명 ¹안도 ²(고통 등의) 경감, 완화 ³구호(품)

057 **relieve** [rilíːv] 　　동 ¹안도하게 하다 ²완화하다 ³구제하다

058 **relax** [rilǽks] 　　동 휴식을 취하다, 안심하다

059 **sense** [sens] 　　명 감각　동 느끼다

060 **reason** [ríːzn] 　　명 ¹이유, 원인, 근거 ²이성, 사고력

우리말 뜻을 가리고 모르는 단어에 체크해 보세요.

061 **positive** [pάzətiv] ☐ 혱 긍정적인, 적극적인

062 **negative** [négətiv] ☐ 혱 부정적인, 소극적인

063 **amazing** [əméiziŋ] ☐ 혱 놀랄 만한, 굉장한

064 **surprised** [sərpráizd] ☐ 혱 (깜짝) 놀란

065 **afraid** [əfréid] ☐ 혱 두려워하여, 무서워하여

066 **depressed** [diprést] ☐ 혱 낙담한, 의기소침한

067 **confident** [kάnfədənt] ☐ 혱 ¹자신감 있는 ²확신하는

068 **cheer** [tʃiər] ☐ 명 환호 동 ¹환호하다 ²격려하다

069 **wonder** [wʌ́ndər] ☐ 동 ¹놀라다 ²궁금해하다 명 놀라움, 경탄

070 **wonderful** [wʌ́ndərfəl] ☐ 혱 아주 멋진, 신나는, 훌륭한

071 **advertise** [ǽdvərtàiz] ☐ 동 광고하다

072 **recommend** [rèkəménd] ☐ 동 추천하다

073 **announce** [ənáuns] ☐ 동 알리다, 발표하다

074 **article** [άːrtikl] ☐ 명 (신문 · 잡지 등의) 글, 기사, 논문

075 **edit** [édit] ☐ 동 ¹편집하다 ²교정하다

076 **comment** [kάment] ☐ 명 논평, 비평, 의견 동 논평하다

077 **opinion** [əpínjən] ☐ 명 의견, 견해

078 **discuss** [diskʌ́s] ☐ 동 논의하다, 토론하다

079 **consider** [kənsídər] ☐ 동 ¹고려하다 ²여기다, 간주하다

080 **explain** [ikspléin] ☐ 동 설명하다

👆 우리말 뜻을 가리고 모르는 단어에 체크해 보세요.

081 **polite** [pəláit] 　　☐　형 공손한, 예의 바른

082 **strict** [strikt] 　　☐　형 엄격한, 엄한

083 **follow** [fálou] 　　☐　동 따라가다[오다], 뒤따르다

084 **order** [ɔ́:rdər] 　　☐　명 ¹순서 ²주문 ³명령　동 ¹주문하다 ²명령하다

085 **role** [roul] 　　☐　명 ¹(사회적인) 역할, 임무 ²배역

086 **society** [səsáiəti] 　　☐　명 사회

087 **government** [gʌ́vərnmənt] 　　☐　명 ¹정부 ²정치, 통치

088 **community** [kəmjú:nəti] 　　☐　명 지역 사회, 공동체

089 **communicate** [kəmjú:nəkèit] 　　☐　동 ¹의사소통하다 ²(정보 등을) 전달하다

090 **average** [ǽvəridʒ] 　　☐　형 평균의, 보통의　명 평균

091 **predict** [pridíkt] 　　☐　동 예측하다, 예언하다

092 **action** [ǽkʃən] 　　☐　명 활동, 행동, 조치

093 **behave** [bihéiv] 　　☐　동 행동하다, 처신하다

094 **behavior** [bihéivjər] 　　☐　명 ¹행동, 행위, 처신 ²행실, 품행

095 **rough** [rʌf] 　　☐　형 ¹거칠거칠한 ²대강의, 개략적인 ³난폭한

096 **tough** [tʌf] 　　☐　형 ¹힘든, 어려운 ²엄한 ³강한, 튼튼한

097 **serve** [sə:rv] 　　☐　동 ¹(음식을) 제공하다 ²응대하다 ³(~을 위해) 일하다

098 **grocery** [gróusəri] 　　☐　명 식료품점

099 **ingredient** [ingrí:diənt] 　　☐　명 ¹재료, 성분 ²요인, 요소

100 **contain** [kəntéin] 　　☐　동 포함하다, ~이 들어 있다

우리말 뜻을 가리고 모르는 단어에 체크해 보세요.

101	**expensive** [ikspénsiv]		형 비싼
102	**sale** [seil]		명 ¹판매 ²세일, 할인 판매
103	**customer** [kʌ́stəmər]		명 고객, 손님
104	**exchange** [ikstʃéindʒ]		명 ¹교환 ²환전 동 ¹교환하다 ²환전하다
105	**wrap** [ræp]		동 싸다, 포장하다
106	**tear** [tiər]		명 눈물 동 [tɛər] 찢다, 뜯다
107	**hang** [hæŋ]		동 (물건을) 걸다, 매달다
108	**fit** [fit]		동 ¹꼭 맞다 ²적합하다, 어울리다
109	**bill** [bil]		명 ¹청구서 ²지폐 ³법안 동 청구하다
110	**charge** [tʃɑːrdʒ]		명 ¹요금 ²기소, 혐의 동 ¹청구하다 ²고소하다
111	**especially** [ispéʃəli, es-]		부 특히, 특별히
112	**decorate** [dékərèit]		동 장식하다
113	**repair** [ripɛ́ər]		명 수리, 수선 동 수리하다, 수선하다
114	**load** [loud]		명 ¹짐 ²부담 동 (짐을) 싣다
115	**vacation** [veikéiʃən, və-]		명 방학, 휴가
116	**passenger** [pǽsəndʒər]		명 승객, 여객
117	**fair** [fɛər]		형 타당한, 공정한 명 전시회, 박람회
118	**similar** [símələr]		형 비슷한 파 similarly 비슷하게
119	**collect** [kəlékt]		동 모으다, 수집하다
120	**connect** [kənékt]		동 ¹연결하다, 접속하다 ²관련시키다

우리말 뜻을 가리고 모르는 단어에 체크해 보세요.

121	**continue** [kəntínju:]		통 계속되다[하다], 이어지다
122	**instead** [instéd]		부 대신에
123	**rather** [rǽðər]		부 [1](~보다는) 오히려 [2]다소, 약간
124	**avoid** [əvɔ́id]		통 피하다, 회피하다
125	**injury** [índʒəri]		명 부상, 상해
126	**death** [deθ]		명 죽음
127	**breathe** [bri:ð]		통 숨 쉬다, 호흡하다
128	**disease** [dizí:z]		명 질병, 질환
129	**accident** [ǽksidənt]		명 [1]사고 [2]우연한 일
130	**suffer** [sʌ́fər]		통 [1](병을) 앓다 [2](고통을) 겪다
131	**attack** [ətǽk]		명 [1]공격 [2]발병, 발작 통 공격하다
132	**medicine** [médəsin]		명 [1]약 [2]의술, 의학
133	**treat** [tri:t]		통 [1]치료하다 [2]다루다, 대우하다
134	**handle** [hǽndl]		통 다루다, 처리하다 명 손잡이
135	**recover** [rikʌ́vər]		통 회복하다, 되찾다
136	**condition** [kəndíʃən]		명 [1]건강 상태 [2]상황, 조건
137	**balance** [bǽləns]		명 균형 통 균형을 잡다
138	**normal** [nɔ́ːrməl]		형 보통의, 표준의
139	**regular** [régjulər]		형 [1]규칙적인, 정기적인 [2]보통의
140	**actually** [ǽktʃuəli]		부 실제로

👆 우리말 뜻을 가리고 모르는 단어에 체크해 보세요.

141 **awake** [əwéik] ☐ 혱 깨어 있는 통 (잠에서) 깨다[깨우다]

142 **cell** [sel] ☐ 몡 ¹세포 ²작은 방

143 **physical** [fízikəl] ☐ 혱 ¹신체의, 육체의 ²물질적인, 물리적인

144 **frame** [freim] ☐ 몡 ¹체격, 골격 ²뼈대, 구조, 틀

145 **height** [hait] ☐ 몡 ¹키, 신장 ²높이

146 **straight** [streit] ☐ 혱 곧은, 똑바른 뷔 ¹똑바로 ²곧장

147 **raise** [reiz] ☐ 통 ¹올리다, 일으키다 ²기르다 ³모으다

148 **protect** [prətékt] ☐ 통 보호하다, 지키다

149 **produce** [prədʒúːs] ☐ 통 생산하다

150 **product** [prádʌkt] ☐ 몡 생산물, 제품

151 **lay** [lei] ☐ 통 ¹놓다, 두다 ²눕히다 ³(알을) 낳다

152 **remove** [rimúːv] ☐ 통 제거하다, 없애다

153 **steal** [stiːl] ☐ 통 (물건 등을) 훔치다

154 **appear** [əpíər] ☐ 통 ¹나타나다 ²~인 것 같다

155 **offer** [ɔ́ːfər] ☐ 몡 ¹제공 ²제안 통 ¹제공하다 ²제안하다

156 **path** [pæθ] ☐ 몡 길, 방향

157 **opposite** [ápəzit, -sit] ☐ 혱 반대(편)의 몡 정반대 전 ~의 맞은편에

158 **toward** [tɔːrd] ☐ 전 ~을 향하여

159 **apart** [əpáːrt] ☐ 뷔 ~와 떨어져, 따로

160 **near** [niər] ☐ 혱 가까운 뷔 가까이 전 ~에서 가까이에

👆 우리말 뜻을 가리고 모르는 단어에 체크해 보세요.

161	**artificial** [à:rtəfíʃəl]	☐	형 ^{1}인공적인 ^{2}거짓된, 꾸민
162	**natural** [nǽtʃərəl]	☐	형 ^{1}자연의 ^{2}자연 발생적인
163	**temperature** [témpərətʃər]	☐	명 ^{1}온도, 기온 ^{2}체온
164	**climate** [kláimit]	☐	명 기후
165	**environment** [inváirənmənt]	☐	명 환경
166	**damage** [dǽmidʒ]	☐	명 피해, 손상 동 피해를 주다, 훼손하다
167	**destroy** [distrɔ́i]	☐	동 파괴하다
168	**waste** [weist]	☐	동 낭비하다 명 ^{1}낭비 ^{2}쓰레기
169	**available** [əvéiləbl]	☐	형 ^{1}이용할 수 있는 ^{2}시간이 있는
170	**recycle** [rì:sáikl]	☐	동 재활용하다
171	**discover** [diskʌ́vər]	☐	동 발견하다
172	**shade** [ʃeid]	☐	명 그늘 동 그늘지게 하다
173	**burn** [bə:rn]	☐	동 불에 타다[태우다]
174	**century** [séntʃəri]	☐	명 100년, 세기
175	**ancient** [éinʃənt]	☐	형 고대의, 먼 옛날의
176	**culture** [kʌ́ltʃər]	☐	명 문화
177	**discover** [diskʌ́vər]	☐	동 발견하다
178	**foreign** [fɔ́:rən, fɑ́r-]	☐	형 외국의, 해외의
179	**various** [vériəs]	☐	형 다양한
180	**unique** [ju:ní:k]	☐	형 ^{1}유일한 ^{2}독특한, 특별한

우리말 뜻을 가리고 모르는 단어에 체크해 보세요.

| 181 | **several** [sévərəl] | | 혱 ¹몇몇의 ²여러 가지의, 각각의 |

181 **several** [sévərəl] ☐ 혱 ¹몇몇의 ²여러 가지의, 각각의

182 **either** [íːðər, áiðər] ☐ 대 (둘 중) 어느 한 쪽 부 (부정문에서) 또한

183 **sudden** [sʌ́dn] ☐ 혱 갑작스러운

184 **fortune** [fɔ́ːrtʃən] ☐ 명 ¹행운 ²부, 재산 ³운명

185 **moment** [móumənt] ☐ 명 ¹순간 ²잠깐, 잠시 ³(특정한) 시점

186 **during** [djúəriŋ] ☐ 전 ~ 동안, ~하는 중에

187 **recently** [ríːsntli] ☐ 부 최근에

188 **importance** [impɔ́ːrtəns] ☐ 명 중요성

189 **present** [prézənt] ☐ 혱 현재의 명 선물 동 [prizént] ¹주다 ²나타내다

190 **visual** [víʒuəl] ☐ 혱 ¹시각의, 시력의 ²눈에 보이는

191 **create** [kriéit] ☐ 동 만들어 내다, 창조하다

192 **describe** [diskráib] ☐ 동 묘사하다, 서술하다

193 **character** [kǽriktər] ☐ 명 ¹등장인물 ²성격, 특성 ³인격

194 **background** [bǽkgràund] ☐ 명 배경

195 **local** [lóukəl] ☐ 혱 지역의, 현지의

196 **village** [vílidʒ] ☐ 명 마을

197 **reach** [riːtʃ] ☐ 동 ¹이르다, 도달하다 ²(손 등을) 뻗다

198 **ceiling** [síːliŋ] ☐ 명 천장

199 **rush** [rʌʃ] ☐ 동 돌진하다, 서두르다 명 ¹돌진 ²혼잡

200 **crowd** [kraud] ☐ 명 군중, 인파 동 붐비다

DAY 01

0001

diverse
[daivə́ːrs]

형 다양한

You can meet people from **diverse** cultures while traveling.
당신은 여행하는 동안에 다양한 문화권 출신의 사람들을 만날 수 있다.

0002

diversity
[daivə́ːrsəti]

명 다양성

Volunteering abroad taught me the beauty of **diversity**.
교과서
해외에서 봉사활동을 하는 것은 나에게 다양성의 아름다움을 가르쳐 주었다.

0003

approach
[əpróutʃ]

동 ¹접근하다, 다가오다 ²착수하다 명 접근(법)

The automatic doors slide open as people **approach**.
자동문은 사람들이 가까이 오면 옆으로 밀리며 열린다.

0004

concern
[kənsə́ːrn]

명 ¹관심사 ²우려, 배려 동 ¹영향을 미치다 ²관심을 갖다

Teens usually share their **concerns** with friends.
십 대들은 대개 관심사를 친구들과 공유한다.

0005

concerned
[kənsə́ːrnd]

형 ¹걱정하는 ²관심 있는

Most parents are **concerned** about their children's future.
대부분의 부모는 자녀의 미래에 대해 걱정한다.

0006

attempt
[ətémpt]

명 시도, 노력 동 ¹시도하다 ²습격하다

The long jumper broke the world record on her second **attempt**.
그 멀리뛰기 선수는 두 번째 시도에서 세계기록을 깼다.

0007

motivate
[móutəvèit]

동 ¹동기를 부여하다 ²이유가 되다

Good teaching can **motivate** students to get interested in learning.
훌륭한 가르침은 학생들이 배움에 흥미를 갖도록 동기를 부여할 수 있다.

0008

motivation
[mòutəvéiʃən]

명 ¹동기 부여 ²자극, 유도

Motivations for vegetarianism include concerns about health, animal rights, and the environment.
채식을 하게 되는 동기에는 건강, 동물의 권리, 그리고 환경에 관한 관심이 포함되어 있다.

0009

apologize
[əpálədʒàiz]

동 사과하다

There is no need to **apologize** for being the way you are.
교과서
있는 그대로의 너의 모습에 대해 사과할 필요는 없다.

0010

sincerely
[sinsíərli]

부 진심으로

We **sincerely** apologize for any inconveniences that may be experienced. 모의
겪게 될 불편에 대해 진심으로 사과드립니다.

○ **sincere** 형 진실한, 진중한

0011

obvious
[ábviəs]

혱 분명한, 확실한

It is too **obvious** to require any argument.
그것은 논쟁할 여지 없이 아주 명백하다.

◎ **obviously** 퇴 분명히, 확실히

0012

survive
[sərváiv]

동 ¹살아남다 ²견뎌 내다

When we believe that one must win in order to **survive**, we behave selfishly. 교과서
살아남기 위해서는 이겨야 한다고 믿을 때, 우리는 이기적으로 행동한다.

◎ **survival** 명 ¹생존 ²유물

◎ **survivor** 명 생존자

0013

crucial
[krúːʃəl]

혱 중요한

He is at a **crucial** turning point in his life.
그는 지금 인생의 중요한 전환점에 있다.

0014

vital
[váitl]

혱 ¹필수적인 ²생명 유지와 관련된

Seeking meaningful relationships has been **vital** for human survival. 모의
의미 있는 관계를 추구하는 것은 인간의 생존에 필수적이었다.

0015

shadow
[ʃǽdou]

명 ¹그림자 ²그늘 동 ¹미행하다 ²그늘을 드리우다

He was a shy boy who seemed to be scared of his own **shadow**. 교과서
그는 자기 자신의 그림자에도 겁을 내는 듯한 수줍음 타는 소년이었다.

0016

evidence
[évədəns]

명 증거, 흔적

The robot found no **evidence** of life on Mars.
그 로봇은 화성에서 생명의 흔적을 찾지 못했다.

0017

subject
[sʌ́bdʒikt]

명 ¹학과, 과목 ²주제 형 ¹~될[걸릴] 수 있는 ²~에 달려 있는

History is a crucial **subject**.
역사는 중요한 과목이다.
Smokers are more **subject** to heart attacks than non-smokers.
흡연자들은 비흡연자들보다 심장마비에 더 걸리기 쉽다.

0018

subjective
[səbdʒéktiv]

형 ¹주관적인 ²마음속에 존재하는

History is **subjective** according to who tells the story.
누가 이야기하는지에 따라 역사는 주관적이다.

0019

object
명 [ábdʒikt]
통 [əbdʒékt]

명 ¹물건, 물체 ²목적 통 반대하다

The sun is the largest **object** in our solar system.
태양은 태양계에서 가장 큰 물체이다.
Some people **object** to animal testing.
어떤 사람들은 동물 실험을 반대한다.

◉ **objection** 명 이의, 반대

0020

objective
[əbdʒéktiv]

형 ¹객관적인 ²실재하는 명 목적, 목표

There is little **objective** evidence to support the concern.
그 우려를 뒷받침하는 객관적 증거가 거의 없다.

urgent
[ə́:rdʒənt]

형 긴급한, 다급한

On February 14ᵗʰ at 6 a.m., the 119 emergency center received an **urgent** call. 교과서
2월 14일 오전 6시에 119 응급센터는 긴급한 전화를 받았다.

escape
[iskéip]

동 달아나다, 탈출하다 명 탈출, 도피

A monkey **escaped** the zoo and is still loose.
원숭이 한 마리가 동물원을 탈출해서 아직 잡히지 않았다.

throughout
[θru:áut]

전 ¹도처에 ²~ 동안 쭉, 내내

He tried **throughout** his life to turn his dreams into reality.
교과서
그는 그의 꿈들을 현실로 바꾸기 위해 평생 동안 노력했다.

occasion
[əkéiʒən]

명 ¹(특정한) 때, 경우 ²행사 ³이유

On some **occasions**, we listen selectively.
어떤 경우에 우리는 선택적 듣기를 한다.
They held a festival to celebrate the **occasion**.
그들은 그 일을 축하하기 위해 축제를 열었다.

- **occasional** 형 가끔의
- **occasionally** 부 가끔, 때때로

suggest
[səgdʒést]

동 ¹제안하다, 추천하다 ²시사하다, 암시하다

Steve **suggested** to his friend that they start a business.
교과서
Steve는 그의 친구에게 함께 사업을 시작할 것을 제안했다.

- **suggestion** 명 ¹제안, 의견 ²시사, 암시

0026

apply
[əplái]

图 ¹신청하다, 지원하다 ²적용하다 ³바르다

He will **apply** to the medical school.
그는 의과 대학에 지원할 것이다.

Don't forget to **apply** sunscreen before going out. 교과서
외출하기 전에 선크림 바르는 것을 잊지 마.

○ **application** 图 ¹신청(서), 지원(서) ²적용
○ **applicant** 图 지원자

0027

reside
[rizáid]

图 살다, 거주하다

Anyone who **resides** in this area can apply to the volunteer program.
이 지역에 거주하는 누구나 그 자원봉사 프로그램에 지원할 수 있다.

○ **residence** 图 거주(지), 주택

0028

resident
[rézədnt]

图 ¹거주자 ²레지던트(수련의) 图 거주하는

The apartments are specially designed for elderly **residents**.
그 아파트는 노인 거주자들을 위해 특별히 설계되었다.

 시험 빈출 혼동 단어

0029

adapt
[ədǽpt]

图 ¹적응하다 ²(용도·상황에) 맞추다 ³각색하다

People have to **adapt** to nature.
사람은 자연에 적응해야 한다.

0030

adopt
[ədápt]

图 ¹입양하다 ²채택하다 ³(방식 등을) 취하다

Mr. and Mrs. White decided to **adopt** the baby boy.
White 씨 부부는 그 남자 아기를 입양하기로 결정했다.

바로 테스트

영어는 우리말로, 우리말은 영어로 쓰세요.

01	urgent	11	신청하다; 적용하다
02	apologize	12	학과, 과목; ~걸릴 수 있는
03	concerned	13	그림자; 미행하다
04	obvious	14	진심으로
05	escape	15	접근하다; 착수하다
06	occasion	16	물건; 목적; 반대하다
07	crucial	17	시도하다; 습격하다
08	evidence	18	제안하다; 시사하다
09	vital	19	살아남다; 견뎌 내다
10	throughout	20	관심사; 우려, 배려

함께 외우는 어휘 쌍

우리말을 보고 알맞은 단어를 쓰세요.

21	동기 부여	—	동기를 부여하다
22	객관적인	—	주관적인
23	다양한	—	다양성
24	거주하다	—	거주자

괄호 안에서 알맞은 단어를 고르세요.

25 FIFA decided to (adopt / adapt) goal-line technology for the World Cup.

DAY 02

0031 ●●●●●

purpose
[pə́ːrpəs]

명 목적, 의도

Once you make a decision, you should keep going with a sense of **purpose**.
일단 결정을 내리면 목적의식을 가지고 계속 나아가야 한다.

0032 ●●●●●

device
[diváis]

명 ¹장치, 기기 ²방법, 방책

He developed a small listening **device** using an old cell phone. 교과서
그는 오래된 휴대 전화를 이용하여 작은 도청기를 개발했다.

0033 ●●●●●

devise
[diváiz]

동 고안하다, 창안하다

She **devised** a new approach for cleaning wastewater.
그녀는 폐수를 정화하는 새로운 접근법을 고안해 냈다.

0034 ●●●●●

reduce
[ridjúːs]

동 줄이다, 축소하다

Walking for an hour every day can **reduce** body fat.
매일 한 시간 동안 걷는 것은 체지방을 줄일 수 있다.

0035 ●●●●●

reduction
[ridʌ́kʃən]

명 ¹축소, 감소 ²할인

The speed **reduction** would double a person's chance of survival when hit by a car.
속도 감소는 차에 치었을 때 사람의 생존 가능성을 두 배로 만든다.

0036

electronic
[ilektránik]

[형] 전자의, 전자 장비와 관련된

It is important to turn off all **electronic** devices when they are not in use. 교과서
사용하지 않을 때는 모든 전자 기기를 끄는 것이 중요하다.

0037

landfill
[lǽndfil]

[명] 쓰레기 매립지

Buying recycled products stops waste from being sent to the **landfill**.
재활용 상품을 구매하는 것은 쓰레기가 쓰레기 매립지로 보내지는 것을 막는다.

0038

discard
[diská:rd]

[동] 버리다, 폐기하다 [명] 버린 패, 버린 것

Millions of tons of clothing is **discarded** and piled up in landfills each year. 모의
매년 수백만 톤의 의류가 버려지고 쓰레기 매립지에 쌓인다.

0039

include
[inklú:d]

[동] ¹포함하다 ²포함시키다, 넣다

Electronic waste **includes** all discarded electronic devices such as cell phones, computers, and televisions. 교과서
전자 쓰레기는 휴대 전화, 컴퓨터, 그리고 텔레비전 같은 모든 버려진 전자 기기를 포함한다.

◎ **inclusion** [명] 포함

0040

exclude
[iksklú:d]

[동] ¹제외하다 ²거부하다, 차단하다

The coach **excluded** the injured players from the starting lineup.
감독은 다친 선수들을 선발 명단에서 제외했다.

◎ **exclusion** [명] ¹제외 ²정학 처분

0041

direct
[dirékt, dai-]

형 직접적인, 직행의

The **direct** route from Asia to Europe is over Russia.
아시아에서 유럽으로의 직항로는 러시아를 넘어가는 것이다.

◉ **direction** 명 ¹방향 ²목적 ³지시, 명령

0042

appoint
[əpɔ́int]

동 ¹임명하다 ²(시간·장소 등을) 정하다

He was **appointed** the director of the business department.
그는 영업부 책임자로 임명되었다.

◉ **appointment** 명 ¹약속 ²임명, 지명

0043

decade
[dékeid]

명 10년

The novel "The Old Man and the Sea" has been widely read for **decades**.
소설 〈노인과 바다〉는 수십 년 동안 널리 읽히고 있다.

0044

flavor
[fléivər]

명 맛, 풍미 동 맛을 내다

The ice cream shop has so many **flavors**.
그 아이스크림 가게는 다양한 맛을 판매한다.

0045

feature
[fíːtʃər]

명 ¹특징 ²이목구비 ³특집 기사[방송] 동 ~을 특집으로 하다

The rich flavor and aroma is the main **feature** of this dish.
교과서
풍부한 맛과 향은 이 음식의 주요 특징이다.

He was **featured** in a famous magazine as a man who achieved his teenage dreams. 교과서
그는 유명한 잡지에 자신의 십 대의 꿈을 이룬 사람으로서 특집으로 실렸다.

0046

issue
[íʃuː]

명 ¹주제, 문제 ²발행 ³(출판물의) ~호 동 발행하다

You should consider **issues** from many different points of view to make the best decisions. 교과서
최선의 결정을 하려면 문제들을 다양한 관점으로 고려해야 한다.
Bank notes of this design were first **issued** 20 years ago.
교과서
이런 디자인의 지폐는 20년 전에 처음 발행되었다.

0047

transform
[trænsfɔ́ːrm]

동 변형시키다, 완전히 바꿔 놓다

They **transformed** sea water into fresh water in an environmentally friendly way. 교과서
그들은 환경친화적인 방법으로 바닷물을 담수로 바꿨다.

◉ **transformation** 명 (완전한) 변화, 탈바꿈

0048

opportunity
[àpərtjúːnəti]

명 기회

I never want to miss an **opportunity** to do things that I dream of. 교과서
나는 내가 꿈꾸는 것들을 할 기회를 절대 놓치고 싶지 않다.

0049

crisis
[kráisis]
복 crises

명 위기, 최악의 고비

We need to transform **crisis** into opportunity.
우리는 위기를 기회로 전환해야 한다.

0050

gather
[ɡǽðər]

동 ¹모으다 ²모이다 ³(수집된 정보에 따라) 이해하다

A large number of people **gathered** to see the movie star.
다수의 사람들이 그 영화배우를 보려고 모였다.

0051

marine
[məríːn]

형 ¹바다의 ²해운업의 ³해군의

The sealife center cares for injured **marine** animals.
그 해양생물 센터는 다친 해양 동물들을 보살핀다.

0052

ecosystem
[ékousìstəm]

명 생태계

Sea turtles play an important role in the ocean by keeping the **ecosystem** in balance. 교과서
바다거북은 생태계의 균형 상태를 유지함으로써 바다에서 중요한 역할을 한다.

0053

reasonable
[ríːzənəbl]

형 타당한, 합리적인, (가격이) 적당한

I often go to flea markets because I can get things at **reasonable** prices.
나는 합리적인 가격에 물건을 살 수 있어서 벼룩시장에 종종 간다.

0054

guilty
[gílti]

형 유죄의, 죄책감이 드는

He was proven **guilty** beyond a reasonable doubt.
그는 의심할 여지 없이 유죄로 판명되었다.

0055

innocent
[ínəsənt]

형 ¹무죄의, 결백한 ²순진한, 천진난만한

The author shows how an unfair society harms **innocent** people in his novel. 교과서
그 작가는 그의 소설에서 어떻게 불공평한 사회가 잘못이 없는 사람들을 해치는지 보여준다.

◉ **innocence** 명 ¹결백, 무죄 ²천진난만

0056 ●●●●●

eventually
[ivéntʃuəli]

㈜ 결국, 마침내

Your effort will **eventually** pay off.
너의 노력은 결국 보상받을 것이다.

○ **eventual** ㈜ 최종적인, 궁극적인

0057 ●●●●●

debate
[dibéit]

㈜ 논쟁, 토론 ㈜ 논쟁하다, 토론하다

There had been much **debate** on the issue of building a new road.
새로운 도로를 건설하는 사안에 관한 많은 토론이 있었다.

0058 ●●●●●

knowledge
[nálidʒ]

㈜ 지식

A little **knowledge** is dangerous.
얕은 지식은 위험하다. (선무당이 사람 잡는다. / 속담)

 시험 빈출 혼동 단어

0059 ●●●●●

expand
[ikspǽnd]

㈜ 팽창하다, 확장하다

Water **expands** when it freezes.
물은 얼 때 팽창한다.

○ **expansive** ㈜ 팽창력 있는
○ **expansion** ㈜ 팽창, 확장

0060 ●●●●●

expend
[ikspénd]

㈜ 소비하다, 쓰다

Motivation creates a willingness to **expend** time and energy to achieve goals. 모의
동기 부여는 목표를 달성하기 위해 시간과 에너지를 쓸 의지를 만든다.

○ **expensive** ㈜ 비싼
○ **expense** ㈜ 지출, 비용

바로 테스트

영어는 우리말로, 우리말은 영어로 쓰세요.

01	landfill	11	변형시키다
02	decade	12	전자의, 전자 장비와 관련된
03	purpose	13	주제; 발행
04	eventually	14	타당한, 합리적인
05	crisis	15	논쟁, 토론
06	direct	16	모으다; 모이다
07	knowledge	17	버리다, 폐기하다
08	ecosystem	18	특징; 이목구비; 특집 기사
09	opportunity	19	맛, 풍미
10	marine	20	임명하다; (시간·장소 등을) 정하다

함께 외우는 어휘 쌍

우리말을 보고 알맞은 단어를 쓰세요.

21		포함하다	—		제외하다
22		줄이다, 축소하다	—		축소, 감소
23		유죄의	—		무죄의
24		장치; 방법	—		고안하다

괄호 안에서 알맞은 단어를 고르세요.

25 The center offers educational programs to (expend / expand) the public's knowledge of marine ecosystems.

DAY 03

0061

interfere
[ìntərfíər]

동 ¹간섭하다, 참견하다 ²방해하다

Don't **interfere** with other's lives.
다른 사람의 삶에 참견하지 마라.

0062

confuse
[kənfjúːz]

동 ¹혼란시키다 ²혼동하다

If you have ever been **confused** about what to do, you are not alone. 교과서
무엇을 해야 할지 몰라 혼란스러웠던 적이 있었다면, 너만 그런 것이 아니다.

0063

exhaust
[igzɔ́ːst]

동 ¹기진맥진하게 하다 ²고갈시키다 명 배기가스

As I was completely **exhausted**, I lay down and slept.
교과서
나는 완전히 기진맥진했기 때문에, 누워서 잠들었다.

0064

exhaustion
[igzɔ́ːstʃən]

명 ¹기진맥진, 탈진 ²고갈

Artificial lighting confuses birds and they end up flying in circles until they drop from **exhaustion**. 교과서
인공조명은 새들을 혼란스럽게 하여, 새들은 결국 지쳐서 추락할 때까지 원을 그리며 날게 된다.

0065

acid
[ǽsid]

명 산 형 ¹산성의 ²(맛이) 신 ³신랄한

When added to water, **acid** produces a sharp flavor.
교과서
산은 물에 더해지면, 톡 쏘는 맛을 만들어 낸다.

0066

nutrient
[njúːtriənt]

圄 영양분, 영양소 톙 영양분을 주는

Limit white rice and white bread for a healthy diet since white grains have few **nutrients**. 교과서
흰 곡물은 영양소가 적기 때문에 건강한 식사를 위해서는 흰쌀과 흰 빵을 제한해라.

0067

absorb
[æbsɔ́ːrb]

홍 ¹흡수하다 ²(정보를) 받아들이다

Acid interferes with the body's ability to **absorb** calcium. 교과서
산은 칼슘을 흡수하는 신체 능력을 방해한다.

0068

absorption
[æbsɔ́ːrpʃən]

圄 ¹흡수 (작용) ²합병 ³전념

Too much nutrient **absorption** can sometimes be a problem.
너무 많은 영양소의 흡수는 때때로 문제가 될 수 있다.

0069

regard
[rigáːrd]

홍 여기다, 간주하다 圄 ¹존경 ²관심 ³안부 인사(-s)

The aged **regard** themselves as being "at the end of the road." 교과서
나이가 드신 분들은 자신들을 '길의 끝자락에' 와 있다고 간주한다.
Please give him my **regards**.
그에게 안부를 전해주세요.

◉ **regarding** 쩐 ~에 관해서는

0070

regardless
[rigáːrdlis]

튀 개의치[상관하지] 않고

The weather was terrible but we kept working **regardless**.
날씨가 아주 나빴지만 우리는 개의치 않고 계속해서 일했다.

◉ **regardless of** ~에 관계없이

●●●●●

gender
[dʒéndər]

명 성, 성별

Everyone should be treated equally regardless of **gender** or race. 교과서
모든 사람은 성별이나 인종에 관계없이 동등하게 대우받아야 한다.

●●●●●

legal
[líːgəl]

형 ¹합법적인(반 illegal) ²법률과 관련된

While selling gum is **legal** in Korea, it is illegal in Singapore.
한국에서 껌을 파는 것은 합법이지만 싱가포르에서는 불법이다.

●●●●●

jury
[dʒúəri]

명 배심원단, 심사위원단

People should not be excluded from the **jury** list because of gender or race.
누구도 성별이나 인종 때문에 배심원단 명단에서 제외되어서는 안 된다.

●●●●●

witness
[wítnis]

동 목격하다 명 목격자

No one **witnessed** the accident. 교과서
그 사고를 목격한 사람은 아무도 없었다.

●●●●●

violate
[váiəlèit]

동 ¹법을 위반하다 ²침해하다 ³훼손하다

I made up my mind not to **violate** the traffic law again.
교과서
나는 다시는 교통 법규를 위반하지 않겠다고 다짐했다.

0076

nevertheless
[nèvərðəlés]

부 그럼에도 불구하고

Tom was innocent; **nevertheless**, the jury decided that he was guilty.
Tom은 아무 죄가 없었음에도 불구하고 배심원단은 그가 유죄라고 판결했다.

0077

majority
[mədʒɔ́ːrəti]

명 ^{1}다수 ^{2}득표 차

The **majority** of Indian people eat with their hands. 교과서
인도 사람들의 다수는 손으로 음식을 먹는다.

● **major** 형 ^{1}주요한 ^{2}심각한 ^{3}전공의 명 ^{1}전공 ^{2}소령

0078

minor
[máinər]

형 ^{1}작은 ^{2}(음악) 단음계의 명 부전공

The damage caused by the accident was **minor**.
그 사고로 인한 피해는 작았다.

0079

minority
[minɔ́ːrəti]

명 ^{1}소수 ^{2}소수 집단

Only a **minority** of people speak the Mayan language.
극소수의 사람들만이 마야 언어를 구사한다.

0080

barrier
[bǽriər]

명 ^{1}장애(물), 장벽 ^{2}국경의 요새

The project helped break down **barriers** between people by connecting the world through music. 교과서
그 프로젝트는 음악을 통해 세계를 연결함으로써 사람들 사이의 장벽을 허무는 데 도움을 주었다.

0081

steep
[sti:p]

형 ¹가파른 ²급격한

There is a rail to hold onto for tourists climbing the **steep**
hill. 교과서
가파른 언덕을 오르는 관광객들이 붙잡을 수 있는 난간이 있다.

- **steeply** 부 가파르게
- **steepness** 명 가파름, 험준함

0082

immigrate
[íməgrèit]

동 이주해 오다

My family **immigrated** to Korea when I was seven.
우리 가족은 내가 일곱 살 때 한국으로 이민 왔다.

0083

immigrant
[ímigrənt]

명 (다른 나라로 온) 이민자

The actor was born in New York of German **immigrant**
parents.
그 배우는 독일인 이민자 부모로부터 뉴욕에서 태어났다.

0084

emigrate
[émigrèit]

동 (다른 나라로) 이주하다

A lot of Koreans **emigrated** to the U.S. in the 1970s.
1970년대에 많은 한국인이 미국으로 이주했다.

0085

emigrant
[émigrənt]

명 (다른 나라로 가는) 이민자

The number of **emigrants** has been rising steeply for the
past two years.
지난 2년 동안 이민자들의 수가 급격하게 증가해 오고 있다.

0086

instant
[ínstənt]

형 ¹즉각적인 ²즉석요리의 명 즉시, 순간

Many products, including chocolate, **instant** noodles, and soap, are made with palm oil. 교과서

초콜릿, 라면, 그리고 비누를 포함해서 많은 제품이 야자유로 만들어진다.

0087

heal
[hiːl]

동 낫다, 치료[치유]하다

A cut will **heal** after a few weeks.

베인 상처는 몇 주 후면 나을 것이다.

● **healing** 명 치유, 치료 형 ¹(병을) 치료하는 ²회복 중인

0088

wound
[wuːnd:]

명 상처, 부상 동 상처를 입히다

Time heals old **wounds**.

시간이 오랜 상처를 치료한다.

 시험 빈출 혼동 단어

0089

bleed
[bliːd]
bled – bled

동 ¹피를 흘리다 ²번지다

The soldier was **bleeding** from a wound in his leg.

그 군인은 다리의 상처에서 피가 나고 있었다.

Hanji absorbs water and ink very well, so there is no **bleeding**. 교과서

한지는 물과 잉크를 아주 잘 흡수해서 번짐이 없다.

0090

breed
[briːd]
bred – bred

동 ¹(동물이) 새끼를 낳다 ²사육하다 명 (동·식물의) 품종

Harbor seals usually **breed** between July and August in Alaska.

바다표범은 보통 알래스카에서 7월과 8월 사이에 새끼를 낳는다.

바로 테스트

영어는 우리말로, 우리말은 영어로 쓰세요.

01	wound	11	여기다, 간주하다
02	jury	12	영양분
03	nevertheless	13	법을 위반하다
04	confuse	14	장애(물), 장벽
05	gender	15	(다른 나라로 가는) 이민자
06	regardless	16	작은; 부전공
07	steep	17	목격하다; 목격자
08	instant	18	낫다, 치료하다
09	legal	19	산; 산성의
10	interfere	20	(다른 나라로 온) 이민자

함께 외우는 어휘 쌍

우리말을 보고 알맞은 단어를 쓰세요.

21		흡수하다	—		흡수 (작용)
22		(다른 나라로) 이주하다	—		이주해 오다
23		기진맥진하게 하다	—		기진맥진, 탈진
24		소수	—		다수

괄호 안에서 알맞은 단어를 고르세요.

25 Many animals (bleed / breed) only at certain times of the year.

DAY 04

0091

afford
[əfɔ́ːrd]

통 ¹~할 여유가 있다 ²공급하다, 주다

She cannot **afford** to buy all the latest fashions. 교과서
그녀는 최신 패션을 모두 구입할 여유가 없다.

0092

affordable
[əfɔ́ːrdəbl]

형 ¹줄 수 있는 ²(가격이) 알맞은

There are several **affordable** cell phones for seniors.
고령자에게 알맞은 가격의 휴대 전화가 있다.

0093

visible
[vízəbl]

형 보이는, 가시적인, 뚜렷한

In the past, about 2,500 stars were **visible** to the naked human eye. 교과서
과거에는 인간의 맨눈으로 약 2,500개의 별을 볼 수 있었다.

0094

respect
[rispékt]

명 존경(심), 존중 통 존경하다, 존중하다

Everyone has the right to be treated with **respect**.
누구나 존중받을 권리가 있다.

0095

respectively
[rispéktivli]

부 각각, 각자

Black and white have a brightness of 0% and 100%, **respectively**. 모의
검은색과 흰색은 명도가 각각 0%와 100%이다.

● **respective** 형 각각의, 각자의

0096

border
[bɔ́ːrdər]

명 ¹국경 (지역) ²가장자리 동 (국경을) 접하다

Vatican City is the smallest state in the world, and it takes only thirty minutes to walk from one **border** to the other. 교과서
바티칸 시국은 세계에서 가장 작은 나라이고, 한쪽 국경에서 다른 쪽까지 걷는 데 30분밖에 안 걸린다.

0097

locate
[lóukeit]

동 ¹~의 위치를 찾아내다 ²(특정 위치에) 두다

Iguazu Falls is **located** on the border between Argentina and Brazil. 교과서
이구아수 폭포는 아르헨티나와 브라질 사이의 국경에 위치해 있다.

0098

location
[loukéiʃən]

명 ¹장소, 위치 ²(영화의) 야외 촬영지

City Hall moved to its present **location** two months ago.
시청은 2달 전에 현재 위치로 이전해 왔다.

0099

former
[fɔ́ːrmər]

형 이전의, 예전의 명 [the ~] (둘 중에서) 전자

The **former** president of the company was sentenced to five years in prison.
그 회사의 전(前) 회장은 5년의 징역형을 선고받았다.

0100

latter
[lǽtər]

형 나중의, 후반의 명 [the ~] (둘 중에서) 후자

Dessert is the **latter** part of the meal.
후식은 식사 후(後)에 나오는 것이다.

0101

vivid
[vívid]

형 선명한, 생생한

My grandfather has **vivid** memories of the Korean War.
나의 할아버지는 한국전쟁에 대한 생생한 기억을 갖고 계신다.

◎ **vividly** 부 선명하게, 생생하게
◎ **vividness** 명 선명함, 생생함

0102

delicate
[délikət]

형 ¹연약한 ²민감한 ³은은한

The eye is one of the **delicate** parts of the body.
눈은 우리 몸에서 연약한 부분들 중 하나이다.

◎ **delicately** 부 ¹우아하게 ²미묘하게
◎ **delicacy** 명 ¹우아 ²연약함 ³미묘함

0103

yield
[ji:ld]

동 ¹산출하다 ²굴복하다 ³양보하다 명 산출량

Working in groups can **yield** better results.
단체로 일하는 것은 더 나은 결과를 산출할 수 있다.

0104

possess
[pəzés]

동 ¹소유하다, 지니다 ²사로잡다, 지배하다

The king **possessed** everything he wanted. 교과서
그 왕은 그가 원하는 모든 것을 소유하고 있었다.

◎ **possession** 명 소유(물), 소지(품)

0105

specific
[spisífik]

형 ¹구체적인, 분명한 ²특정한 ³독특한

When you give directions, be **specific**. 교과서
길을 알려줄 때는 구체적으로 해라.

0106

deserve
[dizə́:rv]

동 ~을 받을 만하다, 자격이 있다

She knows how to praise others when they **deserve** it.
교과서
그녀는 다른 사람들이 칭찬받을 만할 때 칭찬해 주는 법을 안다.

0107

assign
[əsáin]

동 ¹배정하다 ²파견하다

The teacher **assigned** each of us a locker. 교과서
선생님은 우리 개개인에게 사물함을 하나씩 배정해 주셨다.

◎ **assignment** 명 ¹과제, 임무 ²배정, 배치

0108

influence
[ínfluəns]

동 영향을 주다 명 영향(력)

His designs were deeply **influenced** by forms in nature.
교과서
그의 디자인은 자연 속에 있는 형태에 의해 깊이 영향을 받았다.

0109

function
[fʌ́ŋkʃən]

명 ¹기능 ²역할 ³행사, 의식 동 작동하다

The main **function** of the heart is to pump blood throughout the body.
심장의 주된 기능은 몸 전체에 피를 내보내는 것이다.

0110

appropriate
[əpróupriət]

형 적절한 동 (무단으로) 도용하다

Reading at an **appropriate** level is more fun.
적절한 수준의 독서는 더 즐겁다.

◎ **appropriately** 부 적절하게, 적합하게

0111

donate
[dóuneit]

동 기부하다, 기증하다

The doctor **donated** all the money that she had saved.
그 의사는 그녀가 모은 돈을 모두 기부했다.

0112

donation
[dounéiʃən]

명 기부, 기증

Blood **donation** can help save the lives of others.
헌혈은 다른 사람의 생명을 살리는 데 도움이 될 수 있다.

0113

charity
[tʃǽrəti]

명 ¹자선 단체 ²너그러움, 자비

Some of the money donated by the kids is going to be sent to **charity**.
아이들이 기부한 돈의 일부는 자선 단체에 보내질 것이다.

0114

odd
[ɑd]

형 ¹이상한, 특이한 ²홀수의

Sue found her baby daughter making **odd** little cries. 모의
Sue는 그녀의 어린 딸이 이상한 작은 울음소리를 내고 있는 것을 발견했다.

0115

odds
[ɑdz]

명 ¹역경, 곤란 ²가능성

Jessica recovered from cancer against all **odds**.
Jessica는 모든 역경을 이기고 암에서 회복되었다.

0116

refer
[rifə́ːr]

동 ¹나타내다, 가리키다 ²참조하다, 인용[언급]하다

The expression "black sheep" **refers** to an odd member of a group. 교과서
'검은 양'이라는 표현은 한 그룹에서 이상한 구성원을 가리킨다.

○ **reference** 명 ¹언급 ²참조, 참고 ³추천서

0117

fade
[feid]

동 ¹바래다, 희미해지다 ²시들해지다

The colors of the clothes will **fade** over time.
시간이 지나면 옷의 색깔은 바래질 것이다.

0118

blame
[bleim]

동 탓하다 명 책임, 탓

People often **blame** others for their own mistakes.
사람들은 종종 자신의 실수를 남의 탓으로 돌린다.

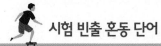 시험 빈출 혼동 단어

0119

access
[ǽksès]

동 접근하다, 이용하다 명 접근, 이용

Thanks to the sharing economy, you can **access** what you need even when you don't own it. 교과서
공유 경제 덕분에, 당신은 필요한 것을 소유하고 있지 않아도 그것에 접근할 수 있다.

○ **accessible** 형 접근하기 쉬운, 이용하기 쉬운

0120

assess
[əsés]

동 ¹평가하다 ²(세금 등을) 부과하다

Assess yourself to see if you are ready for the job.
그 일을 할 준비가 되었는지 알아보기 위해 당신 자신을 평가해 보라.

○ **assessable** 형 ¹평가할 수 있는 ²과세할 수 있는
○ **assessment** 명 ¹평가 ²과세액

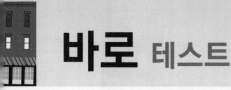
바로 테스트

정답 400쪽

영어는 우리말로, 우리말은 영어로 쓰세요.

01	vivid	11	존경(심); 존경하다
02	odd	12	산출하다; 굴복하다; 양보하다
03	delicate	13	구체적인; 특정한
04	visible	14	바래다; 시들해지다
05	deserve	15	국경 (지역); 가장자리
06	assign	16	소유하다; 사로잡다
07	odds	17	영향을 주다; 영향(력)
08	respectively	18	탓하다; 책임
09	refer	19	기능; 역할; 행사
10	charity	20	적절한; (무단으로) 도용하다

> 함께 외우는 어휘 쌍

우리말을 보고 알맞은 단어를 쓰세요.

21		이전의	—	나중의
22		~의 위치를 찾아내다	—	장소, 위치
23		~할 여유가 있다	—	(가격이) 알맞은
24		기부, 기증	—	기부하다, 기증하다

괄호 안에서 알맞은 단어를 고르세요.

25 Thanks to technology, we can (assess / access) any data we need easily by email or computers.

DAY 05

0121 ●●●●●

refuse
[rifjúːz]

图 거절하다, 거부하다

I offered him some money, but he **refused**. 모의
나는 그에게 약간의 돈을 주려고 했지만, 그는 거절했다.

0122 ●●●●●

excessive
[iksésiv]

혱 지나친, 과도한

I usually try to avoid buying products with **excessive** packaging.
나는 대개 과도하게 포장된 상품을 구매하지 않으려고 노력한다.

0123 ●●●●●

consume
[kənsúːm]

图 ¹소비하다 ²먹다, 마시다

Every year, Americans **consume** 170 liters of soda per person. 교과서
매년, 미국인들은 1인당 탄산음료를 170리터씩 마신다.

0124 ●●●●●

consumer
[kənsúːmər]

명 소비자

Wise **consumers** read reviews to check the quality of goods.
현명한 소비자들은 상품의 질을 확인하기 위해 후기를 읽는다.

0125 ●●●●●

consumption
[kənsʌ́mpʃən]

명 ¹소비 ²체내 섭취

Studies have shown that excessive **consumption** of artificial flavors can create ADHD. 교과서
연구들은 인공 향료를 과도하게 섭취하면 ADHD(주의력 결핍 및 과잉행동 장애)를 일으킬 수 있다는 것을 밝혀 왔다.

0126

separate
동 [sépərèit]
형 [séprət]

동 ¹분리하다 ²헤어지다 형 ¹분리된 ²별개의

You should **separate** food waste from general waste.
일반 쓰레기와 음식물 쓰레기를 분리해야 한다.

0127

gradual
[grǽdʒuəl]

형 ¹점진적인, 단계적인 ²(경사가) 완만한

A **gradual** approach to learning a language is the best.
언어를 배우는 데 있어서 단계적인 접근이 가장 좋다.

◎ **gradually** 부 점진적으로, 서서히

0128

brilliant
[bríljənt]

형 ¹훌륭한, 멋진 ²명석한 ³빛나는

I came up with what I consider a **brilliant** idea. 교과서
나는 내가 생각하기에도 훌륭한 아이디어를 생각해 냈다.

0129

despite
[dispáit]

전 ~에도 불구하고

Despite his efforts over many months, he couldn't fix the broken boiler. 모의
수개월에 걸친 노력에도 불구하고, 그는 고장 난 보일러를 고칠 수 없었다.

◎ **in spite of** ~에도 불구하고

0130

install
[instɔ́:l]

동 ¹설치하다 ²취임시키다, 임명하다

After the stairs were **installed**, people started walking on them instead of riding the escalator. 교과서
계단이 설치된 후, 사람들은 에스컬레이터를 타는 대신 계단으로 걷기 시작했다.

◎ **installation** 명 ¹설치, 설비 ²장비

0131

abandon
[əbǽndən]

동 ¹버리다, 떠나다 ²포기하다, 단념하다

Some animals **abandon** their young, leaving them to survive on their own.
어떤 동물들은 그들의 새끼가 스스로 살아남도록 내버려 두고 떠난다.

0132

boost
[buːst]

동 신장시키다, 북돋우다 명 격려, 부양책

Exercising **boosts** energy and reduces stress. 교과서
운동은 에너지를 끌어올려 주고 스트레스를 줄여 준다.

0133

merely
[míərli]

부 한낱, 단지, 그저

In *As You Like It* William Shakespeare says, "All the world's a stage, and all the men and women **merely** players." 교과서
<As You Like It>에서 윌리엄 셰익스피어가 말하듯이 "온 세계는 무대요, 모든 남녀는 배우일 뿐이다."

● **mere** 형 겨우 ~의, (한낱) ~에 불과한

0134

regret
[rigrét]

동 ¹후회하다 ²유감스럽게 생각하다 명 후회, 유감

Speak when you are angry and you will make the best speech you will ever **regret**.
화가 날 때 말을 해라. 그러면 당신은 두고두고 후회할 최고의 연설을 하게 될 것이다.

0135

regretful
[rigrétfəl]

형 ¹후회하는 ²유감스러운, 슬픈

I am sincerely **regretful** for what I said.
나는 내가 한 말에 대해 진심으로 후회한다.

0136

ban
[bæn]

동 금지하다 명 금지

The city plans to **ban** smoking in all public places.
그 도시는 모든 공공장소에서 흡연을 금지할 계획이다.

0137

fossil
[fásəl]

명 화석

I try to live by reducing my consumption of **fossil** fuel energy. 교과서
나는 화석 연료 에너지의 소비를 줄이며 살려고 노력한다.

0138

alternative
[ɔːltə́ːrnətiv]

형 대체 가능한 명 대안, 선택 가능한 것

The global ban on fossil fuels gave a boost to **alternative** energy. 교과서
화석 연료에 대한 세계적인 금지는 대체 에너지에 활력을 불어넣었다.

◉ **alternate** 동 번갈아 나오다 형 ¹번갈아 하는 ²서로의

0139

demand
[dimǽnd]

명 ¹요구 (사항) ²수요 동 ¹요구하다 ²필요로 하다

There is not much **demand** for briquettes any more.
연탄에 대한 수요는 더 이상 많지 않다.

◉ **demanding** 형 요구가 많은
◉ **on demand** 요구만 있으면 (언제든지)

0140

applaud
[əplɔ́ːd]

동 ¹박수갈채하다 ²칭찬하다

When the concert was over, I **applauded** the musician's brilliant performance.
연주회가 끝났을 때, 나는 연주자의 멋진 공연에 박수갈채를 보냈다.

0141 ●●●●●

accurate
[ǽkjurət]

형 정확한, 정밀한

This app uses GPS, so the information is very **accurate**.

교과서

이 앱은 GPS를 이용해서 정보가 매우 정확하다.

● **accurately** 부 정확히, 정밀하게

0142 ●●●●●

accuracy
[ǽkjurəsi]

명 정확, 정확도

Counting votes calls for **accuracy**, not speed.

투표 수를 세는 것은 신속함이 아닌 정확성을 요구한다.

0143 ●●●●●

scientific
[sàiəntífik]

형 ¹과학의 ²과학적인, 체계적인

Maps became accurate with the application of **scientific** methods. 교과서

지도는 과학적 방법의 적용으로 정확해졌다.

0144 ●●●●●

dedicate
[dédikèit]

동 바치다, 헌신하다

Edison **dedicated** himself to scientific research.

에디슨은 과학 연구에 헌신하였다.

0145 ●●●●●

dedication
[dèdikéiʃən]

명 전념, 헌신

All of his hard work and **dedication** was rewarded with glory.

그의 모든 노고와 헌신은 영광스럽게 보상받았다.

0146

sheriff
[ʃérif]

명 ¹보안관 ²법원 공무원

When the **sheriff** arrived, the pickpocket ran away.
보안관이 도착했을 때 소매치기는 도망쳤다.

0147

murder
[mə́ːrdər]

동 살해하다 명 살인(죄)

The sheriff did not charge anyone with **murder**. 교과서
그 보안관은 아무도 살인으로 기소하지 않았다.

0148

deny
[dinái]

동 ¹부인[부정]하다 ²거절하다

He **denied** attempting to murder his neighbor.
그는 이웃을 살해하려고 시도했던 것을 부인했다.

○ **denial** 명 ¹부인 ²거부

 시험 빈출 혼동 단어

0149

principle
[prínsəpl]

명 ¹원리, 원칙 ²주의, 신념

According to Bernoulli's **principle**, an increase in the speed of air results in a decrease in pressure. 교과서
'베르누이의 원리'에 따르면, 공기 속도의 증가는 압력의 감소라는 결과를 낳는다.

0150

principal
[prínsəpəl]

형 주요한, 주된 명 교장, 학장

If I were the **principal** of my school, I would get rid of all exams.
내가 우리 학교 교장 선생님이라면, 나는 모든 시험을 없앨 것이다.

바로 테스트

영어는 우리말로, 우리말은 영어로 쓰세요.

01	despite	11	소비자
02	ban	12	분리하다; 분리된
03	excessive	13	화석
04	scientific	14	설치하다; 취임시키다
05	deny	15	훌륭한; 명석한
06	merely	16	신장시키다; 부양책
07	sheriff	17	대체 가능한; 대안
08	refuse	18	요구 (사항); 수요
09	murder	19	박수갈채하다
10	gradual	20	버리다; 포기하다

함께 외우는 어휘 쌍

우리말을 보고 알맞은 단어를 쓰세요.

21		후회하다	—	후회하는
22		헌신하다	—	헌신
23		정확한, 정밀한	—	정확
24		소비하다	—	소비

괄호 안에서 알맞은 단어를 고르세요.

25 The teacher explained the (principal / principle) again to the confused students in her class.

Crossword Puzzle

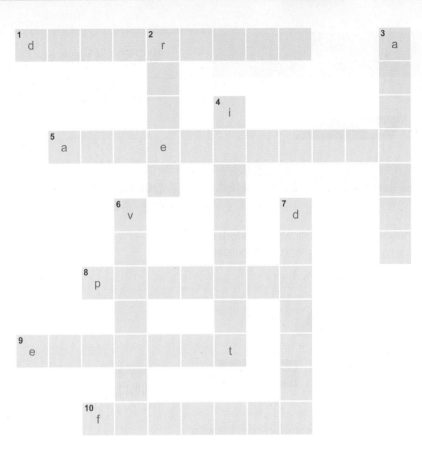

⊙ ACROSS

1	다양성
5	대체 가능한; 대안
8	소유하다, 지니다
9	기진맥진하게 하다; 배기가스
10	특징; 이목구비; 특집 기사

⊙ DOWN

2	나타내다; 참조하다, 인용하다
3	시도, 노력; 시도하다
4	무죄의; 순진한
6	법을 위반하다; 침해하다
7	~을 받을 만하다, 자격이 있다

ex-	밖으로 *변화형 es-

0022 es**cape**

es
밖으로
+
cape
망토

(감싸고 있는) 망토 밖으로 나가다
동 **달아나다, 탈출하다**
명 **탈출, 도피**

She **escaped** from her house before the storm hit.
그녀는 폭풍이 몰아치기 전에 그녀의 집에서 달아났다.

0040 ex**clude**

ex
밖으로
+
clud(e)
닫다

밖에 두고 못 들어오게 닫다
동 **제외하다; 거부하다, 차단하다**

New products are **excluded** from the sale.
신상품은 세일 품목에서 제외된다.

0063 ex**haust**

ex
밖으로
+
haust
끌어내다

(완전히) 밖으로 끌어내다
동 **기진맥진하게 하다; 고갈시키다**
명 **배기가스**

By afternoon, after working in the heat, they were **exhausted**.
오후가 되자 열기에서 일하고 난 후 그들은 기진맥진했다.

ad- | ~에, ~으로 * 변화형 ap-

0003 ap**proach**

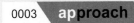

ap (~에) + **proach** (가까이)

~에 가까이 가다
동 접근하다, 다가오다; 착수하다
명 접근(법)

We could feel the wind as the train **approached**.
기차가 다가올 때, 우리는 바람을 느낄 수 있었다.

0030 ad**opt**

ad (~으로) + **opt** (고르다)

자기 쪽으로 고르다
동 입양하다; 채택하다

They are not my real parents; I'm **adopted**.
그들은 내 친부모가 아니다. 나는 입양되었다.

0140 ap**plaud**

ap (~에) + **plaud** (손뼉을 치다)

~에게 손뼉을 치다
동 박수갈채하다; 칭찬하다

The audience **applauded** wildly after the good play ended.
관중들은 그 멋진 경기가 끝난 후에 큰 박수를 보냈다.

最중요 접두사 16   **055**

DAY 06

0151

potential
[pəténʃəl]

명 가능성, 잠재력 형 잠재적인, 가능성이 있는

She has great **potential** to become a figure skater.
그녀는 피겨 스케이팅 선수가 될 만한 대단한 잠재력을 가지고 있다.

0152

alert
[əlɔ́:rt]

형 방심하지 않는, 조심하는 동 경고하다 명 경계

When we travel, we have to be **alert** to potential dangers.
여행할 때, 우리는 잠재적인 위험을 조심해야 한다.

● **alertness** 명 빈틈없음, 조심성 있음

0153

mental
[méntl]

형 정신의, 마음의

Images are **mental** pictures showing ideas and experiences. 모의
이미지는 생각과 경험을 보여주는 심상(마음속 그림)이다.

0154

revise
[riváiz]

동 ¹수정하다 ²바꾸다 명 수정(판), 개정(판)

The reporter **revised** his article several times, trying to get it perfect.
그 기자는 기사를 완벽하게 하려고 여러 번 수정했다.

0155

draft
[dræft]

명 초안, 초고 동 초안을 작성하다

It took her two years to write a **draft** of the novel.
그녀는 그 소설의 초고를 쓰는 데 2년이 걸렸다.

0156

imaginary
[imǽdʒənèri]

형 상상에만 존재하는, 가상적인

People have been using maps to exchange information, describe **imaginary** worlds, and control their land. 교과서
사람들은 정보를 교환하고, 상상의 세계를 묘사하고, 그들의 영토를 통제하기 위해 지도를 사용해 왔다.

0157

imagination
[imǽdʒənéiʃən]

명 ¹상상(력) ²가상 ³창의력

Imagination is the ability to make a mental picture of something in your mind. 교과서
상상력은 마음속에 어떤 것에 관한 마음의 그림을 만드는 능력이다.

0158

imaginable
[imǽdʒənəbl]

형 상상할 수 있는

They sell *herring in every **imaginable** form: fried, pickled, smoked, in bottles, and in soup. 교과서
그들은 튀김, 절임, 훈제, 병조림, 수프 등 청어를 상상할 수 있는 모든 형태로 판다.   *herring 청어

0159

imaginative
[imǽdʒənətiv]

형 상상력이 풍부한, 창의적인

Imaginative people have a lot of good ideas.
상상력이 풍부한 사람들은 많은 좋은 아이디어를 가지고 있다.

0160

fee
[fi:]

명 ¹수수료 ²요금, 회비

The museum opens every day, and there is no entrance **fee**.
그 박물관은 매일 개관하며, 입장료가 없다.

0161

appreciate
[əpríːʃièit]

통 ¹가치를 인정하다 ²고맙게 생각하다 ³감상하다

It is important to **appreciate** ways of life that are different from yours.
당신의 삶의 방식과 다른 삶의 방식을 존중하는 것이 중요하다.

0162

appreciation
[əprìːʃiéiʃən]

명 ¹감사 ²감상

Julie is good at showing **appreciation**. 교과서
Julie는 감사 표현을 잘한다.

0163

term
[təːrm]

명 ¹기간, 임기 ²용어, 말 ³학기 ⁴조건(-s)

The **term** euphemism comes from Greek: eu means "well," and pheme means "speak."
완곡어법이라는 말은 그리스어에서 비롯된 것이다. eu는 '좋게', 그리고 pheme은 '말하다'를 의미한다.

0164

disappear
[dìsəpíər]

통 ¹사라지다 ²실종되다

Every year some 13 million hectares of rainforest **disappear**. 교과서
매년 1,300만 헥타르의 열대 우림이 사라진다.

◉ **disappearance** 명 ¹사라짐 ²실종

0165

concentrate
[kánsəntrèit]

통 ¹집중하다 ²(한 곳에) 모으다

If you get enough sleep, you can stay fully awake and **concentrate** better in class. 교과서
충분히 잠을 자면 수업 시간에 완전히 깬 상태로 더 잘 집중할 수 있다.

◉ **concentration** 명 ¹집중(력) ²농축

0166

precede
[prisíːd]

동 앞서다, 선행하다

The flash of lightning **precedes** the sound of thunder.
번개의 번쩍임은 천둥소리에 앞서서 일어난다.

0167

reject
[ridʒékt]

동 거절하다, 거부하다

Think outside the box and **reject** the obvious answer to solve the riddle.
그 수수께끼를 풀려면 고정관념에서 벗어나서 뻔한 답을 거부하라.

◉ **rejection** 명 거절, 배제

0168

found
[faund]

동 ¹설립하다, 세우다 ²~에 기반을 두다

The aquarium was **founded** on the site of a former fish canning factory. 교과서
그 수족관은 이전에 생선 통조림 공장이었던 곳에 세워졌다.

0169

foundation
[faundéiʃən]

명 ¹(건물 등의) 기초, 기반 ²창설, 건설 ³재단

The **foundation** for the bridge's towers was built in the river.
다리의 탑을 위한 기반이 강에 지어졌다.
The Bill & Melinda Gates **Foundation**
Bill & Melinda Gates 재단

◉ **foundational** 형 기본의, 기초적인

0170

replace
[ripléis]

동 대신하다, 대체하다

Nothing can **replace** experience.
경험을 대신할 수 있는 것은 없다.

0171

injured
[índʒərd]

형 [1]다친, 부상을 입은 [2]기분이 상한

Nobody was **injured** in the accident.
그 사고로 다친 사람은 없었다.

- ⊙ **injure** 동 다치게 하다, 해치다
- ⊙ **injury** 명 부상
- ⊙ **the injured** 부상자들

0172

cure
[kjuər]

명 [1]치료(법) [2]치유 [3]해결책 동 [1]낫게 하다 [2]해결하다

Prevention is better than **cure**.
예방이 치료보다 낫다.

0173

experiment
[ikspérimənt]

명 실험 동 실험을 하다

He has done various **experiments** to find a cure for the disease.
그는 그 질병의 치료법을 찾기 위해 다양한 실험을 해 왔다.

0174

accomplish
[əkámpliʃ]

동 성취하다, 이루다

No matter how much you have, no matter how much you have **accomplished**, you need help too. 모의
당신이 아무리 가진 것이 많아도, 당신이 아무리 많이 이루었더라도, 당신 역시 도움이 필요하다.

0175

accomplishment
[əkámpliʃmənt]

명 [1]업적, 공적 [2]재주, 기량

Eric never boasts about his **accomplishments** even though he is at the top.
Eric은 최고의 자리에 있음에도 결코 자신의 공적을 뽐내지 않는다.

0176

grab
[græb]

통 ¹움켜잡다 ²관심을 끌다

A book full of good photos is enough to **grab** readers' attention.
멋진 사진으로 가득 찬 책은 독자의 관심을 끌기에 충분하다.

0177

impact
[ímpækt]

명 ¹(강한) 영향, 충격 ²(물체끼리의) 충돌

How well you listen has a major **impact** on the quality of your relationships with others.
당신이 얼마나 잘 듣는가는 다른 사람들과의 관계의 질에 중대한 영향을 미친다.

0178

mature
[mətʃúər]

형 어른스러운, 분별 있는 동 다 자라다, 발달하다

After we are 18 years old, we are **mature** enough to make decisions.
18세가 넘으면 우리는 결정을 내릴 수 있을 만큼 충분히 성숙하게 된다.

 시험 빈출 혼동 단어

0179

confirm
[kənfə́ːrm]

동 확인하다, 확신하다

She **confirmed** the need to challenge old practices. 모의
그녀는 오래된 관행에 도전할 필요성을 확인했다.

0180

conform
[kənfɔ́ːrm]

동 ¹따르다, 순응하다 ²~에 일치하다

All students must **conform** to the rules.
모든 학생은 규칙을 따라야 한다.

바로 테스트

영어는 우리말로, 우리말은 영어로 쓰세요.

01 fee

02 disappear

03 draft

04 precede

05 experiment

06 impact

07 cure

08 reject

09 grab

10 imaginary

11 상상할 수 있는

12 기간; 용어

13 잠재력; 잠재적인

14 집중하다

15 대신하다, 대체하다

16 방심하지 않는; 경고하다

17 다친, 부상을 입은

18 어른스러운

19 수정하다; 바꾸다

20 정신의, 마음의

함께 외우는 어휘 쌍

우리말을 보고 알맞은 단어를 쓰세요.

21   성취하다 —   업적, 공적

22   설립하다, 세우다 —   창설; 재단

23   상상력이 풍부한 —   상상력

24   고맙게 생각하다 —   감사

괄호 안에서 알맞은 단어를 고르세요.

25 NASA scientists have (conformed / confirmed) that Mars once had more water than the Antarctic Ocean.

DAY 07

0181

remain
[riméin]

동 ¹여전히 ~인 채로 있다 ²남다

The rivals became friends and **remained** so for the rest of their lives. 교과서
그 경쟁자들은 친구가 되었고 여생을 그렇게 친구로 남았다.

○ **remains** 명 ¹남은 것 ²유적

0182

ignore
[ignɔ́ːr]

동 무시하다, 모르는 체하다

It is rude to **ignore** someone on purpose.
고의로 누군가를 무시하는 것은 무례한 행동이다.

○ **ignorance** 명 무지, 무식

0183

ignorant
[ígnərənt]

형 무지한, 무식한

She was **ignorant** about science.
그녀는 과학에 대해서는 무지했다.

0184

pretend
[priténd]

동 ¹~인 척하다 ²~라고 가정[상상]하다

One is said to cry "crocodile tears" if they **pretend** to be sad when they are not. 교과서
슬프지 않은데 슬픈 척한다면 '악어의 눈물'을 흘린다고 말한다.

0185

enhance
[inhǽns]

동 높이다, 강화하다

Smiling is often used to **enhance** relationships with others.
웃음은 종종 다른 사람들과의 관계를 강화하는 데 사용된다.

0186 ●●●●●

preserve
[prizə́:rv]

통 지키다, 보호하다, 보존하다

The earliest surviving map of the world is **preserved** on a clay tablet made in ancient Babylonia. 교과서
현존하는 가장 초기의 세계 지도는 고대 바빌로니아에서 만들어진 점토판에 보존되어 있다.

0187 ●●●●●

official
[əfíʃəl]

형 ¹공무상의 ²공식적인 명 공무원

Arabic is the **official** language of Sudan.
아랍어는 수단의 공용어이다.

0188 ●●●●●

affair
[əfέər]

명 일, 문제, 사건

The whole **affair** was open to the public.
그 모든 일은 대중에 공개되었다.

0189 ●●●●●

current
[kə́:rənt]

형 현재의 명 ¹흐름 ²경향, 풍조

We can easily search for **current** affairs on the Internet.
우리는 인터넷에서 현재의 사건들을 쉽게 검색할 수 있다.

◉ **currently** 부 현재(는), 지금

0190 ●●●●●

currency
[kə́:rənsi]

명 ¹화폐 ²유통

The official **currency** in Germany is the Euro(€).
독일의 공식적인 화폐는 유로(€)이다.

0191

isolation
[àisəléiʃən]

명 ¹고립, 분리 ²고독

No living creature can exist in complete **isolation**.
어떠한 살아있는 생물체도 완전한 고립 속에서 존재할 수 없다.

● **isolate** 통 격리시키다, 고립시키다

0192

indeed
[indíːd]

부 정말, 참으로

A friend in need is a friend **indeed**.
필요할 때의 친구가 진짜 친구이다.

0193

aggressive
[əgrésiv]

형 ¹공격적인 ²적극적인

The dog is **aggressive** towards strangers.
그 개는 낯선 사람들에게 공격적이다.

● **aggressively** 부 공격적으로

0194

furthermore
[fə́ːrðərmɔ̀ːr]

부 더욱이, 게다가

Traveling refreshes the mind; **furthermore**, it can be an educational experience.
여행은 마음을 새롭게 한다. 더욱이, 그것은 교육적인 경험이 될 수도 있다.

0195

license
[láisəns]

명 면허(증) 통 (공적으로) 허가하다

After several attempts, I finally got a driver's **license**.
여러 차례 시도한 끝에, 나는 마침내 운전면허증을 땄다.

0196

beneath
[biníːθ]

전 바로 밑에, 아래에

Divers found a pirate ship **beneath** the Baltic Sea.
잠수부들은 발트해 아래에서 해적선을 발견했다.

0197

probable
[prábəbl]

형 (어떤 일이) 있을 것 같은, 개연성 있는

It is **probable** that life exists outside of the Earth.
지구 밖에도 생명체가 존재할 것 같다.

◉ **probability** 명 [1]개연성 [2]확률

0198

probably
[prábəbli]

부 아마

The Taj Mahal is **probably** the most famous building in India.
타지마할은 아마도 인도에서 가장 유명한 건물일 것이다.

0199

recovery
[rikʌ́vəri]

명 회복

If you have the flu, exercise can slow **recovery**. 모의
만약 당신이 독감에 걸렸다면, 운동은 회복을 늦출 수 있다.

◉ **recover** 동 회복하다

0200

surgery
[sə́ːrdʒəri]

명 [1]수술 [2]진료 (시간) [3]진료소

His **surgery** had gone well, and he had fully recovered.
교과서
수술은 잘 되었고, 그는 완전히 회복되었다.

0201 ●●●●●

permanent
[pə́ːrmənənt]

형 영구적인, 영속하는

Baby teeth are replaced by **permanent** teeth as children mature.
젖니는 아이가 자라면서 영구치로 대체된다.

◎ **permanently** **부** 영구적으로

0202 ●●●●●

temporary
[témpərèri]

형 일시적인, 임시의

Buying things might make you happy, but it is probably **temporary**. 모의
물건을 사는 것이 당신을 행복하게 만들어 줄 수는 있지만, 그것은 아마도 일시적일 것이다.

0203 ●●●●●

temporarily
[tèmpərérəli]

부 일시적으로, 임시로

The parade was **temporarily** stopped by the sudden rain.
그 행진은 갑작스러운 비로 인해 잠시 중단되었다.

0204 ●●●●●

operate
[ápərèit]

동 ¹작동하다, 조작하다 ²영업하다 ³수술하다

The best thing about driverless cars is that people won't need a license to **operate** them. 모의
무인 자동차의 가장 좋은 점은 사람들이 그것을 조작하는 데 면허가 필요 없을 것이라는 점이다.

0205 ●●●●●

operation
[àpəréiʃən]

명 ¹수술 ²작동 ³사업

The brain can suffer permanent damage after an **operation**.
뇌는 수술 후에 영구적인 손상을 입을 수 있다.

0206

blend
[blend]

동 ¹섞다, 혼합하다 ²어울리다　명 혼합(물)

A milkshake is made by **blending** milk and ice cream.
밀크셰이크는 우유와 아이스크림을 섞어 만든다.

0207

annoy
[ənɔ́i]

동 짜증 나게 하다, 괴롭히다

They **annoy** the neighbors because they let their children run.
그들은 아이들을 뛰어다니게 내버려 두기 때문에 이웃들을 짜증 나게 한다.

0208

promotion
[prəmóuʃən]

명 ¹승진 ²촉진, 장려 ³홍보, 판촉

Pop-up **promotions** on the Internet can be annoying.
교과서
인터넷 팝업 광고들은 짜증날 수 있다.

○ **promote** 동 ¹촉진하다 ²홍보하다 ³승급시키다

 시험 빈출 혼동 단어

0209

explore
[ikspló:r]

동 답사하다, 탐험하다

I **explored** the city on my own for a few hours.
나는 몇 시간 동안 혼자서 그 도시를 탐험했다.

○ **explorer** 명 탐험가
○ **exploration** 명 탐험, 답사

0210

explode
[iksplóud]

동 ¹터지다, 폭발하다 ²갑자기 ~하다

Her rude behavior made me **explode** with anger.
그녀의 무례한 행동에 내 분노가 폭발했다.

○ **explosion** 명 폭발, 폭파

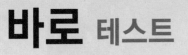
바로 테스트

영어는 우리말로, 우리말은 영어로 쓰세요.

01	recovery	11	수술; 진료 (시간)
02	beneath	12	승진; 촉진
03	official	13	아마
04	indeed	14	고립, 분리
05	enhance	15	공격적인; 적극적인
06	probable	16	섞다; 어울리다
07	annoy	17	여전히 ~인 채로 있다
08	pretend	18	일시적으로
09	affair	19	지키다, 보존하다
10	furthermore	20	면허증

함께 외우는 어휘 쌍

우리말을 보고 알맞은 단어를 쓰세요.

21		무시하다	—	무지한, 무식한
22		현재의; 흐름	—	화폐; 유통
23		작동하다; 수술하다	—	작동; 수술
24		영구적인	—	일시적인

괄호 안에서 알맞은 단어를 고르세요.

25 Six people were killed when a bomb (explored / exploded) at the subway station in London.

DAY 08

0211

economy
[ikánəmi]

명 경제

The economist has a bright outlook for next year's **economy**.
그 경제학자는 내년 경제에 대한 밝은 전망을 가지고 있다.

0212

economic
[ì:kənámik]

형 경제의, 경제성이 있는

The police reported a foreign boat was in our **economic** zone.
경찰은 한 외국 선박이 우리의 경제 수역 내에 있다고 보고했다.

◎ **economics** 명 경제학

0213

economical
[ì:kənámikəl]

형 경제적인

Preserving nature is more **economical** in the long run.
자연을 보존하는 것이 장기적으로 더 경제적이다.

◎ **economically** 부 [1]경제적으로 [2]간결하게

0214

fulfil(l)
[fulfíl]

동 [1](의무 등을) 다하다, 이행하다 [2]실현하다

It is important to congratulate yourself when you **fulfill** a goal, however small it is. 교과서
아무리 작은 목표라도 그것을 이루면 자신을 자랑스러워하는 것이 중요하다.

0215

illustrate
[íləstrèit]

동 [1]삽화를 넣다 [2]분명히 보여주다 [3]실증하다

Early maps were drawn and **illustrated** by hand. 교과서
초기 지도들은 사람 손으로 그려지고 그림이 넣어졌다.

0216

alter
[ɔ́:ltər]

图 ¹변하다 ²바꾸다, 고치다

Smartphones greatly **altered** the way people communicate with each other.
스마트폰은 사람들이 서로 의사소통하는 방식을 크게 바꿔놓았다.

0217

previous
[prí:viəs]

형 ¹이전의 ²바로 앞의

Insects can alter behavior based on **previous** experience.
모의
곤충은 이전의 경험을 바탕으로 행동을 바꿀 수 있다.

○ **previously** 튀 ¹이전에 ²미리, 사전에

0218

costly
[kɔ́:stli]

형 ¹많은 돈이 드는, 값비싼 ²희생이 큰

It will be very **costly** to carry out the plan.
그 계획을 실행하는 데는 많은 비용이 들 것이다.

0219

maintain
[meintéin]

图 ¹유지하다 ²주장하다 ³부양하다

The doctor told me I should **maintain** a weight of about 50 kilograms to be healthy.
의사는 내가 건강하려면 50킬로그램 정도를 유지해야 한다고 말했다.

0220

annual
[ǽnjuəl]

형 매년의, 연례의

It is an **annual** outdoor lighting festival held in Sydney.
교과서
그것은 시드니에서 매년 열리는 야외 조명 축제이다.

0221

decrease
[dikríːs]

图 줄다, 감소하다 명 감소, 하락

As the amount of waste on the streets **decreased**, the city became more active and safer. 교과서
길거리 쓰레기의 양이 줄어들자 그 도시는 더 활발하고 더 안전해졌다.

0222

increase
[inkríːs]

图 증가하다, 인상되다 명 증가, 인상

Water will help you **increase** energy and maintain a healthy body weight. 교과서
물은 당신이 에너지를 증가시키고 건강한 체중을 유지하도록 도와준다.

0223

document
명 [dákjumənt]
图 [dákjumènt]

명 서류, 문서 图 기록하다

Although the **document** was printed a hundred years ago, it is still in perfect condition. 교과서
그 문서는 100년 전에 인쇄되었지만, 여전히 완벽한 상태이다.

0224

documentary
[dàːkjuméntri]

명 (영화 등의) 기록물 형 기록물의

I watched a **documentary** on global warming.
나는 지구 온난화에 관한 다큐멘터리를 봤다.

0225

elect
[ilékt]

图 ¹(선거로) 선출하다 ²선택하다

She was **elected** mayor of Chicago at 30 years old.
그녀는 서른 살에 시카고의 시장으로 당선되었다.

◉ **election** 명 ¹선거 ²당선

0226

perform
[pərfɔ́ːrm]

동 ¹행하다, 실시하다 ²공연하다

The magician **performed** wonderful card tricks in front of a huge audience. 교과서
그 마술사는 수많은 관중 앞에서 놀라운 카드 묘기를 공연했다.

● **performance** 명 ¹공연, 연주회 ²연기 ³실적

0227

board
[bɔːrd]

명 ¹판자 ²게시판 ³위원회 동 탑승하다

The doctor built an operating table with **boards** and performed surgeries. 교과서
그 의사는 판자로 수술대를 만들고 수술을 했다.

0228

forecast
[fɔ́ːrkæst]

동 예보하다, 예측하다 명 예보, 예측

Probability applies in lotteries, weather **forecast**, etc.
확률은 복권, 일기예보 등에 적용된다.

0229

detach
[ditǽtʃ]

동 ¹떼다, 분리하다 ²(군대를) 파견하다

A leaf **detached** itself and fell to the ground.
나뭇잎 하나가 떨어져서 땅에 내려앉았다.

● **detachment** 명 ¹무심함 ²객관성 ³분리

0230

attach
[ətǽtʃ]

동 ¹붙이다 ²연관되다 ³~에게 애착을 느끼게 하다

Hyman Lipman became a great inventor by **attaching** an eraser to the top of a pencil. 교과서
Hyman Lipman은 연필 위에 지우개를 붙여서 훌륭한 발명가가 되었다.

● **attachment** 명 ¹애착 ²지지 ³부착(물)

0231　●●●●●

confidence
[kánfədəns]

명 [1]신뢰 [2]자신감

Believe in yourself and have **confidence** that you can do anything.
자신을 믿고 무엇이든 할 수 있다는 자신감을 가져라.

◎ **confident** 형 자신 있는, 확신하는

0232　●●●●●

confidential
[kànfədénʃəl]

형 기밀의, 비밀의

All **confidential** documents must not be made public.
모든 기밀문서는 절대 공개되어서는 안 된다.

0233　●●●●●

rescue
[réskjuː]

동 구조하다, 구출하다　명 구조, 구출

Firefighters **rescued** a teenage boy from the burning house.
소방관들은 불타는 집에서 한 십 대 소년을 구출했다.

0234　●●●●●

migrate
[máigreit]

동 [1]이동하다, 이주하다 [2]바꾸다

The birds seasonally **migrate** from one area to another.
그 새들은 계절마다 한 지역에서 또 다른 지역으로 이주한다.

0235　●●●●●

immediately
[imíːdiətli]

부 곧, 즉시

An alert message was **immediately** sent to the police.
교과서
경고 메시지가 경찰에게 즉시 전송되었다.

◎ **immediate** 형 [1]즉각적인 [2]시급한 [3]직접적인

0236

realize
[ríːəlàiz]

통 깨닫다

I **realized** that I did not have anything to worry about.
교과서
나는 걱정할 것이 전혀 없다는 것을 깨달았다.

0237

intake
[íntèik]

명 [1]섭취(량), 들이쉬기 [2]흡입구

Any quick **intake** of breath such as sneezing or coughing can lead to hiccups.
재채기나 기침같이 숨을 급히 들이쉬는 것은 딸꾹질을 일으킬 수 있다.

0238

neglect
[niglékt]

통 방치하다, 도외시하다 명 방치, 소홀

He who **neglects** the little loses the greater.
작은 것을 소홀히 하면 큰 것을 잃는다. (속담)

 시험 빈출 혼동 단어

0239

ensure
[inʃúər]

통 [1]보장[보증]하다 [2]~을 안전하게 하다

Legend says that a single coin thrown into the Trevi Fountain will **ensure** a return to Rome. 교과서
전설은 트레비 분수로 던진 동전 한 개는 로마로 돌아오는 것을 보증할 것이라고 말한다.

0240

insure
[inʃúər]

통 보험에 들다

We **insured** our house against fire.
우리는 화재에 대비해 집에 보험을 들었다.

바로 테스트

영어는 우리말로, 우리말은 영어로 쓰세요.

01	alter	**11**	삽화를 넣다
02	forecast	**12**	곧, 즉시
03	perform	**13**	유지하다; 부양하다
04	annual	**14**	신뢰; 자신감
05	economic	**15**	깨닫다
06	rescue	**16**	기밀의, 비밀의
07	migrate	**17**	방치하다, 도외시하다
08	previous	**18**	판자; 게시판; 위원회
09	elect	**19**	섭취(량), 들이쉬기
10	costly	**20**	이행하다; 실현하다

함께 외우는 어휘 쌍

우리말을 보고 알맞은 단어를 쓰세요.

21	붙이다	—		떼다
22	서류, 문서	—		(영화 등의) 기록물
23	증가하다	—		감소하다
24	경제	—		경제적인

괄호 안에서 알맞은 단어를 고르세요.

25 We (ensured / insured) that he would keep his promise.

DAY 09

0241 ● ● ● ● ●

due
[dju:]

형 ¹~로 인한 ²지급 기일이 된 ³~할 예정인

Most people believe that soda is not good for their health **due** to the ingredients. 교과서
많은 사람들은 탄산음료가 성분 때문에 건강에 좋지 않다고 생각한다.

0242 ● ● ● ● ●

worsen
[wə́:rsn]

동 ¹악화되다 ²악화시키다

Their relationship **worsened** day by day.
그들의 관계는 날이 갈수록 더 안 좋아졌다.

0243 ● ● ● ● ●

generate
[dʒénərèit]

동 ¹생산하다, 일으키다 ²(전기·열 등을) 발생시키다

Artificial sweeteners are known to **generate** sleeping problems and headaches. 교과서
인공 감미료는 수면 문제와 두통을 일으키는 것으로 알려져 있다.

0244 ● ● ● ● ●

generation
[dʒènəréiʃən]

명 ¹세대 ²(전기·열 등의) 발생

He believed digital devices worsened the **generation** gap. 교과서
그는 디지털 기기들이 세대 차이를 악화시켰다고 생각했다.

0245 ● ● ● ● ●

entire
[intáiər]

형 전체의, 온

A huge truck blocked the **entire** road.
큰 트럭이 길 전체를 가로막았다.

● **entirely** 부 전적으로, 완전히

0246

canal
[kənǽl]

명 운하, 수로

The gondola ferry is a fast way to cross the Grand **Canal** in Venice.
곤돌라 페리는 베니스에 있는 대운하를 건너는 빠른 방법이다.

0247

impress
[imprés]

동 ^{1}깊은 인상을 주다 ^{2}감명을 주다

I was **impressed** by the beautiful view of the canal. 교과서
나는 운하의 아름다운 경치에 감명을 받았다.

◎ **impression** 명 ^{1}인상 ^{2}감명

0248

impressive
[imprésiv]

형 인상적인, 인상 깊은

Perhaps the most **impressive** feature of the church is the ceiling. 교과서
아마도 그 교회의 가장 인상적인 특징은 천장일 것이다.

◎ **impressively** 부 인상적으로, 인상 깊게

0249

grant
[grænt]

동 ^{1}주다, 수여하다 ^{2}인정하다 명 보조금

The present is the only time you are **granted** that you have control over. 교과서
현재는 당신이 부여받은 조종할 수 있는 유일한 시간이다.
It is important to appreciate what people usually take for **granted**.
사람들이 보통 당연하게 여기는 것에 감사하는 것은 중요하다.

◎ **take ~ for granted** ~을 당연한 일로 여기다

0250

nowadays
[náuədèiz]

부 요즘에는

Nowadays, we take cell phones for granted.
요즈음 우리는 휴대 전화를 당연하게 여긴다.

0251

value
[vǽljuː]

동 ¹소중하게 생각하다 ²가치를 평가하다　명 가치(관)

Value yourself, whoever you are and whatever you do.
교과서
당신이 누구이든지 그리고 무엇을 하든지 간에 당신 자신을 가치 있게 여겨라.

0252

valuable
[vǽljuəbl]

형 ¹소중한, 유익한 ²가치가 큰

SNS has become a **valuable** and powerful tool in our lives. 교과서
SNS는 우리 삶에서 유익하고 영향력 있는 도구가 되었다.

0253

invaluable
[invǽljuəbl]

형 매우 유용한, 귀중한

Hanji is considered an **invaluable** part of Korean history and culture. 교과서
한지는 한국의 역사와 문화의 매우 귀중한 부분으로 여겨진다.

0254

precise
[prisáis]

형 정확한, 정밀한

You need to be **precise** when writing a report.
보고서를 작성할 때는 정확해야 한다.

◉ **precisely** 부 정확히

0255

disgust
[disgʌ́st]

명 혐오감, 역겨움　동 역겹게 하다

He searched through the trash bag in **disgust**.
그는 역겨워하며 쓰레기 봉투를 철저히 조사했다.

◉ **disgusting** 형 메스꺼운, 역겨운

0256 ●●●●●

recharge
[riːtʃɑ́ːrdʒ]

통 (재)충전하다

When you sleep, your body is **recharged** with as much energy as you spent during the previous day. 모의
잠잘 때, 당신의 몸은 그 전날 동안 소비했던 에너지만큼 재충전된다.

0257 ●●●●●

scrub
[skrʌb]

통 문지르다, 닦아내다

We **scrubbed** the floor with a scrubber.
우리는 수세미로 바닥을 닦아냈다.

◉ **scrubber** 명 솔, 수세미

0258 ●●●●●

awesome
[ɔ́ːsəm]

형 엄청난, 아주 멋진

In the *Iron Man* movies, the flying suit is **awesome**. 교과서
〈아이언맨〉 시리즈 영화에서 비행복이 아주 멋지다.

0259 ●●●●●

burden
[bə́ːrdn]

명 부담, 짐 통 부담을 지우다

The **burden** of one's own choice is not felt.
스스로 선택한 짐은 무겁게 느껴지지 않는다. (속담)

0260 ●●●●●

independent
[ìndipéndənt]

형 ¹독립한 ²자립심이 강한

Growing up means that you are changing from a child to an **independent** adult. 교과서
성장한다는 것은 아이에서 독립된 성인으로 변화하는 것을 의미한다.

◉ **independence** 명 ¹독립 ²자립

0261

purchase
[pə́ːrtʃəs]

명 구입, 구매 동 구입하다

He **purchased** the book at ten times the price the owner was asking. 교과서
그는 그 책을 소유자가 요구한 가격의 10배에 샀다.

0262

shift
[ʃift]

명 ¹변화 ²교대 근무(시간) ³교대조 동 옮기다

My dad is always tired because he works night **shifts**.
나의 아버지는 야간 근무를 하시기 때문에 항상 피곤해하신다.

0263

stare
[stɛər]

동 빤히 쳐다보다, 응시하다 명 응시

What made me **stare** in wonder were the beautiful buildings surrounding the square. 교과서
내가 경이롭게 바라본 것은 광장을 둘러싸고 있는 아름다운 건물들이었다.

0264

aware
[əwɛ́ər]

형 알아차린, 알고 있는

They were **aware** of the problem but they could not afford to fix it.
그들은 그 문제를 알고 있었지만 고칠 여력이 없었다.

0265

awareness
[əwɛ́ərnis]

명 인식, 알고 있음

The foundation focuses on educational programs to raise **awareness** regarding environmental issues. 교과서
그 재단은 환경 문제에 관한 인식을 높이기 위해 교육 프로그램에 집중하고 있다.

0266

enormous
[inɔ́ːrməs]

형 거대한, 엄청난

In Alaska, **enormous** ice sheets have been melting away.
알래스카에서는 거대한 빙하가 녹아 없어지고 있다.

○ **enormously** 부 엄청나게, 대단히

0267

delay
[diléi]

동 ¹미루다 ²지연시키다 명 ¹지연 ²미룸

The plane was scheduled to land at 7 p.m., but it was **delayed** until 8.
그 비행기는 오후 7시에 착륙하기로 예정되어 있었지만 8시로 연착되었다.

0268

versus
[və́ːrsəs]

전 ¹(경기 등에서) ~ 대 ²(비교에서) ~에 비해

There is a big match, Tottenham **versus** Liverpool.
토트넘 대 리버풀의 중요한 경기가 있다.

 시험 빈출 혼동 단어

0269

jealous
[dʒéləs]

형 질투하는, 시기하는

You don't need to be **jealous** of other people's lives.
다른 사람의 삶을 질투할 필요는 없다.

○ **jealousy** 명 질투, 시기

0270

zealous
[zéləs]

형 열성적인

The **zealous** fans waited all night to buy concert tickets.
그 열성적인 팬들은 콘서트 표를 사기 위해 밤새 기다렸다.

○ **zealousness** 명 열광적임

바로 테스트

정답 402쪽

영어는 우리말로, 우리말은 영어로 쓰세요.

01	nowadays	11	~로 인한
02	invaluable	12	정확한, 정밀한
03	worsen	13	(재)충전하다
04	disgust	14	변화; 교대 근무(시간)
05	purchase	15	부담, 짐
06	enormous	16	주다; 보조금
07	canal	17	문지르다, 닦아내다
08	entire	18	빤히 쳐다보다
09	delay	19	독립한; 자립심이 강한
10	awesome	20	(경기 등에서) ~ 대

함께 외우는 어휘 쌍

우리말을 보고 알맞은 단어를 쓰세요.

21		소중하게 생각하다	—	소중한; 가치가 큰
22		알고 있는	—	인식, 알고 있음
23		인상적인	—	깊은 인상을 주다
24		(전기 등을) 발생시키다	—	(전기 등의) 발생

괄호 안에서 알맞은 단어를 고르세요.

25 The players were more (jealous / zealous) in the second half of the game.

DAY 10

0271

award
[əwɔ́ːrd]

명 상, 상금   동 주다, 수여하다

The documentary won two Academy **Awards**.
그 다큐멘터리는 2개의 아카데미상을 받았다.

0272

supply
[səplái]

동 공급하다   명 ¹공급(량), 비축(량) ²보급품

We **supply** books and materials to the school.
우리는 그 학교에 도서와 교재를 공급한다.

0273

folk
[fouk]

명 민속[전통] 음악, 민요   형 민속의, 전통적인

Arirang is the most popular **folk** song in Korea.
〈아리랑〉은 한국에서 가장 유명한 민요다.

0274

achievement
[ətʃíːvmənt]

명 ¹업적 ²성취

It is considered one of the greatest **achievements** of all time. 교과서
그것은 역사상 가장 위대한 업적 중 하나로 여겨진다.

◉ **achieve** 동 이루다, 성취하다

0275

outstanding
[àutstǽndiŋ]

형 뛰어난, 중요한

The artist was awarded a prize for her **outstanding** achievements.
그 예술가는 자신의 뛰어난 업적으로 상을 받았다.

0276 •••••

distribute
[distríbjuːt]

동 ¹나누어 주다, 분배하다 ²유통시키다

The charity **distributes** emergency supplies in disaster areas.
그 자선 단체는 재난 지역에 긴급 보급품을 나누어 준다.

0277 •••••

distribution
[dìstrəbjúːʃən]

명 ¹분배, 배급, 유통 ²분포

The organization is an outstanding example of a **distribution** system. 교과서
그 조직은 유통 시스템의 우수한 사례이다.

0278 •••••

habitat
[hǽbitæt]

명 서식지

The seals are losing their **habitat** because of development.
물개들은 개발 때문에 그들의 서식지를 잃고 있다.

0279 •••••

invest
[invést]

동 ¹투자하다 ²(시간·노력 등을) 쏟다

The business promised to **invest** money to make greener changes.
기업은 더 친환경적인 변화를 위해 돈을 투자할 것을 약속했다.

○ **investment** 명 투자

0280 •••••

account
[əkáunt]

명 ¹(예금) 계좌 ²설명 동 설명하다

If you don't have a clear purpose for saving money, you may have a large bank **account** but be unhappy. 교과서
저축을 하는 분명한 목적이 없다면, 은행 계좌에 돈이 많더라도 행복하지 않을 수 있다.

0281

abuse

[əbjúːs]

통 ¹남용하다 ²학대하다 명 ¹남용, 오용 ²학대

Some people argue that science can be dangerous and is often **abused**. 교과서

어떤 사람들은 과학이 위험할 수 있고 종종 남용될 수 있다고 주장한다.

Child **abuse** is one of the serious social issues.

아동 학대는 심각한 사회 문제 중 하나이다.

0282

remote

[rimóut]

형 ¹외진 ²(시간상으로) 먼

Some islands are so **remote** that they have never seen strangers.

어떤 섬들은 너무 멀리 떨어져 있어서 외부인들은 전혀 볼 수 없다.

0283

reveal

[rivíːl]

통 드러내다, 누설하다

The use of air photos following World War I **revealed** even the most remote places to the rest of the world. 교과서

제1차 세계대전 이후 사용된 항공 사진은 전 세계 가장 외진 곳들도 드러내 보였다.

0284

recognize

[rékəgnàiz]

통 ¹알아보다, 인지하다 ²인정하다

I failed to **recognize** my high school classmates at the reunion.

나는 학교 동창회에서 고등학교 동기들을 알아보지 못했다.

0285

recognition

[rèkəgníʃən]

명 ¹인식 ²인정

The exhibition brought the photographer international **recognition**. 모의

그 전시회는 그 사진작가에게 국제적인 인정을 받게 해 주었다.

0286

politics
[pálitiks]

명 [1]정치 [2]정치적 견해

Benjamin Franklin was a very smart man in **politics** and science. 교과서
벤자민 프랭클린은 정치와 과학 분야에서 매우 똑똑한 사람이었다.

0287

engage
[ingéidʒ]

동 [1]관여하다 [2]약속하다 [3](관심을) 끌다

She was actively **engaged** in politics and worked for women's voting rights. 모의
그녀는 정치에 적극적으로 참여하였고 여성의 투표권을 위해 일했다.

○ **engaged** 형 [1]약속된 [2]약혼한 [3]바쁜
○ **engagement** 명 [1]약혼 [2]약속 [3]참여

0288

caution
[kɔ́:ʃən]

명 [1]조심, 신중 [2]경고 동 경고하다

Use **caution** when working around hot oil.
뜨거운 기름 주위에서 일할 때는 조심해라.

0289

cautious
[kɔ́:ʃəs]

형 조심성 있는, 신중한

You should be **cautious** around poisonous animals.
독이 있는 동물 주변에서는 주의해야 한다.

0290

adequate
[ǽdikwət]

형 적절한, 충분한

The problem remains without an **adequate** solution.
그 문제는 적절한 해결책 없이 그대로 남아 있다.

0291

surface
[sə́ːrfis]

명 표면, 지면, 수면 동 수면으로 올라오다, 드러나다

Waves are caused by the wind blowing over the **surface** of the sea.
파도는 바다의 표면 위로 부는 바람에 의해서 생겨난다.

0292

suspect
동 [səspékt]
명형 [sʌ́spekt]

동 의심하다 명 용의자 형 의심스러운

The fact that he had **suspected** his friend pained his heart. 모의
그가 친구를 의심했다는 사실이 그의 마음을 아프게 했다.

She gave a description of the **suspect**.
그녀는 용의자에 대한 묘사를 했다.

0293

arrest
[ərést]

동 ¹체포하다 ²심장이 멎다 명 ¹체포 ²정지

In 1955, an African-American woman was **arrested** for not giving up her seat on the bus. 교과서
1955년에 한 아프리카계 미국 여성이 버스에서 자리를 양보하지 않았다는 이유로 체포되었다.

0294

conceal
[kənsíːl]

동 숨기다, 감추다

The suspect **concealed** the drug in a pencil.
그 용의자는 마약을 연필 안에 숨겼다.

0295

council
[káunsəl]

명 ¹회의, 심의회 ²자문 위원회

I heard you're running for student **council** president.
교과서
나는 네가 학생회장에 출마했다고 들었다.

0296

owe
[ou]

동 ¹빚지다 ²지불할 의무가 있다

I will repay the money that I **owe** you next week. 교과서
다음 주에 너에게 빚진 돈을 갚을게.

0297

theory
[θíːəri]

명 ¹이론 ²학설 ³의견, 생각

Practice is better than **theory**.
실천은 이론보다 낫다. (속담)

0298

soak
[souk]

동 ¹흠뻑 적시다 ²담그다

For dinner, we had ceviche, a dish of fish **soaked** in lime juice. 교과서
우리는 저녁 식사로 라임 주스에 담근 생선 요리인 세비체를 먹었다.

 시험 빈출 혼동 단어

0299

status
[stéitəs]
복 **statuses**

명 ¹신분, 지위 ²상태

Social **status** is very important in some countries.
어떤 나라들에서는 사회적 지위가 매우 중요하다.

0300

statue
[stǽtʃuː]

명 조각상

The ropes lifting the **statue** broke while it was being moved. 교과서
조각상이 옮겨지는 중에 그것을 들어 올리는 밧줄이 끊어졌다.

바로 테스트

영어는 우리말로, 우리말은 영어로 쓰세요.

01	outstanding	11	공급하다; 보급품
02	abuse	12	외진; (시간상으로) 먼
03	politics	13	표면, 수면
04	habitat	14	(예금) 계좌; 설명
05	arrest	15	민속[전통] 음악, 민요
06	engage	16	빚지다
07	invest	17	회의; 자문 위원회
08	soak	18	상; 수여하다
09	adequate	19	이론; 학설
10	suspect	20	업적; 성취

함께 외우는 어휘 쌍

우리말을 보고 알맞은 단어를 쓰세요.

21		드러내다	—		숨기다
22		인지하다; 인정하다	—		인식; 인정
23		조심	—		조심성 있는
24		분배하다	—		분배

괄호 안에서 알맞은 단어를 고르세요.

25 They planned to put up a (status / statue) of the president.

⊘ ACROSS

1	붙이다; 연관되다
5	확인하다, 확신하다
8	보호하다, 보존하다
9	감소하다; 감소, 하락
10	독립한; 자립심이 강한

⊙ DOWN

2	일시적인, 임시의
3	(예금) 계좌; 설명
4	사라지다; 실종되다
6	관여하다; 약속하다
7	생산하다; (전기 등을) 발생시키다

pre-	전에, 미리

0166 **pre**cede

pre	+	**cede**
전에		가다

~에 앞서가다
동 **앞서다, 선행하다**

Existence **precedes** essence. – Jean-Paul Sartre
실존은 본질에 앞선다.

0186 **pre**serve

pre	+	**serve**
미리		지키다

미리 지키다
동 **지키다, 보호하다, 보존하다**

There are many ways to **preserve** the environment.
환경을 보호하기 위한 많은 방법이 있다.

0217 **pre**vious

pre	+	**vi**	+	**ous**
전에		길		형용사형 접미사

길에 앞서 있는
형 **이전의; 바로 앞의**

The meeting was canceled without any **previous** notice.
그 회의는 어떤 사전 통지 없이 취소되었다.

| re- | 다시, 뒤에 |

0170 replace

| re | + | place |
| 다시 | | 놓다 |

다시 (다른 것을) 놓다
图 대신하다, 대체하다

We **replaced** an old table with a new one.
우리는 오래된 탁자를 새것으로 교체했다.

0181 remain

| re | + | main |
| 뒤에 | | 남다 |

뒤에 남다
图 여전히 ~인 채로 있다; 남다

Big challenges still **remain**.
큰 도전들이 아직 남아 있다.

0256 recharge

| re | + | charge |
| 다시 | | 충전하다 |

다시 충전하다
图 (재)충전하다

I **recharge** by spending some time alone.
나는 혼자 시간을 보내며 재충전한다.

DAY 11

0301 ····· ●●●●●

extend
[iksténd]

동 ¹연장하다 ²뻗다 ³확장하다

Foreigners should **extend** their visa every year.
외국인들은 매년 그들의 비자를 연장해야 한다.

◎ **extension** 명 ¹연장 ²확장

0302 ····· ●●●●●

extent
[ikstént]

명 (크기·중요성 등의) 정도, 규모

To a large **extent**, we have a very limited ability to focus.
모의
대체로 우리는 집중하는 데 매우 제한된 능력을 갖추고 있다.

◎ **to an extent** 어느 정도(까지)
◎ **to a large extent** 대개(= usually, mostly)

0303 ····· ●●●●●

extensive
[iksténsiv]

형 넓은, 광범위한

Thanks to his **extensive** knowledge, he was able to create some of the greatest inventions in history.
방대한 지식 덕분에, 그는 역사상 가장 위대한 발명품들을 만들 수 있었다.

0304 ····· ●●●●●

numerous
[njúːmərəs]

형 매우 많은, 무수한

She has seen the movie **numerous** times.
그녀는 그 영화를 매우 많이 봤다.

0305 ····· ●●●●●

enable
[inéibl]

동 ~을 할 수 있게 하다, 가능하게 하다

A short rest will **enable** your body to recover faster. 교과서
짧은 휴식은 너의 몸이 더 빨리 회복할 수 있게 해 준다.

0306 ● ● ● ● ●

diplomat
[dípləmæt]

명 외교관

She served in India and China as a **diplomat**.
그녀는 외교관으로서 인도와 중국에서 일했다.

◉ **diplomatic** 형 외교의

0307 ● ● ● ● ●

embassy
[émbəsi]

명 대사관

I'm going to go to the **embassy** to apply for a visa.
나는 비자를 신청하기 위해 대사관에 갈 것이다.

0308 ● ● ● ● ●

tend
[tend]

동 ¹~하는 경향이 있다 ²성향을 보이다

Mammals **tend** to be less colorful than other animal groups. 모의
포유류는 다른 동물군에 비해 색이 덜 화려한 경향이 있다.

0309 ● ● ● ● ●

tendency
[téndənsi]

명 ¹성향, 경향 ²동향, 추세

At the spelling bee, he was asked to spell *echolalia*, a word that means a **tendency** to repeat whatever one hears. 모의
철자 맞히기 대회에서 그는 '들은 것은 무엇이든 반복하는 경향'을 의미하는 단어인 echolalia의 철자를 말하도록 요구받았다.

0310 ● ● ● ● ●

limitation
[lìmətéiʃən]

명 ¹한계, 제한 ²제약, 규제

There is no age **limitation** to become a singer.
가수가 되는 것에 나이 제한은 없다.

0311

memorize
[méməràiz]

동 암기하다

My grandma has an excellent ability to **memorize**.
나의 할머니는 암기력이 뛰어나시다.

0312

anxiety
[æŋzáiəti]

명 불안

Ben memorized his script to reduce on-stage **anxiety**.
모의
Ben은 무대 불안을 줄이기 위해 자신의 원고를 암기했다.

0313

tremble
[trémbl]

동 ¹몸을 떨다 ²흔들리다 명 떨림, 전율

His voice **trembled** with excitement.
그의 목소리는 흥분으로 떨렸다.

0314

disorder
[disɔ́:rdər]

명 ¹장애, (신체) 질환 ²무질서, 어수선함

Many types of medicines are used to treat anxiety
disorders.
불안 장애를 치료하는 데 많은 종류의 약들이 사용된다.

0315

gorgeous
[gɔ́:rdʒəs]

형 아주 멋진, 근사한

Park Güell contains amazing stone structures, **gorgeous**
tiles, and beautiful buildings. 교과서
구엘 공원에는 놀라운 석조 건축물들과 근사한 타일들, 그리고 아름다운 건
물들이 들어서 있다.

0316

shortage
[ʃɔ́:rtidʒ]

명 부족

It was difficult to treat patients because of a **shortage** of medicine.
약이 부족해서 환자들을 치료하기가 어려웠다.

0317

classify
[klǽsəfài]

동 분류하다, 구분하다

Korea is **classified** as a country with a serious water shortage. 교과서
한국은 심각한 물 부족 국가로 분류된다.

0318

classified
[klǽsəfàid]

형 ¹기밀의, 비밀의 ²주제별로 분류된

These **classified** documents are not accessible to the public.
이 기밀 서류들은 일반인은 열람할 수 없다.

0319

agriculture
[ǽgrəkÀltʃər]

명 농업

According to the Food and **Agriculture** Organization, a third of global food production goes into trash bins annually. 교과서
식량농업기구에 의하면, 해마다 세계 식량 생산량의 3분의 1은 쓰레기가 된다.

◉ **agricultural** 형 농업의, 농사의

0320

yawn
[jɔ:n]

동 하품하다 명 하품

When you sneeze or **yawn**, you have to cover your mouth with your hands.
재채기나 하품을 할 때, 손으로 입을 가려야 한다.

0321

disturb
[distə́ːrb]

동 ¹방해하다 ²어지럽히다

Staying up late texting and watching TV is a sure way to **disturb** your sleep. 교과서

문자 메시지를 보내거나 TV를 보면서 밤늦게까지 깨어 있는 것은 수면을 방해하는 확실한 방법이다.

0322

mass
[mæs]

명 ¹덩어리 ²다수 ³대중 ⁴질량 형 ¹대량의 ²대중적인

There was a **mass** of people around the stadium.
경기장 주위에 많은 무리의 사람들이 있었다.

0323

massive
[mǽsiv]

형 ¹거대한 ²심각한, 엄청난

This helmet is built to survive **massive** impacts while remaining light enough for wearers to do their jobs.
교과서

이 헬멧은 착용자가 일을 할 수 있도록 충분히 가벼우면서 엄청난 충격에도 견딜 수 있도록 만들어졌다.

0324

sacrifice
[sǽkrəfàis]

동 희생하다 명 희생(물)

There are great souls who **sacrificed** themselves to help others and make the world a better place to live in.
교과서

다른 사람들을 돕고 세상을 더 살기 좋은 곳으로 만들기 위해 자신을 희생한 위대한 사람들이 있다.

0325

trigger
[trígər]

동 ¹촉발하다 ²작동시키다 명 ¹방아쇠 ²계기

His sacrifice **triggered** a massive response from the public.
그의 희생은 대중으로부터 엄청난 반응을 촉발했다.

0326 ●●●●●

forbid

[fərbíd]

forbade – forbidden

동 금지하다

The law **forbids** driving under the influence of alcohol.
법은 음주 운전을 금지한다.

0327 ●●●●●

humble

[hʌ́mbl]

형 ¹겸손한 ²초라한 동 겸손하게 만들다

Remain **humble** and open-minded. 교과서
겸손하고 포용력 있는 상태로 있어라.

0328 ●●●●●

moreover

[mɔːróuvər]

부 게다가

I'm still tired. **Moreover**, I'm hungry and sleepy.
나는 아직도 피곤하다. 게다가 배도 고프고 졸리다.

 시험 빈출 혼동 단어

0329 ●●●●●

literal

[lítərəl]

형 ¹문자 그대로의 ²직역의

The **literal** meaning of the sentence "안녕하세요." is "Are you safe?"
"안녕하세요."의 문자 그대로의 의미는 "무사하세요?"이다.

0330 ●●●●●

liberal

[líbərəl]

형 ¹자유로운 ²진보적인 명 자유[진보]주의자

He did not refuse to express his **liberal** opinions.
그는 그의 자유로운 의견을 표현하는 것을 거부하는 법이 없었다.

영어는 우리말로, 우리말은 영어로 쓰세요.

01	diplomat	11	~을 할 수 있게 하다	
02	gorgeous	12	부족	
03	yawn	13	대사관	
04	forbid	14	농업	
05	extent	15	암기하다	
06	moreover	16	겸손한; 초라한	
07	disorder	17	몸을 떨다	
08	numerous	18	촉발하다; 방아쇠	
09	disturb	19	한계; 제약	
10	anxiety	20	희생하다	

함께 외우는 어휘 쌍

우리말을 보고 알맞은 단어를 쓰세요.

21		주제별로 분류된	—		분류하다, 구분하다
22		넓은, 광범위한	—		연장하다; 뻗다
23		거대한; 심각한	—		덩어리; 다수; 대중
24		성향, 경향	—		~하는 경향이 있다

괄호 안에서 알맞은 단어를 고르세요.

25 Try to understand more than just the (literal / liberal) meaning of the word.

DAY 12

0331 ----------

liberty

[líbərti]

명 자유

The Statue of **Liberty** was a present to the Americans from the French people.
자유의 여신상은 프랑스인들이 미국인들에게 준 선물이었다.

0332 ----------

literally

[lítərəli]

부 문자 그대로

If the expression "a cold fish" is used **literally**, it refers to a fish that is cooked but is now cold. 교과서
만약 '차가운 생선'이라는 표현이 문자 그대로 쓰이면, 요리는 되었지만 지금은 차가운 상태의 생선을 일컫는다.

0333 ----------

literature

[lítərətʃùər]

명 ¹문학 ²문헌, 인쇄물

Through this **literature** class, I found Shakespeare's plays interesting.
이 문학 수업을 통해 나는 셰익스피어의 희곡이 재미있다는 것을 알게 되었다.

0334 ----------

compile

[kəmpáil]

동 편집하다, (자료를) 수집하다

The manager **compiled** a list of latecomers.
그 팀장은 지각하는 사람들의 목록을 만들었다.

0335 ----------

leak

[liːk]

동 ¹새어 나오다 ²(비밀을) 유출하다 명 ¹누출 ²유출

Poison from the factory was **leaking** into the river.
공장으로부터 독성 물질이 강으로 새어 들어가고 있었다.

0336 ●●●●●

effect
[ifékt]

명 ¹영향, 결과 ²느낌 동 (어떤 결과를) 가져오다

When you burn fossil fuels, carbon gas is produced, which has a harmful **effect** on the climate. 교과서
화석 연료를 태우면 탄소 가스가 발생되는데, 이것은 기후에 해로운 영향을 끼친다.

0337 ●●●●●

effective
[iféktiv]

형 ¹효과적인 ²실질적인 ³(법률이) 시행되는

Leadership and **effective** communication skills are a must for the position. 교과서
지도력과 효과적인 의사소통 기술은 그 업무의 필수사항이다.

0338 ●●●●●

efficient
[ifíʃənt]

형 ¹효율적인 ²유능한

The new automatic system is more **efficient** than the old one.
새로운 자동화 시스템은 이전 것보다 더 효율적이다.

○ **efficiency** 명 ¹효율(성) ²능력

0339 ●●●●●

consistent
[kənsístənt]

형 ¹일관된 ²~와 일치하는

She tries to be **consistent** in her behavior.
그녀는 일관적으로 행동하려고 노력한다.

○ **consist** 동 ¹이루어져 있다 ²일치하다

0340 ●●●●●

flexible
[fléksəbl]

형 유연한, 융통성[신축성] 있는

Woodpeckers have beaks that are hard yet **flexible**.
교과서
딱따구리는 단단하지만 유연한 부리를 가지고 있다.

0341

modest
[mɑ́dist]

형 ¹겸손한 ²수수한 ³적당한

Though she is a world-famous actor, she is **modest**.
세계적으로 유명한 배우임에도 불구하고 그녀는 겸손하다.

0342

modesty
[mɑ́dəsti]

명 ¹겸손 ²단정함

There is no room for false **modesty** when you look for work.
당신이 일자리를 찾을 때는 겸손한 척할 여지가 전혀 없다.

0343

arrogant
[ǽrəgənt]

형 오만한, 교만한

Never be **arrogant** to the humble. Never be humble to the **arrogant**.
겸손한 사람에게 교만하지 마라. 교만한 사람에게 겸손하지 마라.

0344

arrogance
[ǽrəgəns]

명 오만(함)

There is a fine line between confidence and **arrogance**.
자신감과 오만함 사이에는 작은 차이가 있다.

0345

indifferent
[indífərənt]

형 무관심한

Being **indifferent** toward other cultures is not a bad act in itself. 교과서
다른 문화에 무관심하다는 것은 그 자체로 나쁜 행동은 아니다.

◎ **indifference** 명 무관심

0346 ● ● ● ● ●

drought
[draut]

명 가뭄

All desert plants have tricks for dealing with long periods of **drought**. 모의
모든 사막 식물들은 장기간의 가뭄에 대처하기 위한 비결을 가지고 있다.

0347 ● ● ● ● ●

harvest
[háːrvist]

명 수확, 수확물 동 수확하다

The drought resulted in a poor **harvest**.
가뭄은 흉작이라는 결과를 낳았다.

0348 ● ● ● ● ●

credible
[krédəbl]

형 확실한, 믿을 수 있는

The boy told a **credible** story that everyone believed.
그 소년은 모든 사람이 믿는 확실한 이야기를 했다.

0349 ● ● ● ● ●

credibility
[krèdəbíləti]

명 신뢰성

Customer reviews help online shoppers assess the **credibility** of sellers.
고객 후기는 온라인 구매자들이 판매자의 신뢰성을 평가하는 데 도움을 준다.

0350 ● ● ● ● ●

incredible
[inkrédəbl]

형 믿을 수 없는, 믿기 힘든

When ants work together, they can build **incredible** natural structures. 교과서
개미가 함께 일할 때 그들은 놀라운 자연 구조물을 지을 수 있다.

0351

hatch
[hætʃ]

동 부화하다[시키다] 명 (배·항공기의) 출입구

Sea turtles **hatch** on the beach at night. 교과서
바다거북은 밤에 해변에서 부화한다.

0352

branch
[bræntʃ]

명 ¹나뭇가지 ²지점 ³분야 동 갈라지다

The **branches** of a baobab tree look like their roots are spreading towards the sky. 교과서
바오바브나무의 나뭇가지들은 뿌리가 하늘을 향해 뻗어가는 것처럼 보인다.

0353

bunch
[bʌntʃ]

명 ¹다발, 묶음 ²(한 무리의) 사람들 동 단단해지다

I saw a man cut a **bunch** of bananas from a tree.
나는 한 남자가 나무에서 바나나 한 다발을 자르는 것을 보았다.

0354

count
[kaunt]

동 ¹수를 세다 ²포함시키다 ³중요하다 명 계산, 총수

Don't **count** your chickens before they're hatched. 모의
닭이 부화하기도 전에 세지 마라. (김칫국부터 마시지 마라. / 속담)
Make every second **count**. 교과서
매 순간을 소중하게 여겨라.

0355

countless
[káuntlis]

형 무수한, 셀 수 없이 많은

Countless people are living much more difficult lives than we can imagine. 교과서
수많은 사람이 우리가 상상할 수 있는 것 이상으로 훨씬 더 어려운 삶을 살고 있다.

0356

splendid
[spléndid]

형 멋진, 아주 인상적인

We were amazed by the **splendid** fountain show in Dubai.
우리는 두바이에서 멋진 분수 쇼를 보고 놀랐다.

0357

benefit
[bénəfit]

명 ¹이점 ²수당, 혜택 동 ¹유익하다 ²득을 보다

A physical **benefit** of walking is that it can reduce body fat. 교과서
걷기의 신체적 이점은 체지방을 줄일 수 있다는 것이다.

0358

insurance
[inʃúərəns]

명 ¹보험(업) ²보험금, 보험료

This job offers many great benefits like **insurance** and paid holidays.
이 직업은 보험과 유급 휴가와 같은 많은 복지 혜택을 제공한다.

 시험 빈출 혼동 단어

0359

phase
[feiz]

명 ¹단계, 국면 ²상, 모습 동 단계적으로 실행하다

A high jump consists of three **phases**: approach, take-off, and flight.
높이뛰기는 세 단계로 구성된다. 도움닫기, 발 구르기, 공중 동작이다.

0360

phrase
[freiz]

명 구, 구절

"To be or not to be: That is the question," was the most memorable **phrase** to me.
'사느냐 죽느냐, 그것이 문제로다.'는 나에게 가장 기억에 남는 구절이었다.

바로 테스트

영어는 우리말로, 우리말은 영어로 쓰세요.

01	indifferent	11	문학; 문헌	
02	literally	12	가뭄	
03	compile	13	부화하다[시키다]	
04	splendid	14	영향, 결과	
05	liberty	15	나뭇가지; 지점	
06	incredible	16	수확, 수확물	
07	benefit	17	겸손; 단정함	
08	consistent	18	유연한, 융통성 있는	
09	arrogance	19	다발, 묶음	
10	insurance	20	새어 나오다; 유출	

함께 외우는 어휘 쌍

우리말을 보고 알맞은 단어를 쓰세요.

21	수를 세다	—		셀 수 없이 많은
22	효율적인; 유능한	—		효과적인; 실질적인
23	믿을 수 있는	—		신뢰성
24	겸손한	—		오만한

괄호 안에서 알맞은 단어를 고르세요.

25　Stores and companies use (phases / phrases) like "going green" to promote their businesses as eco-friendly.

DAY 13

0361   ●●●●●

remind
[rimáind]

동 상기시키다, 다시 한번 알려주다

The design of the green and blue tiles on the wall **reminds** people of the sea. 교과서
그 벽의 초록색과 파란색 타일 디자인은 사람들에게 바다를 생각나게 한다.

0362   ●●●●●

reminder
[rimáindər]

명 생각나게 하는 것

A skull was a **reminder** of death, a common theme in Renaissance art. 교과서
해골은 죽음을 상기시키는 것으로, 르네상스 미술에서 흔한 주제였다.

0363   ●●●●●

obstacle
[ábstəkl]

명 장애, 장애물

They overcame all **obstacles** to complete the project. 교과서
그들은 모든 장애를 극복하고 그 계획을 완수하였다.

0364   ●●●●●

compromise
[kámprəmàiz]

명 타협, 절충 동 타협하다, 화해하다

It is better to **compromise** than to fight.
싸우기보다 타협하는 것이 더 낫다.

0365   ●●●●●

physics
[fíziks]

명 물리학

Newton invented a new branch of mathematics to solve the problems he was trying to do in **physics**. 모의
뉴턴은 자신이 물리학에서 풀려고 애쓰고 있는 문제들을 풀기 위해 새로운 수학 분야를 만들어 냈다.

0366

succeed
[səksíːd]

동 ¹성공하다 ²(~의 자리, 지위 등의) 뒤를 잇다

If you don't give it a try because of a fear of failure, how can you **succeed**? 교과서
실패에 대한 두려움 때문에 시도하지 않는다면, 어떻게 성공할 수 있겠는가?

0367

success
[səksés]

명 ¹성공, 성과 ²성공작

Failure is the mother of **success**.
실패는 성공의 어머니이다.

0368

successful
[səksésfəl]

형 성공한, 출세한

It is a common practice among **successful** people to write down their dreams on paper. 교과서
성공한 사람들 사이에서 그들의 꿈을 종이에 적는 것은 일반적인 습관이다.

0369

jail
[dʒeil]

명 교도소, 감옥 동 투옥하다

The thief was sentenced to three months in **jail** for stealing bikes.
그 도둑은 자전거를 훔친 죄로 3개월의 징역형을 받았다.

0370

debt
[det]

명 ¹빚, 부채 ²신세를 짐

The man had been in jail because he couldn't pay his **debts**. 모의
그 남자는 빚을 갚지 못해서 감옥에 갇혔다.

significant
[signífikənt]

형 ¹중요한 ²의미 있는 ³상당한

Please inform us if there are any **significant** changes in your plans.
당신의 계획에 중요한 변화가 생기면 우리에게 알려주세요.

◉ **significance** 명 ¹중요(성) ²의미

adolescent
[ædəlésnt]

명 청소년 형 사춘기의

An **adolescent** is a person between ages 10 and 19.
청소년은 10살과 19살 사이에 있는 사람이다.

adolescence
[ædəlésns]

명 청소년기

Adolescence is a period when significant changes happen in the brain that help new abilities appear. 교과서
청소년기는 새로운 재능들이 나타나도록 돕는 중요한 변화가 뇌 안에서 일어나는 시기이다.

severe
[sivíər]

형 ¹심각한 ²엄격한

The **severe** heatwave killed 12 people in Europe.
극심한 폭염이 유럽에서 12명의 사람을 죽게 했다.

◉ **severely** 부 심하게, 엄하게, 혹독하게

dismiss
[dismís]

동 ¹묵살하다 ²해고하다 ³해산시키다

It is easy to **dismiss** the adolescent period as a passing phase. 교과서
청소년기를 지나가는 단계로 치부하기 쉽다.

0376

threat
[θret]

몡 ¹협박, 위협 ²위협적인 존재

Chemicals in daily products pose a **threat** to the environment and our health.
일상적인 제품 내의 화학 물질은 환경과 우리 건강에 위협을 가한다.

0377

threaten
[θrétn]

동 ¹협박[위협]하다 ²(나쁜 일이 있을) 조짐을 보이다

Ancient Romans found lead convenient, but it **threatened** their health.
고대 로마인들은 납이 편리하다는 것을 알았지만, 그것은 고대 로마인들의 건강을 위협했다.

0378

nuclear
[njú:kliər]

혱 ¹원자력의 ²핵(무기)의

The U.S. dropped **nuclear** bombs on Japan in 1945.
미국은 1945년에 일본에 핵폭탄을 투하했다.

0379

accompany
[əkʌ́mpəni]

동 동반하다, 동행하다

In 2011, an earthquake and its **accompanying** tsunami destroyed the Fukushima nuclear power plant. 교과서
2011년에 지진과 그것에 동반된 지진 해일이 후쿠시마 핵 발전소를 파괴했다.

0380

disaster
[dizǽstər]

몡 참사, 재난, 재해

The neighbors' help kept the fire from turning into a bigger **disaster**. 교과서
이웃들의 도움이 화재가 더 큰 재난으로 변하는 것을 막았다.

0381 ●●●●●

essential
[isénʃəl]

형 ¹필수적인 ²본질적인 명 ¹필수적인 것 ²요점

Fruit and vegetables contain **essential** vitamins and minerals.
과일과 채소는 필수 비타민과 미네랄을 포함하고 있다.

0382 ●●●●●

element
[éləmənt]

명 ¹요소, 성분 ²원소

The art of guitar playing is an essential **element** in flamenco. 교과서
기타 연주 기술은 플라멩코의 필수 요소이다.

0383 ●●●●●

dietary
[dáiətèri]

형 ¹음식의 ²식이요법의

Studies reported that students with positive habits have less stress and better **dietary** habits. 모의
연구에서 긍정적인 습관을 지닌 학생들은 더 적은 스트레스와 더 나은 식습관을 가지고 있음이 밝혀졌다.

0384 ●●●●●

provide
[prəváid]

동 제공하다

Tree branches **provide** shaded areas where people can cool off during summer.
나뭇가지는 여름에 사람들이 더위를 식힐 수 있는 그늘진 장소를 제공한다.

0385 ●●●●●

fiber
[fáibər]

명 섬유, 섬유질

Whole grains are a source of dietary **fiber**.
통곡물은 식이 섬유의 공급원이다.

0386

distinguish
[distíŋgwiʃ]

통 구별하다, 구별 짓다

It is sometimes hard to **distinguish** fact from opinion.
때때로 사실과 의견을 구별하는 것은 어렵다.

0387

practical
[præktikəl]

형 실용적인

Mathematics is a **practical** subject which is essential in
many areas.
수학은 많은 분야에서 꼭 필요한 실용적인 과목이다.

0388

acknowledge
[æknálidʒ, ək-]

통 ¹인정하다, 승인하다 ²감사하다

Many of us don't **acknowledge** her as our leader.
우리 중 상당수는 그녀를 지도자로 인정하지 않는다.

● **acknowledg(e)ment** 명 ¹인정 ²감사

 시험 빈출 혼동 단어

0389

shallow
[ʃǽlou]

형 얕은, 피상적인

Children under 110 cm should play in the **shallow** end of
the pool.
키가 110cm 미만인 어린이들은 수영장의 얕은 가장자리에서 놀아야 한다.

0390

swallow
[swálou]

통 ¹(음식 등을) 삼키다 ²억누르다 명 ¹제비 ²삼키기

He was thirsty because he had **swallowed** so much salt
water. 교과서
그는 소금물을 너무 많이 삼켰기 때문에 목이 말랐다.

영어는 우리말로, 우리말은 영어로 쓰세요.

01	jail	11	성공하다
02	severe	12	빚, 부채; 신세를 짐
03	nuclear	13	물리학
04	accompany	14	묵살하다; 해고하다
05	fiber	15	참사, 재난, 재해
06	obstacle	16	요소, 성분; 원소
07	essential	17	구별하다, 구별 짓다
08	provide	18	실용적인
09	significant	19	음식의; 식이요법의
10	acknowledge	20	타협; 타협하다

함께 외우는 어휘 쌍

우리말을 보고 알맞은 단어를 쓰세요.

21		성공; 성공작	—	성공한, 출세한
22		협박, 위협	—	협박[위협]하다
23		청소년	—	청소년기
24		상기시키다	—	생각나게 하는 것

괄호 안에서 알맞은 단어를 고르세요.

25 The tongue plays a vital role in chewing, (shallowing / swallowing), and speaking.

DAY 14

0391 ●●●●●

innovate
[ínəvèit]

동 혁신하다, 획기적으로 하다

We should constantly **innovate** to meet customers' changing demands.
우리는 고객의 변하는 요구에 맞추기 위해 끊임없이 혁신해야 한다.

○ **innovation** 명 혁신

0392 ●●●●●

innovative
[ínəvèitiv]

형 혁신적인, 획기적인

Leonardo da Vinci is one of the most **innovative** figures in history.
레오나르도 다빈치는 역사상 가장 혁신적인 인물들 중 한 명이다.

0393 ●●●●●

obey
[oubéi]

동 복종하다, (법 등을) 따르다

Every individual has a duty to **obey** the law.
모든 개개인은 법을 따라야 할 의무가 있다.

○ **obedient** 형 복종하는

0394 ●●●●●

naive
[naːíːv]

형 순진한, 천진난만한

I was so **naive** to think he would help me.
순진하게도 나는 그가 나를 도와줄 거라고 생각했다.

0395 ●●●●●

confront
[kənfrʌ́nt]

동 맞서다, 직면하다

It takes courage to **confront** your fears.
두려움에 맞서려면 용기가 필요하다.

0396

generalize

[dʒénərəlàiz]

통 ¹일반화하다 ²보편화하다

You should not **generalize** people based on gender, race, or age.
성별, 인종 또는 나이에 기초하여 사람들을 일반화해서는 안 된다.

◉ **generalization** 명 일반화

0397

occupy

[ákjupài]

통 ¹차지하다 ²사용하다, 거주하다

All the seats were **occupied** two hours ago.
모든 자리는 2시간 전에 찼다.

0398

occupation

[àkjupéiʃən]

명 ¹직업, 업무 ²(건물·토지 등의) 사용, 점거

You should make a list of **occupations** based on your self-assessment test results. 교과서
당신은 자기평가 테스트 결과에 근거하여 직업 목록을 만들어야 한다.
He lived through the Japanese **occupation** of Korea.
교과서
그는 한국의 일제 강점기를 겪었다.

0399

accuse

[əkjúːz]

통 ¹기소하다, 고발하다 ²비난하다

They **accused** the couple of abusing their child.
그들은 그 젊은 부부를 아동 학대로 고발했다.

◉ **accused** 형 기소된, 고발된 명 [the ~] 피의자, 피고인

0400

breathtaking

[bréθtèikiŋ]

형 (너무 아름답거나 놀라워서) 숨이 막히는

Seeing the Grand Canyon in person was a **breathtaking** experience.
그랜드 캐니언을 직접 보는 것은 숨이 막히는 경험이었다.

0401

defend
[difénd]

통 ¹방어하다, 수비하다 ²변호하다

In volleyball, a libero's purpose is to **defend**. 교과서
배구에서 리베로의 목적은 수비하는 것이다.

● **defense** 명 방어, 수비

0402

defendant
[diféndənt]

명 (재판에서) 피고

A **defendant** is a person accused of a crime.
피고는 범죄로 고발당한 사람이다.

0403

offend
[əfénd]

통 ¹불쾌하게 하다 ²범죄를 저지르다

If you eat with your left hand in India, it may **offend** people. 교과서
당신이 인도에서 왼손으로 음식을 먹는다면, 그것은 사람들의 기분을 상하게 할지도 모른다.

0404

offense
[əféns]

명 ¹공격 ²위반, 범죄

When the players wore a new training suit, their defense and **offense** improved. 교과서
그 선수들이 새로운 운동복을 입었을 때, 수비와 공격이 개선되었다.

0405

detect
[ditékt]

통 발견하다, 감지하다

If you walk into a room that smells of freshly baked bread, you quickly **detect** the smell. 모의
만약 당신이 갓 구운 빵 냄새가 나는 방으로 걸어 들어가면, 그 냄새를 금방 알아차리게 된다.

0406 ●●●●●

courtesy
[kə́ːrtəsi]

명 ¹공손함 ²예의상 하는 말[행동]

The company treats their customers with **courtesy**.
그 회사는 고객을 공손하게 대한다.

0407 ●●●●●

vehicle
[víːikl, víːhi-]

명 ¹차량, 운송 수단 ²수단, 매개체

It is dangerous to cross the road illegally because you can't always see approaching **vehicles**. 모의
다가오는 차량을 항상 발견할 수는 없기 때문에 불법으로 차도를 건너는 것은 위험하다.

0408 ●●●●●

eruption
[irʌ́pʃən]

명 ¹(화산의) 폭발, 분출 ²(사건 등의) 발생

The sounds that come from volcano **eruptions** are too low for the human ear to detect.
화산 폭발에서 나오는 소리는 인간의 귀가 감지하기에 너무 낮다.

◉ **erupt** 동 분출하다, 폭발하다

0409 ●●●●●

volcanic
[vɑlkǽnik]

형 화산의

He survived a **volcanic** eruption. 교과서
그는 화산 폭발에서 살아남았다.

0410 ●●●●●

lung
[lʌŋ]

명 폐

Parks are to the city what **lungs** are to the body.
공원과 도시의 관계는 폐와 신체의 관계와 같다.

0411
toxic
[táksik]

형 유독성의

Fine dust in the air is **toxic**, so it can hurt your lungs.
교과서
공기 중의 미세먼지는 독성이 있어서 폐를 손상할 수 있다.

0412
starve
[stɑːrv]

동 ¹굶주리다 ²굶기다

In some parts of the world, children still **starve** to death.
교과서
세계 어떤 곳에서는 어린이들이 여전히 굶어 죽고 있다.

0413
identify
[aidéntəfài]

동 ¹확인하다, 발견하다 ²동일시하다

Scientists have recently **identified** bacteria that eat plastic. 교과서
과학자들이 최근 플라스틱을 먹는 박테리아를 발견해 냈다.

- ◉ **identity** 명 ¹신분, 신원 ²동질감
- ◉ **identification** 명 ¹신분증(ID) ²발견

0414
identical
[aidéntikəl]

형 똑같은, 동일한

It is not easy to distinguish one **identical** twin from the other.
일란성 쌍둥이를 구별하기는 쉽지 않다.

0415
edible
[édəbl]

형 먹을 수 있는, 식용의

To be safe, a person must be able to identify **edible** mushrooms before eating any that are wild. 모의
안전을 위해서 사람은 야생 버섯을 먹기 전에 식용 버섯을 식별할 수 있어야 한다.

0416

sin
[sin]

명 죄, 잘못 동 죄를 짓다

Hate the **sin**, love the sinner. – Mahatma Gandhi
죄를 미워하되 죄인은 사랑하라.

0417

sue
[su:]

동 고소하다

The mayor will **sue** the reporter for spreading false information.
그 시장은 잘못된 정보를 퍼뜨린 것에 대해 그 기자를 고소할 것이다.

0418

trial
[tráiəl]

명 ¹재판 ²시험 ³품평회 동 시험하다

During the **trial**, the lawyer provided clear evidence that the witness was lying. 교과서
재판하는 동안에, 변호사는 그 증인이 거짓말을 하고 있다는 명백한 증거를 제공했다.

● **trial and error** 시행착오

 시험 빈출 혼동 단어

0419

crash
[kræʃ]

명 ¹충돌 (사고) ²굉음 ³고장 동 부서지다

The firefighter was busy with rescuing people at a **crash** scene. 교과서
그 소방관은 충돌 사고 현장에서 사람들을 구조하느라 바빴다.

0420

crush
[krʌʃ]

명 ¹홀딱 반함 ²압착 동 ¹압착하다 ²밀어 넣다

A lot of teenagers have a **crush** on that boy band.
많은 십 대들이 그 소년 밴드에 반했다.

바로 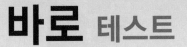 테스트

정답 403쪽

영어는 우리말로, 우리말은 영어로 쓰세요.

01	naive	11	일반화하다
02	lung	12	발견하다, 감지하다
03	volcanic	13	공손함; 예의상 하는 말[행동]
04	defendant	14	차량, 운송 수단
05	sin	15	재판; 시험; 품평회
06	obey	16	기소하다; 비난하다
07	toxic	17	공격; 위반
08	sue	18	(화산의) 폭발
09	starve	19	먹을 수 있는, 식용의
10	breathtaking	20	맞서다, 직면하다

함께 외우는 어휘 쌍

우리말을 보고 알맞은 단어를 쓰세요.

21		차지하다	—	직업; 사용, 점거
22		방어하다; 변호하다	—	불쾌하게 하다
23		확인하다; 동일시하다	—	똑같은, 동일한
24		혁신하다	—	혁신적인

괄호 안에서 알맞은 단어를 고르세요.

25 Several train passengers received serious injuries in the (crush / crash).

DAY 15

5회독 체크

0421

capital
[kǽpətl]

⑲ ¹수도 ²자본금 ³대문자 ⑲ ¹사형의 ²대문자의

A terrible earthquake struck west of Kathmandu, the **capital** of Nepal. 교과서
끔찍한 지진이 네팔의 수도인 카트만두의 서쪽을 강타했다.

0422

range
[reindʒ]

⑲ ¹범위 ²다양성 ⑧ ¹변동하다, 움직이다 ²돌아다니다

Humans can hear sounds in the **range** of 20 to 20,000 Hz.
인간은 20에서 20,000Hz의 범위에 있는 소리를 들을 수 있다.

0423

ranger
[réindʒər]

⑲ 공원[산림] 경비 대원

Forest **rangers** rescued a family who called for help in the forest.
산림 경비 대원들이 숲속에서 도움을 요청한 가족을 구조했다.

0424

abundant
[əbʌ́ndənt]

⑲ 풍부한

Chilies are easy to grow in a wide range of climates and conditions, which makes them an **abundant** crop. 교과서
고추는 다양한 기후와 조건에서 쉽게 자라서 수확량이 풍부한 작물이다.

0425

barely
[bέərli]

⑨ ¹간신히, 가까스로 ²거의 ~아닌[없이]

The man **barely** escaped the war. 교과서
그 남자는 전쟁에서 간신히 빠져나왔다.

● **bare** ⑲ ¹벌거벗은 ²텅 빈 ³가까스로의

0426

aboard
[əbɔ́ːrd]

쩐 ㊟ (배·비행기 등에) 탑승한(= on board)

I was happy to see the beautiful sunset **aboard** a boat.
나는 배 위에서 아름다운 석양을 보게 되어 행복했다.

0427

bully
[búli]

동 괴롭히다 명 약자를 괴롭히는 사람

They were **bullied** by other children for defending the boy. 교과서
그들은 그 소년을 변호했다는 이유로 다른 아이들에게 괴롭힘을 당했다.

0428

discourage
[diskə́ːridʒ]

동 낙담시키다, 좌절시키다

She was **discouraged** about the school election results. 모의
그녀는 학교 선거 결과에 낙담했다.

0429

aim
[eim]

동 ¹목표하다 ²겨냥하다 명 ¹목적, 목표 ²조준

The newspaper **aims** to cover a diverse range of issues.
그 신문은 다양한 범위의 주제를 보도하는 것을 목표로 한다.

0430

vocation
[voukéiʃən]

명 ¹천직, 소명 ²소명 의식

Teaching is not just a job, but a **vocation**.
가르치는 것은 그저 하나의 직업이 아니라 천직이다.

◉ **vocational** 형 직업과 관련된

0431 ●●●●●

disability
[dìsəbíləti]

명 (신체적·정신적) 장애

She has a learning **disability** that makes it difficult for her to read and write. 교과서
그녀는 읽기와 쓰기를 어려워하는 학습 장애가 있다.

◉ **disabled** 형 [1]장애를 가진 [2][the ~] 장애인들

0432 ●●●●●

admit
[ədmít]

동 [1]인정하다, 시인하다 [2]받아들이다

He wanted to study at the university, but they would not **admit** him because of his disabilities. 교과서
그는 그 대학교에서 공부하고 싶었지만, 그들은 그의 장애 때문에 그를 받아들이지 않으려고 했다.

0433 ●●●●●

admission
[ədmíʃən]

명 [1]가입, 입학 [2]인정, 시인 [3]입장료

I would be happy if I got the **admission** from the university.
내가 그 대학으로부터 입학 허가를 받는다면 기쁠 것이다.

0434 ●●●●●

defeat
[difíːt]

명 패배 동 [1]물리치다 [2]무산시키다

Sometimes, there is something that counts more than victory or **defeat**.
때로는 승리나 패배보다 더 중요한 것이 있다.

0435 ●●●●●

persuade
[pərswéid]

동 설득하다

He **persuaded** his friend to join the school band.
그는 학교 밴드에 가입하자고 친구를 설득했다.

◉ **persuasion** 명 [1]설득 [2]신념

0436

landscape
[lǽndskèip]

몡 ¹풍경 ²풍경화(법) 동 조경을 하다

A **landscape** photo brought a dramatic change to my room. 교과서
풍경 사진은 내 방에 극적인 변화를 가져다주었다.

0437

monument
[mɑ́njumənt]

몡 ¹기념물 ²기념비적인 것

The Eiffel Tower is one of the most visited **monuments** in the world. 교과서
에펠 탑은 세계에서 가장 많은 방문객이 찾는 기념물 중 하나이다.

◉ **monumental** 혱 ¹기념비적인 ²엄청난

0438

examine
[igzǽmin]

동 조사하다, 검사하다

The zoology professor **examined** food chains on Tatoosh Island. 교과서
그 동물학 교수는 타투시섬의 먹이 사슬에 관해 조사했다.

◉ **examination** 몡 시험, 조사, 검사

0439

combine
[kəmbáin]

동 ¹결합하다 ²병행하다

Most teens like to **combine** homework with texting and updating profiles on SNS. 모의
많은 십 대들이 숙제를 문자메시지 주고받기 그리고 SNS에 신상 정보 업데이트하기와 병행하고 싶어 한다.

0440

combination
[kàmbənéiʃən]

몡 ¹결합(물) ²연합 ³(자물쇠의) 숫자 조합

The **combination** of natural designs and bright colors creates a breathtaking visual experience. 교과서
자연적인 디자인과 밝은 색상의 결합은 숨이 멎을 듯한 놀라운 시각적 경험을 선사한다.

0441 ● ● ● ● ●

occur
[əkə́:r]

图 ¹일어나다 ²존재하다

Big fights often **occur** over something small, like being ten minutes late.
큰 싸움은 종종 10분 늦는 것 같은 사소한 것에서 일어난다.

0442 ● ● ● ● ●

pursue
[pərsú:]

图 ¹추구하다 ²계속하다

His parents wanted him to be a vet, but he **pursued** a career in engineering. 교과서
그의 부모님은 그가 수의사가 되길 바랐지만, 그는 공학 계열의 진로를 추구했다.

0443 ● ● ● ● ●

origin
[ɔ́:rədʒin]

명 ¹기원, 근원 ²출신

The **origin** of signs dates back to ancient times.
표지판의 기원은 고대로 거슬러 올라간다.

0444 ● ● ● ● ●

original
[ərídʒənl]

형 ¹원래의, 원본의 ²독창적인 명 원본

The **original** building was very different from what it is today. 교과서
원래 건물은 오늘날의 모습과는 아주 달랐다.

◉ **originally** 뷔 원래, 본래

0445 ● ● ● ● ●

originate
[ərídʒənèit]

图 유래하다, 비롯되다

Chili peppers **originated** in South America. 교과서
고추는 남아메리카에서 유래했다.

0446

torch
[tɔːrtʃ]

명 ¹횃불 ²손전등

The Olympic **torch** originated from the ancient Olympics.
올림픽 성화는 고대 올림픽에서 유래했다.

0447

pale
[peil]

형 ¹창백한 ²(색깔이) 연한 동 창백해지다

The wind from outside blew her brown hair across her
pale skin. 모의
바깥으로부터의 바람이 그녀의 창백한 피부에 갈색 머리카락을 흩날렸다.

0448

weed
[wiːd]

명 잡초

Chemicals are often used to kill insects or **weeds**.
화학 약품들은 종종 곤충이나 잡초를 죽이는 데 사용된다.

 시험 빈출 혼동 단어

0449

beside
[bisáid]

전 ¹옆에 ²~에 비해

The painting hung on a wall right **beside** the stairs.
교과서
그 그림은 계단 바로 옆의 벽에 걸려 있었다.

0450

besides
[bisáidz]

전 ~ 외에 부 게다가, 그뿐만 아니라

Besides English, he can speak Spanish.
그는 영어 외에도 스페인어를 할 수 있다.

바로 테스트

영어는 우리말로, 우리말은 영어로 쓰세요.

01	occur	11	수도; 자본금
02	torch	12	(신체적·정신적) 장애
03	aboard	13	낙담시키다
04	monument	14	패배; 물리치다
05	pale	15	풍경; 풍경화(법)
06	bully	16	간신히; 거의 ~아닌[없이]
07	pursue	17	조사하다, 검사하다
08	abundant	18	목표하다; 목적
09	weed	19	유래하다, 비롯되다
10	persuade	20	천직, 소명

함께 외우는 어휘 쌍

우리말을 보고 알맞은 단어를 쓰세요.

21		인정하다	—		가입; 인정
22		결합하다; 병행하다	—		결합(물); 연합
23		범위; 다양성	—		공원[산림] 경비 대원
24		기원, 근원	—		원래의; 독창적인

괄호 안에서 알맞은 단어를 고르세요.

25 (Besides / Beside) his achievements as an economist, he is also well known for the many interesting stories about his life.

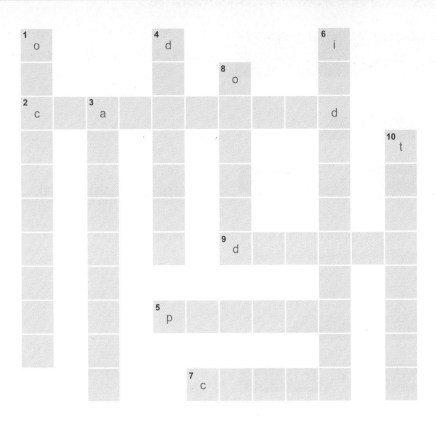

정답 404쪽

➡ ACROSS

2	기밀의; 주제별로 분류된
5	추구하다; 계속하다
7	수를 세다; 중요하다
9	방어하다; 변호하다

⬇ DOWN

1	직업; (건물·토지 등의) 사용, 점거
3	동반하다, 동행하다
4	묵살하다; 해고하다
6	무관심한
8	불쾌하게 하다; 범죄를 저지르다
10	경향; 동향, 추세

최중요 접두사 16

com-	함께, 서로	＊변화형 con-

0334 com pile

com	+	pile
함께		모으다

함께 모아 놓다
图 편집하다, (자료를) 수집하다

They have **compiled** the data on the deep-sea environment.
그들은 심해 환경에 관한 자료를 수집해 왔다.

0364 com promise

com	+	promise
함께		약속하다

(결정에 따르기로) 함께 약속하다
图 타협, 절충
图 타협하다, 화해하다

Both political parties refused to **compromise**.
두 정당은 타협하기를 거부했다.

0395 con front

con	+	front
서로		정면

서로 마주보다
图 맞서다, 직면하다

It is wiser to **confront** your problems than to avoid them.
문제를 피하는 것보다 그것에 직면하는 것이 더 현명하다.

ex-	ad-	pre-	re-	com-	dis-	in-	en-
out-	trans-	over-	ir-	inter-	de-	sub-	contra-

DAY 11-15

dis-	'반대', 떨어져

0314 **dis**order

dis	+	**order**
'반대'		순서, 질서

질서의 반대
몡 장애, (신체) 질환;
　무질서, 어수선함

A number of people suffer from eating **disorders**.
많은 사람들이 식이 장애로 고통받는다.

0375 **dis**miss

dis	+	**miss**
떨어져		보내다

떠나게 하다
통 묵살하다; 해고하다; 해산시키다

The diplomat was **dismissed** for leaking classified information.
그 외교관은 기밀 정보를 누설하여 해고되었다.

0428 **dis**courage

dis	+	**courage**
'반대'		용기

용기를 잃게 하다
통 낙담시키다, 좌절시키다

He was **discouraged** with the test result.
그는 시험 결과에 낙담했다.

DAY 16

0451 ●●●●●

participate
[pɑːrtísəpèit]

동 참가하다, 참여하다

Thousands of people have **participated** in the project.
교과서
수천 명의 사람들이 그 프로젝트에 참여했다.

0452 ●●●●●

concrete
[kɑ́nkriːt]

형 ¹콘크리트로 된 ²구체적인 명 콘크리트

After the truck hit the **concrete** wall, it caught on fire.
트럭이 콘크리트 벽에 부딪힌 후에 불이 났다.

0453 ●●●●●

durable
[djúərəbl]

형 내구성이 있는, 오래가는

The factory has to be made of **durable** concrete.
그 공장은 내구성이 있는 콘크리트로 만들어져야 한다.

0454 ●●●●●

complex
형 [kəmpléks]
명 [kámpleks]

형 복잡한 명 ¹복합 건물 ²덩어리 ³강박 관념

Through many **complex** processes, the tree bark is made
into a paper that is durable and hard to tear. 교과서
많은 복잡한 과정을 거쳐 나무껍질은 튼튼하고 찢기 힘든 종이로 만들어진다.

0455 ●●●●●

complexity
[kəmpléksəti]

명 복잡성, 복잡함

The studio's size and **complexity** amazed me. 교과서
그 스튜디오의 크기와 복잡함은 나를 놀라게 했다.

0456

exhibit
[igzíbit]

통 전시하다 명 전시품

Please do not touch or climb on the **exhibits**. 모의
전시품에 손을 대거나 올라가지 마십시오.

0457

exhibition
[èksəbíʃən]

명 전시(회)

The **exhibition** was a beautiful combination of art and technology. 교과서
그 전시회는 예술과 기술의 아름다운 결합이었다.

0458

observe
[əbzə́:rv]

통 ^{1}관찰하다, 목격하다 ^{2}(규칙 등을) 지키다

If you **observe** your surroundings with fresh eyes, something great can happen. 교과서
주위를 새로운 눈으로 관찰하면 무엇인가 멋진 일이 생길 수도 있다.
Most people **observe** the law. 교과서
대부분의 사람들은 법을 지킨다.

◎ **observant** 형 ^{1}관찰력 있는 ^{2}(규칙 등을) 지키는

0459

suppose
[səpóuz]

통 생각하다, 가정하다

Suppose that you wanted to buy a coat, but you couldn't find one to your taste. 교과서
네가 코트를 사고 싶었지만, 취향에 맞는 것을 찾을 수 없었다고 가정해 보자.

◎ **be supposed to** ~하기로 되어 있다

0460

ideal
[aidí:əl]

형 이상적인, 완벽한 명 이상(형)

Laos is one of the **ideal** countries for a holiday.
라오스는 휴가 가기에 이상적인 나라들 중 한 곳이다.

0461 ●●●●●

characterize
[kǽriktəràiz]

동 특징이 되다, 특징짓다

Rap music is **characterized** by a combination of exciting rhythms and powerful words. 교과서
랩 음악은 신나는 리듬과 호소력 있는 가사의 조합으로 특징지어진다.

0462 ●●●●●

characteristic
[kæ̀riktərístik]

명 특징, 특성 형 특유의

Every person shows unique language **characteristics**. 교과서
모든 사람은 독특한 언어 특성을 보여 준다.

0463 ●●●●●

trace
[treis]

동 ¹추적하다 ²(선을) 그리다 명 자취, 흔적

The scientific study of the physical characteristics of colors can be **traced** back to Newton. 모의
색의 물리적 특성에 관한 과학적 연구는 뉴턴에게로 거슬러 올라갈 수 있다.

0464 ●●●●●

chase
[tʃeis]

동 ¹뒤쫓다, 추적하다 ²추구하다 명 추적

The more you **chase** money, the harder it is to catch it.
돈은 좇을수록 손에 쥐기 더 어렵다.

0465 ●●●●●

nasty
[nǽsti]

형 ¹끔찍한 ²못된 ³위험한

When he entered the room, a **nasty** smell spread over him.
그가 방에 들어왔을 때 불쾌한 냄새가 그에게 퍼졌다.

0466

grip
[grip]

명 ¹잡는 방식 ²통제 동 ¹꽉 잡다 ²(관심을) 끌다

In baseball, pitchers use different types of **grip** to throw the ball. 교과서
야구에서 투수는 공을 던지기 위해 다양한 종류의 (공) 잡는 방식을 사용한다.

0467

blink
[bliŋk]

동 눈을 깜박이다 명 눈을 깜박거림

When you get something in your eye, **blink** a few times.
눈에 뭔가가 들어가면 눈을 몇 번 깜박여라.

0468

float
[flout]

동 (물에) 뜨다, 떠다니다

Plastic is broken down slowly and tends to **float**, which allows it to travel in ocean currents for thousands of miles. 모의
플라스틱은 느리게 분해되고 물에 떠다니는 경향이 있어서 해류를 따라 수천 마일을 돌아다닐 수 있다.

0469

deposit
[dipázit]

동 ¹두다, 놓다 ²예금하다 명 ¹보증금 ²예금

She **deposited** the money in her bank account.
그녀는 자신의 은행 계좌에 그 돈을 예금했다.

0470

withdraw
[wiðdrɔ́ː, wiθdrɔ́ː]
withdrew – withdrawn

동 ¹철수하다, 탈퇴하다 ²(돈을) 인출하다

You can deposit and **withdraw** the money on your account.
당신은 당신의 계좌에 그 돈을 예금하고 인출할 수 있다.

0471

amuse
[əmjúːz]

통 즐겁게 하다

The clown **amused** the children at the party.
그 광대는 파티에서 아이들을 즐겁게 했다.

0472

violent
[váiələnt]

형 ¹폭력적인 ²격렬한 ³지독한

He survived Hurricane Sandy, one of the most **violent**
storms ever to hit the United States. 교과서
그는 미국을 강타한 가장 강력한 폭풍 중 하나인 허리케인 샌디로부터 살아
남았다.

0473

violence
[váiələns]

명 ¹폭행, 폭력 ²격렬함

Youth crime and **violence** have been identified as an
increasing problem.
청소년 범죄와 폭력 문제가 늘어나는 것으로 확인되었다.

0474

likely
[láikli]

형 ¹~할 것 같은 ²그럴듯한, 가능성 있는

We are more **likely** to eat in a restaurant if we know that
it is usually busy. 모의
어떤 식당이 대체로 붐빈다는 것을 알게 되면 우리가 그 식당에서 식사할
가능성이 더 크다.

0475

advance
[ədvǽns]

통 ¹전진하다 ²진보하다 명 ¹전진 ²진보, 발전

Despite his injuries, the athlete **advanced** to the finals.
부상에도 불구하고, 그 선수는 결승전에 진출했다.

● **in advance** 미리, 사전에

0476

affect
[əfékt]

⑧ 영향을 미치다, 작용하다

Most people are **affected** by the feelings of people close to them. 교과서
대부분의 사람들은 자신 가까이에 있는 사람들의 감정에 영향을 받는다.

0477

cattle
[kǽtl]

⑲ 소 (무리)

His family has raised **cattle** for generations.
그의 가족은 몇 대에 걸쳐서 소를 키워 왔다.

0478

flock
[flɑk]

⑧ 모이다 ⑲ (염소·새 등의) 떼, 무리

Birds of a feather **flock** together.
같은 깃털의 새들끼리 모인다. (유유상종 / 속담)

 시험 빈출 혼동 단어

0479

herb
[ə:rb, hə:rb]

⑲ 허브, 약초

You can flavor your water with fruits or **herbs** to enjoy it more. 교과서
물을 더 즐기기 위해서 물에 과일이나 허브로 맛을 낼 수도 있다.

0480

herd
[hə:rd]

⑲ ¹(소·돼지 등의) 떼 ²사람들 ⑧ ¹이동하다 ²(짐승을) 몰다

The dog drove **herds** of cattle to the field.
그 개는 소 떼를 들판으로 몰았다.

영어는 우리말로, 우리말은 영어로 쓰세요.

01	nasty	11	참가하다, 참여하다
02	blink	12	관찰하다; (규칙 등을) 지키다
03	likely	13	잡는 방식; 통제
04	durable	14	두다; 예금하다
05	chase	15	전진하다; 전진, 진보
06	float	16	콘크리트로 된
07	suppose	17	모이다; (염소·새 등의) 떼
08	amuse	18	소 (무리)
09	affect	19	철수하다; (돈을) 인출하다
10	ideal	20	추적하다; 자취

함께 외우는 어휘 쌍

우리말을 보고 알맞은 단어를 쓰세요.

21		전시하다; 전시품	—		전시(회)
22		폭력적인; 격렬한	—		폭행; 격렬함
23		특징이 되다	—		특징; 특유의
24		복잡한; 복합 건물	—		복잡성, 복잡함

괄호 안에서 알맞은 단어를 고르세요.

25 Certain (herbs / herds) and spices cause sweating, which naturally cools the body.

DAY 17

0481

infect
[infékt]

동 ¹감염시키다 ²오염시키다

I was **infected** with malaria by mosquitoes.
나는 모기에 의해 말라리아에 걸렸다.

0482

infection
[infékʃən]

명 ¹감염 ²전염병

John died of an **infection** after a ferry accident. 교과서
John은 여객선 사고 이후에 감염으로 사망했다.

0483

mess
[mes]

명 엉망인 상태

She was scolded for making a **mess**. 교과서
그녀는 어질렀다고 혼났다.

◉ **messy** 형 지저분한, 엉망인

0484

approximately
[əpráksəmətli]

부 거의, 대략

Pi(π) is **approximately** 3.14159.
파이(π)는 대략 3.14159이다.

◉ **approximate** 형 거의 정확한 동 비슷하다, 근사치를 내다

0485

insight
[ínsàit]

명 ¹통찰력 ²이해

You may gain **insight** through reading.
독서를 통해 통찰력을 얻을 수도 있다.

◉ **insightful** 형 통찰력 있는

0486 ●●●●●

descend
[disénd]

동 ¹내려오다 ²(아래로) 경사지다

The air became colder as we **descended**.
아래로 내려갈수록 공기가 더 차가워졌다.

◎ **descendant** 명 자손, 후손

0487 ●●●●●

ascend
[əsénd]

동 오르다, 올라가다

Sir Edmund Hillary was the first person to **ascend**
Mt. Everest.
Edmund Hillary 경은 에베레스트산을 최초로 오른 사람이었다.

0488 ●●●●●

ancestor
[ǽnsestər]

명 조상, 선조

We have ceremonies to pay respect to our **ancestors**.
우리는 조상을 기리기 위해 차례를 지낸다.

0489 ●●●●●

precious
[préʃəs]

형 귀중한, 값비싼

The book is one of the museum's most **precious**
treasures. 교과서
그 책은 그 미술관의 가장 귀중한 보물들 중 하나이다.

0490 ●●●●●

injustice
[indʒʌ́stis]

명 불평등, 부당함

She decided to stand up to **injustice**. 교과서
그녀는 불의에 맞서기로 결심했다.

◎ **justice** 명 정의, 공평

0491

regulate
[régjulèit]

동 ¹규제하다 ²조절하다

People sweat to **regulate** their body temperature.
사람들은 체온을 조절하기 위해 땀을 흘린다.

0492

regulation
[règjuléiʃən]

명 규정, 규제, 단속

Civic awareness begins when people follow simple rules such as traffic **regulations**. 교과서
시민 의식은 교통 법규 같은 간단한 규칙들을 따를 때 시작된다.

0493

steady
[stédi]

형 꾸준한, 안정된

Slow and **steady** wins the race.
더디더라도 꾸준히 하면 이긴다. (속담)

○ **steadily** 부 꾸준히

0494

fasten
[fǽsən]

동 ¹매다, 고정시키다 ²꽉 잡다

Fasten your seat belt, please.
안전벨트를 매 주세요.

0495

cliff
[klif]

명 절벽

The car was in the outside lane, the one nearest to the side of the **cliff**. 모의
그 차는 절벽 쪽으로 가장 가까운 바깥 차선에 있었다.

0496 ●●●●●

absurd
[æbsə́:rd]

형 터무니없는, 불합리한 명 [the ~] 불합리, 부조리

Some **absurd** rumors are going around school.
몇몇 터무니없는 소문들이 학교에 떠돌고 있다.

○ **absurdity** 명 불합리성, 모순

0497 ●●●●●

transport
동 [trænspɔ́:rt]
명 [trǽnspɔ:rt]

동 수송하다, 운송하다 명 수송, 운송

Heavy items are expensive to **transport** by air.
무거운 물품은 항공편으로 운송하면 비용이 많이 든다.

0498 ●●●●●

transportation
[trænspərtéiʃən]

명 수송, 교통 수단

We decided to take public **transportation** to the hotel.
교과서
우리는 호텔까지 대중교통을 이용하기로 결정했다.

0499 ●●●●●

additional
[ədíʃənl]

형 추가의

Delivery is free. If you want the TV installed, there is an **additional** $50 fee. 모의
배송은 무료입니다. TV 설치를 원하시면 50달러의 추가 비용이 있습니다.

○ **addition** 명 ¹덧셈 ²추가된 것

0500 ●●●●●

memorial
[məmɔ́:riəl]

명 기념비(적인 것) 형 기념하기 위한, 추모의

The **memorial** ceremony honored the dead soldiers in the Korean War.
그 추도식은 한국 전쟁에서 사망한 군인들을 기렸다.

0501

extremely
[ikstríːmli]

부 극도로, 매우

If you call a man "a chicken" in America, he will be **extremely** upset because it means "a coward." 교과서
미국에서 당신이 어떤 사람을 '병아리'라고 부르면 그 단어가 '겁쟁이'를 뜻하기 때문에 그 사람은 매우 화를 낼 것이다.

0502

tissue
[tíʃuː]

명 ¹(세포) 조직 ²화장지

Every single cell and **tissue** play an important role in our body.
모든 세포와 조직은 우리 몸에서 중요한 역할을 한다.

0503

insult
동 [insʌ́lt]
명 [ínsʌlt]

동 모욕하다 명 모욕적 언동

He **insulted** me by calling me a fool.
그는 나를 멍청이라고 부르며 나를 모욕했다.

0504

routine
[ruːtíːn]

명 일과, 틀에 박힌 일 형 ¹일상적인 ²지루한

Reading the comics is part of my morning **routine** and helps me start the day with a smile. 모의
만화를 읽는 것은 나의 아침 일과의 일부이고 내가 미소로 하루를 시작할 수 있게 도와준다.

0505

colleague
[káliːg]

명 (업무상의) 동료

The scientist worked on the structure of penicillin with her **colleagues**. 모의
그 과학자는 동료와 함께 페니실린의 구조를 연구했다.

0506

contemporary
[kəntémpərèri]

형 ¹동시대의 ²현대의 명 동년배 사람

The museum is famous for its modern and **contemporary** art. 교과서

그 미술관은 그곳의 근현대 미술로 유명하다.

0507

whereas
[hwɛərǽz]

접 ~인 반면

A night owl is someone who loves working late at night, **whereas** an early bird is someone who loves working in the morning. 교과서

올빼미형 인간은 밤늦게 일하는 것을 좋아하는 사람이고, 반면에 일찍 일어나는 새는 아침에 일하는 것을 좋아하는 사람이다.

0508

undergo
[ʌndərgóu]
underwent – undergone

동 겪다, 경험하다

The company has **undergone** several changes recently.

그 회사는 최근에 몇 가지 변화를 겪었다.

 시험 빈출 혼동 단어

0509

personal
[pə́rsənl]

형 ¹개인의, 개인적인 ²본인이 직접 하는

Steve Wozniak created a **personal** computer. 교과서

Steve Wozniak은 개인용 컴퓨터를 만들었다.

0510

personnel
[pə̀rsənél]

명 ¹직원들 ²인사과

All **personnel** must have safety training.

모든 직원이 안전 훈련을 받아야 한다.

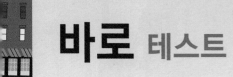

바로 테스트

영어는 우리말로, 우리말은 영어로 쓰세요.

01	absurd	11	통찰력; 이해
02	extremely	12	엉망인 상태
03	undergo	13	불평등, 부당함
04	precious	14	(세포) 조직; 화장지
05	additional	15	동시대의; 현대의
06	whereas	16	매다, 고정시키다
07	steady	17	모욕하다; 모욕적 언동
08	colleague	18	절벽
09	memorial	19	조상, 선조
10	approximately	20	일과; 일상적인

함께 외우는 어휘 쌍

우리말을 보고 알맞은 단어를 쓰세요.

21		내려오다; (아래로) 경사지다	—		오르다, 올라가다
22		수송하다	—		수송, 교통 수단
23		규제하다	—		규정, 규제, 단속
24		감염시키다	—		감염

괄호 안에서 알맞은 단어를 고르세요.

25 In some cases, the (personal / personnel) language is so unique that experts can identify the writer of documents within a group of suspects.

5회독 체크

0511

state
[steit]

명 ¹상태 ²국가 ³주(州) 동 진술하다

Exercise can make a big difference to your **state** of health.
운동은 당신의 건강 상태에 큰 차이를 만들 수 있다.

0512

statement
[stéitmənt]

명 성명(서), 진술(서)

The **statement** is based on scientific facts.
그 진술은 과학적 사실에 근거를 둔다.

0513

retire
[ritáiər]

동 ¹은퇴하다 ²후퇴하다

He has lived in the countryside since he **retired**.
그는 은퇴한 이후에 시골에서 살고 있다.

● **retirement** 명 은퇴, 퇴직

0514

atmosphere
[ǽtməsfiər]

명 ¹대기, 공기 ²분위기

Greenhouse gases are being trapped in the **atmosphere**, which has led to rising temperatures. 교과서
온실가스는 대기 안에 갇혀 있고, 그것은 기온의 상승으로 이어진다.

0515

grave
[greiv]

명 ¹무덤 ²죽음 형 심각한, 엄숙한

What is learned in the cradle is carried to the **grave**.
요람에서 배운 것이 무덤까지 간다. (세 살 버릇 여든까지 간다. / 속담)

0516

gravity
[grǽvəti]

몡 ¹중력 ²중대성 ³엄숙함

The moon has no atmosphere, and its **gravity** is one-sixth of the Earth's.
달은 대기가 없고 달의 중력은 지구의 6분의 1이다.

0517

vertical
[və́:rtikəl]

휑 수직의, 세로의

The cliff was almost **vertical**.
그 절벽은 거의 수직이었다.

0518

horizontal
[hɔ̀:rəzántl]

휑 수평(선)의, 가로의

He drew **horizontal** lines from left to right.
그는 왼쪽에서 오른쪽으로 가로선들을 그렸다.

◉ **horizon** 몡 수평선, 지평선

0519

reflect
[riflékt]

됭 ¹비추다 ²반영하다 ³심사숙고하다

The fountain's pools **reflected** the beautiful flowers in the garden. 교과서
분수대의 물웅덩이에 정원의 아름다운 꽃이 비쳤다.
I started to **reflect** on myself. 교과서
나는 나 자신에 대해 곰곰이 생각해 보기 시작했다.

◉ **reflection** 몡 ¹(거울에 비친) 상 ²반영 ³심사숙고

0520

lunar
[lú:nər]

휑 달의

Lunar gravity has an effect on the tides on Earth.
달의 중력은 지구의 조수에 영향을 미친다.

knee
[niː]

명 무릎 동 무릎으로 치다

He cannot play in the soccer match due to his recent **knee** injury.
그는 최근의 무릎 부상으로 축구 경기에서 뛸 수 없다.

kneel
[niːl]
kneeled[knelt] –
kneeled[knelt]

동 무릎을 꿇다

The robot is able to move from a standing position to a **kneeling** position. 교과서
그 로봇은 서 있는 자세에서 무릎을 꿇은 자세로 움직일 수 있다.

timid
[tímid]

형 소심한, 겁이 많은

There are people who look brave but are actually **timid**.
용감해 보이지만 실제로는 겁이 많은 사람들이 있다.

otherwise
[ʌ́ðərwàiz]

부 그렇지 않으면

We need to buy tickets in advance. **Otherwise**, we would have to stand in line. 모의
우리는 표를 미리 사야 한다. 그렇지 않으면 줄을 서야 할 것이다.

miserable
[mízərəbl]

형 비참한, 불쌍한

You can choose to be happy or **miserable** with your own free will. 모의
당신은 당신의 자유 의지로 행복해지거나 비참해지는 것을 선택할 수 있다.

0526

profit
[práfit]

명 이익, 수익 동 이득을 얻다

K-pop is gaining large **profits**. 교과서
케이팝은 큰 수익을 올리고 있다.

0527

sweep
[swi:p]
swept – swept

동 ¹쓸다, 청소하다 ²휩쓸고 가다

Students are **sweeping** the dust off the floor.
학생들은 바닥의 먼지를 쓸고 있다.

0528

inject
[indʒékt]

동 ¹주사하다, 주입하다 ²(자금을) 투입하다

Some fruits are **injected** with chemicals to help growth.
어떤 과일들은 성장을 돕는 화학 물질이 주입된다.

◉ **injection** 명 주입, 주사

0529

attend
[əténd]

동 ¹참석하다 ²주의를 기울이다 ³보살피다

The students will **attend** all of their classes. 교과서
학생들은 모든 수업에 출석할 것이다.

◉ **attention** 명 ¹주의 (집중), 주목 ²관심
◉ **attendance** 명 출석, 참석

0530

attendant
[əténdənt]

명 ¹종업원 ²수행원, 간병인 ³참가자

The flight **attendants** served the passengers meals.
비행기 승무원들이 승객들에게 식사를 제공했다.

immune
[imjúːn]

형 ^{1}면역성이 있는 ^{2}~이 면제되는

If you have the flu, your **immune** system works to fight off the infection. 모의
당신이 독감에 걸리면 면역 체계가 그 감염을 물리치기 위해서 일한다.

consequence
[kάnsəkwèns]

명 ^{1}결과 ^{2}중요성

Teens do not usually consider all the **consequences** of their actions. 교과서
십 대들은 보통 자신의 행동이 가져올 결과 전부를 고려하지는 않는다.

◉ **consequently** 부 결과적으로

slight
[slait]

형 ^{1}약간의, 사소한 ^{2}가냘픈

Even a **slight** error can have serious consequences.
사소한 실수 하나라도 심각한 결과를 가져올 수 있다.

◉ **slightly** 부 약간, 조금

awkward
[ɔ́ːkwərd]

형 ^{1}어색한 ^{2}서투른, 불편한

Julia is still **awkward** at handling chopsticks.
Julia는 아직 젓가락질이 서투르다.

tragic
[trǽdʒik]

형 비극의, 비극적인

Observing simple regulations can prevent a lot of **tragic** accidents. 교과서
간단한 규범을 지키는 것이 많은 비극적 사고를 막을 수 있다.

◉ **tragedy** 명 비극 (작품), 참사

0536

adjust
[ədʒʌ́st]

동 ¹조절하다 ²적응하다 ³바로잡다

We stayed in Cusco for two days, **adjusting** to the high mountain area. 교과서
우리는 고산지역에 적응하면서 이틀 동안 쿠스코에 머물렀다.

0537

wander
[wɑ́ndər]

동 ¹거닐다 ²산만해지다 명 거닐기

Alzheimer's patients often suffer from **wandering**. 교과서
알츠하이머 환자들은 종종 정처 없이 돌아다니는 것을 겪는다.

0538

ultimate
[ʌ́ltəmət]

형 ¹궁극적인, 최후의 ²최상의, 최고의

Water is the **ultimate** commons. 모의
물은 궁극적인 공유 자원이다.

◎ **ultimately** 부 결국, 궁극적으로

 시험 빈출 혼동 단어

0539

pray
[prei]

동 기도하다, 빌다

I only **pray** that she may be in time.
나는 그녀가 늦지 않기를 빌 따름이다.

◎ **prayer** 명 기도

0540

prey
[prei]

명 먹이, 사냥감 동 ¹잡아먹다 ²약탈하다

Lions spend most of their time looking for **prey**.
사자는 먹이를 찾는 데 대부분의 시간을 보낸다.

바로 테스트

영어는 우리말로, 우리말은 영어로 쓰세요.

01	miserable	11	은퇴하다
02	slight	12	이익, 수익
03	lunar	13	비극의
04	otherwise	14	중력; 중대성
05	adjust	15	비추다; 반영하다
06	grave	16	면역성이 있는
07	sweep	17	거닐다; 산만해지다
08	timid	18	대기; 분위기
09	ultimate	19	주사하다; (자금을) 투입하다
10	awkward	20	결과; 중요성

함께 외우는 어휘 쌍

우리말을 보고 알맞은 단어를 쓰세요.

21		수직의, 세로의	—	수평(선)의, 가로의
22		참석하다	—	종업원; 수행원
23		무릎	—	무릎을 꿇다
24		상태; 국가; 주(州)	—	성명(서), 진술(서)

괄호 안에서 알맞은 단어를 고르세요.

25 Most people usually (prey / pray) when they have something urgent.

DAY 19

0541

species
[spíːʃiːz]

명 (생물) 종(種)

A keystone **species** has a huge effect on the ecosystem where it lives. 교과서
핵심종은 자신이 사는 생태계에 큰 영향을 미친다.

0542

predator
[prédətər]

명 포식자

The key feature that distinguishes **predator** species from prey species is the position of their eyes. 모의
포식자 종과 피식자 종을 구별하는 주요 특징은 눈의 위치이다.

0543

candidate
[kǽndidèit]

명 입후보자, 지원자

Candidates should be over 30 years of age.
지원자들은 30세 이상이어야 한다.

0544

superior
[səpíəriər]

형 ¹우수한 ²상급의 명 상급자

Mark was chosen because he was a **superior** candidate.
Mark는 우수한 후보자였기 때문에 선택되었다.

0545

inferior
[infíəriər]

형 ¹열등한 ²하위의 명 하급자

She is so clever that she makes me feel **inferior**.
그녀는 매우 영리해서 나에게 열등감을 느끼게 한다.

0546

passage

[pǽsidʒ]

명 ¹통로 ²통행 ³(책·시 등의) 한 구절

He ascended the stairs at the end of the **passage**.
그는 복도 끝에 있는 계단을 올라갔다.

This device enables the **passage** of air.
이 장치는 공기를 통과할 수 있게 한다.

0547

addict

명 [ǽdikt]
동 [ədíkt]

명 중독자 동 중독시키다

Hunger for exploration made me a travel **addict**. 교과서
탐험에 대한 갈증이 나를 여행 중독자로 만들었다.

0548

reluctant

[rilʌ́ktənt]

형 꺼리는, 마지못한

Self-centered listening makes the other person **reluctant** to say any more.
자기중심적 듣기는 상대방이 더 이상 말하는 것을 꺼리게 만든다.

◉ **reluctantly** 부 마지못해

0549

scale

[skeil]

명 ¹규모 ²저울(눈) ³음계 동 ¹오르다 ²치석을 제거하다

When we observe nature, we can be amazed by its beauty and its grand **scale**. 교과서
자연을 관찰할 때 우리는 그것의 아름다움과 웅장한 규모에 놀랄 수도 있다.

0550

launch

[lɔːntʃ]

동 ¹착수하다 ²출시하다 ³발사하다 명 ¹출시 ²발사

Korea successfully **launched** a new satellite.
한국은 성공적으로 새 인공위성을 발사했다.

0551

destine
[déstin]

图 ¹예정해 두다 ²(운명으로) 정해지다

It looked like his plan was **destined** to fail shortly after it had been launched. 교과서

그의 계획은 시작하자마자 실패할 운명인 것처럼 보였다.

◎ **destiny** 명 운명

0552

destination
[dèstənéiʃən]

명 목적지, 도착지

The rising sea level has resulted in the sinking of the Maldives, which is a famous holiday **destination**. 교과서

수면의 상승은 유명한 휴양지인 몰디브 섬이 가라앉는 결과를 낳았다.

0553

await
[əwéit]

图 기다리다

I was afraid of what **awaited** me at my destination. 교과서

나는 내가 가는 목적지에서 무엇이 나를 기다리고 있을지 두려웠다.

0554

breeze
[briːz]

명 산들바람, 미풍

A **breeze** is a light, gentle wind.

산들바람은 약하고 부드러운 바람이다.

◎ **in a breeze** 쉽게, 간단히

0555

resource
[ríːsɔːrs]

명 ¹자원, 재원 ²수단

Korea has rich cultural and historical **resources**.

한국은 풍부한 문화적, 역사적 자원을 가지고 있다.

0556

asset
[ǽset]

몡 자산, 재산

The sharing economy is an economic system based on sharing **assets** for a fee between individuals. 교과서
공유 경제는 개인들 사이에서 대가를 받고 자산을 공유하는 데 근거한 경제 체제이다.

0557

assist
[əsíst]

동 돕다, 도와주다 몡 (스포츠) 어시스트

Audience feedback **assists** the speaker in creating a respectful connection with the audience. 모의
청중의 피드백은 연사가 청중과 존중하는 관계를 만드는 것을 도와준다.

0558

assistance
[əsístəns]

몡 도움, 원조, 지원

With his **assistance**, Emily studied engineering so hard that she became an expert in it. 교과서
Emily는 그의 도움으로 공학 기술을 매우 열심히 공부해서 그 분야의 전문가가 되었다.

0559

assistant
[əsístənt]

몡 조수, 보조자

He had an interview for the position of an **assistant** teacher.
그는 보조 교사 자리를 위해 면접을 봤다.

0560

suicide
[sjúːəsàid]

몡 자살

Doctor-assisted **suicide** is illegal in most countries.
의사에 의한 조력 자살은 대부분의 나라에서 불법이다.

0561

invade
[invéid]

통 침입[침략]하다, 침범하다

Cancer cells can **invade** other parts of the body.
암세포들은 인체의 다른 부위들로 침범할 수 있다.

0562

invasion
[invéiʒən]

명 침입, 침략, 침범

Countless cultural assets were destroyed during the Japanese **invasion**.
셀 수 없이 많은 문화재가 일본의 침략 기간 동안 파괴되었다.

0563

pronounce
[prənáuns]

통 ¹발음하다 ²단언하다, 표명하다

The 'g' in 'sign' is not **pronounced**.
sign에서 g는 발음되지 않는다.

0564

conflict
통 [kənflíkt]
명 [kánflikt]

통 충돌하다 명 갈등, 대립, (물리적) 충돌

If you try to absorb too many things at once, they often **conflict**. 모의
당신이 한 번에 너무 많은 것을 받아들이려고 하면, 그것들은 종종 충돌한다.

0565

fancy
[fǽnsi]

형 ¹화려한 ²고급의 명 공상, 상상

We go out to eat at a **fancy** restaurant once a month.
우리는 한 달에 한 번 고급 음식점에 외식하러 간다.

0566 ●●●●●

confine
[kənfáin]

동 ¹한정하다 ²가두다, 감금하다 ³(병상에) 눕다

The doctor will **confine** the patient to an isolated room.
의사는 그 환자를 격리실에 가둘 것이다.

0567 ●●●●●

define
[difáin]

동 ¹정의하다 ²규정하다 ³한정하다

Success and happiness are not easy to **define**.
성공과 행복을 정의하기는 쉽지 않다.

0568 ●●●●●

definition
[dèfəníʃən]

명 ¹정의, 개념 ²선명도

The dictionary **definition** of an emergency is a sudden state of danger or conflict.
비상사태의 사전적 정의는 갑작스러운 위험이나 물리적 충돌 상태이다.

 시험 빈출 혼동 단어

0569 ●●●●●

definite
[défənit]

형 확실한, 분명한

It is too early to give you a **definite** answer.
너에게 확답을 주기에는 너무 이르다.

○ **definitely** 부 확실히, 분명히

0570 ●●●●●

infinite
[ínfənət]

형 무한한

The answer to the question is **infinite**.
그 질문에 대한 대답은 무한하다.

○ **infinitely** 부 무한히, 대단히

바로 테스트

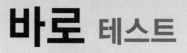

정답 405쪽

영어는 우리말로, 우리말은 영어로 쓰세요.

01	reluctant	11	입후보자, 지원자
02	breeze	12	자산, 재산
03	conflict	13	규모; 저울(눈); 음계
04	confine	14	조수, 보조자
05	predator	15	발음하다
06	suicide	16	목적지, 도착지
07	fancy	17	자원, 재원
08	addict	18	통로; 통행; (책·시 등의) 한 구절
09	await	19	착수하다; 출시하다
10	destine	20	(생물) 종(種)

함께 외우는 어휘 쌍

우리말을 보고 알맞은 단어를 쓰세요.

21		돕다, 도와주다	—		도움, 원조, 지원
22		정의하다	—		정의
23		침략하다	—		침략
24		우수한; 상급의	—		열등한; 하위의

괄호 안에서 알맞은 단어를 고르세요.

25　There are a(n) (definite / infinite) number of twinkling stars in the sky.

DAY 20

0571 ● ● ● ● ●

organ
[ɔ́ːrgən]

몡 ¹인체 내의 장기[기관] ²(파이프) 오르간

He signed up for **organ** donations.
그는 장기 기증을 신청했다.

0572 ● ● ● ● ●

organic
[ɔːrgǽnik]

혱 ¹(인체) 장기의 ²유기체의 ³유기농의

The **organic** food market in Korea continues to grow and expand.
한국의 유기농 식품 시장은 계속해서 성장하고 확장되고 있다.

0573 ● ● ● ● ●

external
[ikstə́ːrnl]

혱 ¹외부의, 외적인 ²피부용의

Some people tend to be drawn to the **external** world of people and activities. 교과서
어떤 사람들은 사람과 활동이라는 외적인 세계에 이끌리는 경향이 있다.

0574 ● ● ● ● ●

internal
[intə́ːrnl]

혱 ¹내부의, 내적인 ²내복용의

Internal organs include the heart, stomach, lungs, and so on.
내장에는 심장, 위, 폐 등이 포함된다.

0575 ● ● ● ● ●

psychology
[saikɑ́lədʒi]

몡 ¹심리학 ²심리 (상태)

He has set his mind on studying **psychology** in college.
교과서
그는 대학에서 심리학을 배우는 것으로 마음을 정했다.

0576

inevitable
[inévətəbl]

형 필연적인, 불가피한

It was an **inevitable** consequence of the decision.
그것은 그 결정의 필연적인 결과였다.

◎ **inevitably** 부 필연적으로, 반드시

0577

settle
[sétl]

동 ¹해결하다 ²배치하다, 정착시키다 ³진정시키다

When your training is finished, you will be **settled** into the department of your choice.　모의
수습 기간이 끝나면 당신이 선택한 부서로 배치될 것이다.

0578

dispute
[dispjúːt]

명 분쟁, 논쟁 동 ¹논쟁하다 ²반박하다

The diplomat played a key role in settling the **dispute**.
그 외교관은 분쟁을 해결하는 데 핵심적인 역할을 했다.

0579

random
[rǽndəm]

형 ¹무작위의 ²되는대로의

Eating at **random** hours can throw your body off track.
교과서
불시에 먹는 것은 당신의 신체를 정상 궤도에서 벗어나게 할 수 있다.

◎ **randomness** 명 무작위, 우연성
◎ **randomly** 부 무작위로, 임의로

0580

rob
[rɑb]

동 도둑질하다, 털다

The two stupid brothers planned to **rob** a bank.
멍청한 두 형제는 은행을 털기로 계획을 세웠다.

◎ **robbery** 명 도둑질, 강도 (사건)
◎ **robber** 명 도둑, 강도

0581

adoptive
[ədáptiv]

형 입양으로 맺어진

She was raised in an **adoptive** family that was full of love.
그녀는 사랑으로 가득 찬 입양 가족에서 자랐다.

● **adopt** 동 ¹입양하다 ²채택하다

0582

adoption
[ədápʃən]

명 ¹입양 ²채택

The **adoption** of goal-line technology forever ruled out the possibility of disputes over goals. 교과서
골라인 판독 기술의 채택은 골에 관한 분쟁의 가능성을 영원히 배제하였다.

0583

adaptive
[ədæptiv]

형 적응할 수 있는

The human body is very **adaptive**.
인간의 신체는 적응력이 매우 뛰어나다.

● **adapt** 동 ¹적응하다 ²각색하다

0584

adaptation
[ædəptéiʃən]

명 ¹적응 ²각색

Only individuals with the fittest **adaptations** to the changing environment will survive. 교과서
변화하는 환경에 가장 잘 적응한 개체만이 살아남을 것이다.

0585

cease
[siːs]

동 중단하다, 그만두다

The writer decided to **cease** publishing the book.
그 작가는 그 책을 출간하는 것을 그만두기로 결심했다.

0586

envy
[énvi]

동 부러워하다 명 부러워함, 선망

I **envy** you for having the things I don't.
나는 네가 나에게 없는 것들을 가지고 있어서 부럽다.

0587

envious
[énviəs]

형 부러워하는, 시기하는

I am **envious** of my friend as he has a plan for his future dream of becoming a magician. 교과서
나는 내 친구가 마술사가 되겠다는 장래의 꿈을 위한 계획이 있어서 부럽다.

0588

seize
[siːz]

동 ¹잡다 ²장악하다 ³빼앗다

I tried to **seize** the opportunity to learn English in Canada.
나는 캐나다에서 영어를 배울 기회를 잡으려고 노력했다.

0589

quote
[kwout]

동 인용하다 명 인용 어구[문]

"Seize the day," is my favorite **quote**.
"오늘을 즐겨라."는 내가 가장 좋아하는 어구이다.

◎ **quotation** 명 인용(구)

0590

ruin
[rúːin]

동 ¹파괴하다 ²망치다 명 ¹파괴, 붕괴 ²잔해, 유적(-s)

The town was **ruined** by an earthquake last night.
그 마을은 어젯밤에 지진으로 파괴되었다.
We went by train to the **ruins** of Machu Picchu. 교과서
우리는 기차를 타고 마추픽추 유적으로 갔다.

0591

allergic
[ələ́:rʤik]

형 알레르기가 있는

My brother is **allergic** to peanuts.
나의 형은 땅콩 알레르기가 있다.

● **allergy** 명 알레르기

0592

react
[riǽkt]

동 ¹반응하다 ²대응하다

She **reacted** negatively to the news.
그녀는 그 뉴스에 부정적으로 반응했다.

0593

reaction
[riǽkʃən]

명 반응, 반작용

Stress is a normal **reaction** that almost everyone
experiences. 교과서
스트레스는 거의 모든 사람이 경험하는 정상적인 반응이다.

0594

dairy
[dɛ́əri]

형 ¹유제품의 ²낙농업의 명 ¹낙농장 ²유제품 회사

Dairy products can trigger allergic reactions in some
people.
유제품은 일부 사람들에게 알레르기 반응을 유발할 수 있다.

0595

scent
[sent]

명 향기, 냄새

The road to the temple was filled with the fresh **scent** of
pine trees.
그 절로 향하는 길은 상쾌한 소나무 향으로 가득 차 있었다.

0596

virtual
[vɔ́:rtʃuəl]

형 ¹실제의 ²(컴퓨터) 가상의

Today **virtual** reality is one of the most promising technologies. 교과서
오늘날 가상 현실은 가장 유망한 기술들 중 하나이다.

0597

prohibit
[prouhíbit]

동 ¹금하다, 금지하다 ²방해하다

Food and pets are **prohibited** in the museum. 모의
음식과 애완동물은 박물관 안으로 가지고 들어갈 수 없다.

◎ **prohibition** 명 금지

0598

weird
[wiərd]

형 기이한, 기묘한

There are a lot of **weird** creatures in the jungle.
정글에는 이상한 생명체가 많이 있다.

◎ **weirdly** 부 불가사의하게, 섬뜩하게

 시험 빈출 혼동 단어

0599

peer
[piər]

명 또래, 동료 동 유심히 보다, 응시하다

Group work will give you an opportunity to really get to know your **peers**. 교과서
단체 활동은 당신에게 동료에 대해 진정으로 알게 되는 기회를 제공할 것이다.

0600

peel
[pi:l]

동 (과일·채소 등의) 껍질을 벗기다 명 껍질

We **peel** the banana before we eat it.
우리는 바나나를 먹기 전에 껍질을 깐다.

바로 테스트

영어는 우리말로, 우리말은 영어로 쓰세요.

01	psychology	11	알레르기가 있는	
02	settle	12	(인체) 장기의; 유기체의	
03	cease	13	필연적인, 불가피한	
04	prohibit	14	인용하다; 인용 어구[문]	
05	dispute	15	유제품의; 낙농장	
06	rob	16	입양	
07	weird	17	실제의; (컴퓨터) 가상의	
08	seize	18	향기	
09	ruin	19	무작위의	
10	organ	20	적응; 각색	

함께 외우는 어휘 쌍

우리말을 보고 알맞은 단어를 쓰세요.

21		입양으로 맺어진	—		적응할 수 있는
22		반응하다	—		반응, 반작용
23		외부의; 피부용의	—		내부의; 내복용의
24		부러워하다	—		부러워하는

괄호 안에서 알맞은 단어를 고르세요.

25 Hearing a wild pig, he (peered / peeled) out from behind the tree.

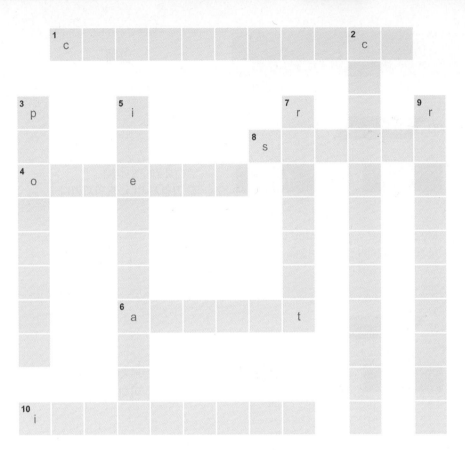

❖ ACROSS

1 결과; 중요성

4 관찰하다; (규칙 등을) 지키다

6 조절하다; 적응하다

8 해결하다; 배치하다; 진정시키다

10 감염; 전염병

❖ DOWN

2 동시대의; 현대의

3 금지하다; 방해하다

5 필연적인, 불가피한

7 비추다; 반영하다; 심사숙고하다

9 규정, 규제

| in- | 안에 |

0481 **in**fect

in + **fect**

안에   넣다

안에 (병균이) 들어가다
동 **감염시키다; 오염시키다**

My computer was **infected** by computer viruses.
내 컴퓨터가 바이러스에 감염되었다.

0485 **in**sight

in + **sight**

안에   시야

안을 들여다보는 시야
명 **통찰력; 이해**

The article gave me an **insight** into being creative.
그 기사는 나에게 창의적인 사람이 되는 것에 대한 통찰력을 주었다.

0561 **in**vade

in + **vade**

안에   가다

안에 들어가다
동 **침입[침략]하다, 침범하다**

The Mongols **invaded** Korea several times during the Goryeo Dynasty.
몽골인들은 고려 왕조 동안 여러 차례 한국을 침략했다.

ex-	ad-	pre-	re-	com-	dis-	in-	en-
out-	trans-	over-	ir-	inter-	de-	sub-	contra-

DAY 16-20

in-   '부정'

0490 injustice

in + **justice**

'부정'   공평성, 공정성

공평하지 않은 것
명 **불평등, 부당함**

They were brave enough to fight against **injustice**.
그들은 부당함에 맞서 싸울 만큼 용감했다.

0570 infinite

in + **fin** + **ite**

'부정'   한정하다   형용사형 접미사

한정하지 않은
형 **무한한**

There are **infinite** possibilities that lay ahead in your future.
당신 앞에 놓여 있는 미래에는 무한한 가능성이 있다.

0576 inevitable

in + **evitable**

'부정'   피할 수 있는

피할 수 없는
형 **필연적인, 불가피한**

Change is **inevitable** in our lives.
변화는 우리 삶에서 불가피하다.

DAY 21

0601
●●●●●

complicate
[kámpləkèit]

图 복잡하게 하다

He **complicated** the situation by lying.
그는 거짓말을 해서 상황을 복잡하게 만들었다.

● **complicated** 휑 복잡한

0602
●●●●●

mention
[ménʃən]

图 말하다, 언급하다   몡 언급

Lisa doesn't want to **mention** her past.
Lisa는 자신의 과거를 언급하고 싶어 하지 않는다.

0603
●●●●●

ally
몡 [ǽlai, əlái]
图 [əlái]

몡 ¹동맹국 ²협력자   图 동맹시키다[하다]

The United Kingdom has been a strong **ally** of the United States.
영국은 미국의 강력한 동맹국이다.

● **alliance** 몡 동맹, 연합

0604
●●●●●

alley
[ǽli]

몡 골목

The winding **alleys** made my map almost useless. 교과서
구불구불한 골목길이 내 지도를 거의 쓸모없게 만들었다.

0605
●●●●●

rehearse
[rihə́ːrs]

图 예행연습을 하다

They have been **rehearsing** for months to perfect their performance. 모의
그들은 공연을 완벽하게 하기 위해 몇 달 동안 예행연습을 해 오고 있다.

0606

enclose
[inklóuz]

图 ¹둘러싸다 ²동봉하다

Massive walls **enclosed** the town.
거대한 벽이 그 마을을 둘러싸고 있었다.
He mailed the letter but didn't **enclose** the check. 모의
그는 편지를 부쳤지만, 수표를 동봉하지 않았다.

◉ **enclosure** 图 ¹울타리를 친 장소 ²동봉된 것

0607

content
[kántent]

图 ¹내용물 ²(책의) 목차 ³함유량

They found a way to reuse water that contains high salt
content. 교과서
그들은 높은 소금 함유량을 가진 물을 재사용하는 방법을 발견했다.

0608

incident
[ínsədənt]

图 일, 사건

She reported the **incident** to the police.
그녀는 그 사건을 경찰에 신고했다.

0609

thrill
[θril]

图 두근거리다, 설레다 图 전율, 설렘

I was **thrilled** when my cousin invited me to Italy, a
country in southern Europe. 교과서
나는 사촌이 남부 유럽에 있는 나라인 이탈리아로 나를 초대했을 때
신이 났다.

0610

reputation
[rèpjutéiʃən]

图 평판, 명성

Her **reputation** as a politician grew and grew.
정치인으로서 그녀의 명성은 점점 더 커졌다.

0611 ●●●●●

attract
[ətrǽkt]

동 (마음을) 끌다, 매혹하다

K-pop concerts **attract** lots of young music lovers around the world.
케이팝 콘서트는 전 세계의 많은 젊은 음악 애호가들을 매료시킨다.

0612 ●●●●●

attraction
[ətrǽkʃən]

명 ¹끌림, 매력 ²명소, 관광지

I visited St. Mark's Square, one of the main **attractions** of Venice. 교과서
나는 베니스의 주요 명소 중 하나인 산마르코 광장을 방문했다.

0613 ●●●●●

attractive
[ətrǽktiv]

형 매력적인, 멋진

Painting the buildings made them look more **attractive**.
교과서
건물에 그림을 그리는 것은 그것들을 더 매력적으로 보이게 한다.

0614 ●●●●●

reap
[riːp]

동 거두다, 수확하다

Farmers **reap** the crops in the fall.
농부들은 가을에 작물을 수확한다.

0615 ●●●●●

sow
[sou]
sowed – sown[sowed]

동 (씨를) 뿌리다, 심다

You must **sow** before you can reap.
노력이 없이는 성과도 없다. (속담)

0616

popularity
[pɑ̀pjulǽrəti]

명 인기

The invention of pizza in the 1880s kicked off the tomato's **popularity** in Europe. 교과서
1880년대에 피자가 발명되자 유럽에서 토마토의 인기가 치솟기 시작했다.

0617

population
[pɑ̀pjuléiʃən]

명 인구, 주민

With a **population** of about 10,000, Nauru is the smallest country in the South Pacific. 모의
약 10,000명의 인구를 가진 나우루는 남태평양에서 가장 작은 나라이다.

0618

enforce
[infɔ́ːrs]

동 ^{1}시행[집행]하다 ^{2}강요하다

Technology affects how athletes are trained and how rules are **enforced**. 교과서
기술은 운동선수들이 훈련받는 방식과 경기 규칙을 준수하는 방식에 영향을 미치고 있다.

◉ **enforcement** 명 (법률 등의) 시행, 집행

0619

commerce
[káməːrs]

명 상업, 무역

Advances in electronic **commerce** have made it more convenient for companies to sell products over the Internet.
전자 상거래의 발전은 회사들이 인터넷상으로 상품을 판매하는 것을 더욱 편리하게 만들었다.

0620

commercial
[kəmɔ́ːrʃəl]

형 상업의, 상업적인 명 상업 광고

Consumers can fast-forward and skip over video **commercials** entirely. 모의
소비자들은 영상 광고를 빨리 돌려서 완전히 건너뛸 수 있다.

0621 ● ● ● ● ●

firm
[fəːrm]

명 회사 형 ¹딱딱한 ²확고한, 단호한

Ms. Smith works for a law **firm** in London.
Smith 씨는 런던에 있는 법률 사무소에서 일한다.
Mom told me to clean my room with a **firm** voice.
엄마는 단호한 목소리로 나에게 방을 청소하라고 말씀하셨다.

◉ **firmly** 부 단호히, 확고히

0622 ● ● ● ● ●

finance
[finǽns, fáinæns]

명 재정, 금융

She has been promoted to the **finance** director.
그녀는 재정 이사로 승진했다.

0623 ● ● ● ● ●

financial
[finǽnʃəl, fai-]

형 재정상의, 금융의

It became evident that the firm was experiencing
financial difficulties.
그 회사가 재정적 어려움을 겪고 있다는 것이 명백해졌다.

◉ **financially** 부 재정적으로

0624 ● ● ● ● ●

counsel
[káunsəl]

명 상담, 조언 동 상담하다, 조언하다

David took **counsel** from the teacher for his violent
tendencies.
David는 그의 폭력적인 성향 때문에 선생님과 상담을 했다.

0625 ● ● ● ● ●

counselor
[káunsələr]

명 상담사, 조언자

I went to my school **counselor** for advice. 교과서
나는 조언을 구하기 위해 학교 상담사를 찾아갔다.

0626

encourage
[inkə́:ridʒ]

동 ¹용기를 북돋우다 ²권장[장려]하다

You are **encouraged** to eat many kinds of vegetables and fruits of different colors. 교과서
여러 종류의 채소와 다양한 색깔의 과일을 먹는 것이 권장된다.

0627

fund
[fʌnd]

명 기금, 자금 동 자금을 제공하다

The campaign encourages people to donate money to an earthquake relief **fund**. 교과서
이 캠페인은 사람들이 지진 구호 기금에 돈을 기부하도록 장려한다.

0628

refund
명 [ríːfʌnd]
동 [rifʌ́nd]

명 환불(금) 동 환불하다

You can get a **refund** if you still have your receipt. 교과서
영수증을 아직 가지고 있다면 환불을 받을 수 있다.

◉ **refundable** 형 환불 가능한

시험 빈출 혼동 단어

0629

bold
[bould]

형 ¹대담한 ²뚜렷한, 굵은

Once you begin making **bold** choices, courage will follow. 교과서
일단 대담한 선택을 하기 시작하면, 용기는 따라올 것이다.

0630

bald
[bɔːld]

형 ¹대머리의 ²직설적인

My uncle started going **bald** in his forties.
나의 삼촌은 40대 때 머리가 벗겨지기 시작했다.

바로 테스트

영어는 우리말로, 우리말은 영어로 쓰세요.

01	thrill	11	둘러싸다; 동봉하다
02	enforce	12	평판, 명성
03	alley	13	(씨를) 뿌리다
04	reap	14	내용물; (책의) 목차; 함유량
05	complicate	15	환불(금); 환불하다
06	firm	16	예행연습을 하다
07	mention	17	끌림, 매력; 명소
08	ally	18	기금, 자금
09	incident	19	인구, 주민
10	encourage	20	인기

함께 외우는 어휘 쌍

우리말을 보고 알맞은 단어를 쓰세요.

21		상업, 무역	—	상업의
22		(마음을) 끌다	—	매력적인, 멋진
23		재정, 금융	—	재정상의, 금융의
24		상담하다	—	상담사

괄호 안에서 알맞은 단어를 고르세요.

25 The boy was very (bold / bald) and walked right up to the stranger.

DAY 22

0631

management
[mǽnidʒmənt]

명 경영, 관리

There are a lot of useful tips on effective time **management**. 교과서
효과적인 시간 관리에 대한 유용한 조언들이 많이 있다.

0632

require
[rikwáiər]

동 필요하다, 요구하다

Seeing the Northern Lights **requires** clear skies and a bit of luck. 교과서
북극광을 보려면 맑은 하늘과 약간의 운이 필요하다.

0633

requirement
[rikwáiərmənt]

명 필요(한 것), 필요조건

Volunteer work should be a **requirement** for every student.
봉사활동은 모든 학생에게 필요조건이 되어야 한다.

0634

instruction
[instrʌ́kʃən]

명 ¹가르침, 교육 ²지시 ³설명서(-s)

She got healthy through swimming **instructions**.
그녀는 수영 수업을 통해 건강해졌다.

0635

ridiculous
[ridíkjuləs]

형 웃기는, 터무니없는

When I look back on it, it was a **ridiculous** mistake.
되돌아보면 그것은 터무니없는 실수였다.

0636 ●●●●●

proceed
[prəsíːd]

통 진행하다, 나아가다

Passengers for Sydney should now **proceed** to Gate 12.
시드니행 승객들은 지금 12번 출구로 가세요.

0637 ●●●●●

process
[práses]

명 ¹과정 ²진행, 경과 통 ¹가공하다 ²처리하다

Group work and the teacher's instruction are essential
parts of the learning **process**. 모의
단체 활동과 교사의 설명은 학습 과정의 필수적인 부분이다.

0638 ●●●●●

procedure
[prəsíːdʒər]

명 ¹절차, 순서 ²(의학) 수술

Repeat the **procedure** if required.
필요하다면 그 절차를 반복해라.
It is necessary to weigh the patient before the **procedure**.
수술하기 전에 환자의 체중을 재는 것이 필요하다.

0639 ●●●●●

criminal
[krímənl]

명 범인, 범죄자 형 범죄의, 형사상의

The man was a violent and dangerous **criminal**.
그 남자는 난폭하고 위험한 범죄자였다.

◎ **crime** 명 범죄, 범행

0640 ●●●●●

inspect
[inspékt]

통 조사하다, 검사하다

The police went to **inspect** the crime scene.
경찰은 범죄 현장을 조사하러 갔다.

◎ **inspection** 명 (면밀한) 조사, 검사

0641

infant
[ínfənt]

몡 유아, 아기 톙 ^{1}유아의 ^{2}초기의

The first issue that an **infant** faces right after birth is trust.
아기가 태어나자마자 직면하는 최초의 문제는 신뢰감이다.

0642

expose
[ikspóuz]

동 ^{1}드러내다, 폭로하다 ^{2}노출시키다

Infants should not be **exposed** to television too much.
유아들은 텔레비전에 너무 많이 노출되어서는 안 된다.

◉ **exposure** 몡 ^{1}노출 ^{2}폭로

0643

honor
[ánər]

동 ^{1}존경하다 ^{2}명예를 주다 몡 ^{1}존경 ^{2}명예, 신용

As one of the famous figures in the community, we would
be **honored** by your attendance. 모의
지역 사회의 저명인사 중 한 분으로서 귀하께서 참석해 주신다면 영광일 것
입니다.

0644

relatively
[rélətivli]

톼 비교적, 상대적으로

Compared to the other tests, this test was **relatively**
difficult.
다른 시험들과 비교를 하면 이번 시험은 상대적으로 어려웠다.

◉ **relative** 톙 비교상의, 상대적인 몡 친척

0645

basis
[béisis]
묵 **bases**

몡 ^{1}근거 ^{2}기준 ^{3}기반, 기초

I don't understand the **basis** of his argument.
나는 그의 주장의 근거를 이해하지 못한다.

It is important to get physical exercise on a regular **basis**.
교과서
정기적으로 신체 운동을 하는 것은 중요하다.

◉ **on a regular basis** 정기적으로(= regularly)

0646

glow

[glou]

졍 ¹불빛 ²홍조 통 ¹빛나다 ²붉어지다

The **glow** makes it easier to see at night. 교과서

불빛은 밤에 보는 것을 더 쉽게 해 준다.

0647

vacuum

[vǽkjuəm]

졍 ¹진공 ²공백, 공허 통 진공청소기로 청소하다

The salesperson sold lots of **vacuum** cleaners. 교과서

그 영업사원은 진공청소기를 많이 팔았다.

Her mother's death left a **vacuum** in her life.

어머니의 죽음은 그녀의 삶에 공허함을 남겼다.

0648

swear

[swɛər]

swore – sworn

통 ¹맹세하다, 선서하다 ²욕하다

When angry, count to four; when very angry, **swear**.
– Mark Twain

화가 나면 넷까지 세라. 그래도 화가 나면 욕을 해라.

0649

fluent

[flúːənt]

형 (말·글이) 유창한

Try to chat with **fluent** English speakers to improve your
English skills.

영어 실력을 향상하려면 영어가 유창한 사람들과 대화해 보세요.

◉ **fluency** 졍 유창함

0650

frequency

[fríːkwənsi]

졍 ¹빈도, 잦음 ²진동수, 주파수

Sounds with the same **frequency** can cancel each other
out.

같은 주파수의 소리는 서로 상쇄시킬 수 있다.

◉ **frequent** 형 빈번한, 잦은

0651

exotic
[igzátik]

형 이국적인, 외국의

I was attracted by the actor's **exotic** features.
나는 그 배우의 이국적인 용모에 끌렸다.

0652

grateful
[gréitfəl]

형 감사하는, 고마워하는

People who are more **grateful** for what they have are more hopeful and physically healthier. 모의
가진 것에 더 감사해하는 사람들이 좀 더 희망적이고 신체적으로도 더 건강하다.

0653

gratitude
[grǽtətʃùːd]

명 감사, 고마움

Volunteering gave me **gratitude** for the comforts and opportunities I used to take for granted. 교과서
봉사활동을 통해 나는 이전에는 당연하게 여겼던 안락함과 기회에 대해 감사를 느끼게 되었다.

0654

hardship
[háːrdʃip]

명 고난, 어려움

Despite the **hardship**, the explorer didn't abandon hope.
역경에도 불구하고, 그 탐험가는 희망을 버리지 않았다.

0655

worship
[wɔ́ːrʃip]

동 ¹숭배하다 ²예배를 보다 명 ¹숭배 ²예배

Tigers have been feared and **worshiped** by humans for centuries. 교과서
호랑이는 수 세기 동안 인간에게 두려움과 숭배의 대상이었다.

0656

ease
[iːz]

圄 완화하다, 편하게 하다 圕 쉬움, 편안함

Simple stretching can **ease** your neck pain.
간단한 스트레칭으로 목의 통증을 완화할 수 있다.

0657

meditate
[médətèit]

圄 ¹명상하다 ²숙고하다

He always **meditates** in the morning.
그는 아침에 항상 명상한다.

0658

meditation
[mèdətéiʃən]

圕 ¹명상, 묵상 ²심사숙고

Let us spend a few moments in quiet **meditation**.
잠시 조용히 명상합시다.

 시험 빈출 혼동 단어

0659

medicate
[médəkèit]

圄 약을 투여하다

I persuaded her to **medicate** for eating disorders.
나는 그녀가 식이 장애 치료를 위한 약을 먹도록 설득했다.

◉ **medication** 圕 약(물), 약물치료

0660

mediate
[míːdièit]

圄 중재하다, 조정하다

The UN **mediated** the dispute between the two countries.
국제 연합은 그 두 나라 사이의 분쟁을 중재했다.

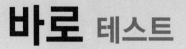

바로 테스트

정답 406쪽

영어는 우리말로, 우리말은 영어로 쓰세요.

01	fluent	11	유아; 유아의
02	worship	12	근거; 기준; 기반
03	instruction	13	드러내다, 폭로하다
04	relatively	14	과정; 가공하다
05	exotic	15	진공; 공백, 공허
06	hardship	16	범인; 범죄의
07	ridiculous	17	빈도; 주파수
08	ease	18	불빛; 홍조
09	inspect	19	존경하다; 명예
10	swear	20	경영, 관리

함께 외우는 어휘 쌍

우리말을 보고 알맞은 단어를 쓰세요.

21		필요조건	—		필요하다, 요구하다
22		감사하는	—		감사
23		명상하다	—		명상
24		진행하다	—		절차, 순서; (의학) 수술

괄호 안에서 알맞은 단어를 고르세요.

25 She (mediated / medicated) the quarrel between her friends.

DAY 23

0661 ●●●●●

certain
[sə́ːrtn]

형 ¹확실한 ²특정한 ³어느 정도의

After a **certain** age, anxieties occur when sudden changes are coming. 모의
특정한 나이 이후에는 갑작스러운 변화가 다가오고 있을 때 불안감이 생긴다.

0662 ●●●●●

intellectual
[ìntəléktʃuəl]

형 ¹지적인 ²(뛰어난) 지성을 지닌

Baduk is a highly **intellectual** game.
바둑은 매우 지적인 게임이다.

0663 ●●●●●

intelligent
[intélədʒənt]

형 ¹총명한, 똑똑한 ²지능이 있는

Crows are more **intelligent** than chickens because they hunt for food. 모의
까마귀는 먹이를 사냥하기 때문에 닭보다 더 똑똑하다.

◉ **intelligence** 명 지능

0664 ●●●●●

arrange
[əréindʒ]

동 ¹준비하다 ²배열하다, 정리하다

I have to **arrange** the information to make it readable. 교과서
나는 정보를 읽기 쉽게 정리해야 한다.

0665 ●●●●●

arrangement
[əréindʒmənt]

명 ¹준비 ²배열, 정리 ³합의

The **arrangement** by category makes it easy for you to memorize the store's layout. 모의
범주에 의한 배열은 당신이 그 가게의 배치를 기억하기 쉽게 해 준다.

0666 ●●●●●

fate
[feit]

몡 운명, 숙명

It is the **fate** of all of us to die someday.
언젠가 죽는 것이 우리 모두의 운명이다.

◎ **fateful** 톙 운명적인

0667 ●●●●●

encounter
[inkáuntər]

동 ¹(우연히) 마주치다 ²(위험에) 부닥치다 몡 마주침

She never knew what fate she might **encounter**.
그녀는 어떤 운명과 마주치게 될지 전혀 알지 못했다.

0668 ●●●●●

steer
[stiər]

동 ¹조종하다 ²이끌다

He let me **steer** the boat, and I was thrilled. 교과서
그는 나에게 배를 조정하도록 허락했고, 나는 신이 났다.

0669 ●●●●●

conclude
[kənklúːd]

동 ¹결론을 내리다 ²끝내다 ³체결하다

After more research, he **concluded** that stripes can save
zebras from disease-carrying insects. 모의
더 많은 연구 후에, 그는 줄무늬가 질병을 옮기는 곤충으로부터 얼룩말을
구할 수 있다는 결론을 내렸다.

◎ **conclusion** 몡 결론

0670 ●●●●●

thorough
[θɔ́ːrou]

톙 철저한, 빈틈없는

The repairman gave my car a **thorough** examination.
그 정비사는 내 차를 정밀 검사했다.

◎ **thoroughly** 뷔 철저히, 완전히

gene
[dʒiːn]

® 유전자

Some diseases such as cancer or heart disease can be passed on through **genes**.
암이나 심장병과 같은 몇몇 질병은 유전자를 통해 유전될 수 있다.

genetic
[dʒənétik]

® 유전의, 유전학의

He majored in **genetic** engineering in college.
그는 대학에서 유전 공학을 전공했다.

◉ **genetically** ® 유전적으로

trait
[treit]

® ¹특징, 특성 ²(유전) 형질

A gene is the part of DNA that controls the growth, appearance, and other **traits** of a living thing.
유전자는 생물체의 성장, 생김새 그리고 다른 특징들을 통제하는 DNA의 일부이다.

evolve
[ivάlv]

® 진화하다, 발달하다

Some scientists believe that human beings **evolved** from apes.
일부 과학자들은 인간이 유인원으로부터 진화했다고 믿는다.

evolution
[èvəlúːʃən]

® 진화, (점진적인) 발전

The **evolution** of artificial intelligence(AI) over the past 10 years is really amazing.
지난 10년 간의 인공 지능의 발전은 정말 놀랄 만하다.

◉ **evolutionary** ® 진화(론)적인, 발전의

0676 ●●●●●

vacant
[véikənt]

형 ¹빈, 비어 있는 ²공허한

There is no **vacant** seat available right now.
지금 당장은 이용 가능한 빈 좌석이 없다.

0677 ●●●●●

satisfied
[sǽtisfàid]

형 ¹만족한 ²수긍한

The higher the expectations, the more difficult it is to be
satisfied. 모의
기대감이 더 높아질수록 만족감을 느끼기는 더욱 어려워진다.

0678 ●●●●●

harsh
[hɑːrʃ]

형 ¹가혹한, 모진 ²거친, 심한

When a friend upsets you, you say some **harsh** things
that you normally would not say. 교과서
친구가 당신을 화나게 하면 당신은 평소에 하지 않을 법한 모진 말을 하게
된다.

0679 ●●●●●

verbal
[vɔ́ːrbəl]

형 ¹언어[말]의 ²말로 나타낸

Verbal fluency does not necessarily suggest effective
communication.
말의 유창함이 반드시 효과적인 의사소통을 의미하는 것은 아니다.

0680 ●●●●●

dye
[dai]

동 염색하다 명 염료, 물감

Long ago, black wool was worthless because it was
almost impossible to **dye**. 교과서
오래전, 검은색 울은 염색이 거의 불가능했기 때문에 가치가 없었다.

0681

authority
[əθɔ́ːrəti]

명 ¹권한, 권위 ²당국(-ties) ³권위자, 대가

This tiger's tail painted by Kim Hongdo is expressing **authority**. 교과서
김홍도가 그린 이 호랑이의 꼬리는 권위를 표현하고 있다.

0682

conquer
[káŋkər]

동 정복하다, 이기다

Napoleon Bonaparte failed to **conquer** Russia.
나폴레옹 보나파르트(나폴레옹 1세)는 러시아를 정복하는 데 실패했다.

◉ **conqueror** 명 정복자, 승리자

0683

surrender
[səréndər]

동 항복[굴복]하다, 포기하다

They did not **surrender** to the enemy.
그들은 적에게 굴복하지 않았다.

0684

govern
[ɡʌ́vərn]

동 통치하다, 지배하다

Sometimes we are **governed** by our emotions. 모의
우리는 때때로 우리의 감정에 의해 지배당한다.

◉ **government** 명 ¹정부 ²정치, 통치

0685

republic
[ripʌ́blik]

명 공화국

The **Republic** of Korea is a democratic **republic**.
대한민국은 민주 공화국이다.

0686

therapy
[θérəpi]

몡 치료, 요법

She had physical **therapy** after the surgery.
그녀는 수술 후에 물리 치료를 받았다.

0687

symptom
[símptəm]

몡 ¹징후, 조짐 ²증상

Coughing is one of the most common **symptoms** of a cold. 모의
기침은 감기의 가장 흔한 증상 중 하나이다.

0688

nerve
[nəːrv]

몡 ¹신경 ²긴장, 불안 ³용기

The **nerves** from the eye to the brain are twenty-five times larger than the **nerves** from the ear to the brain. 모의
눈에서 뇌로 이어지는 신경은 귀에서 뇌로 이어지는 신경보다 25배 더 크다.

◉ **nervous** 몡 ¹불안해하는 ²신경(성)의

 시험 빈출 혼동 단어

0689

neural
[njúərəl]

몡 신경(계)의

He became disabled because of **neural** damage.
그는 신경 손상으로 인해 장애인이 되었다.

0690

neutral
[njúːtrəl]

몡 ¹중립적인 ²무채색의 ³중성의 몡 ¹중립(국) ²무채색

Using mostly **neutral** colors, Picasso focused on the shape of his subjects.
피카소는 주로 무채색을 사용하며 대상물의 형태에 중점을 두었다.

영어는 우리말로, 우리말은 영어로 쓰세요.

01	fate	11	확실한; 특정한
02	vacant	12	결론을 내리다
03	steer	13	만족한; 수긍한
04	republic	14	지적인
05	thorough	15	특징; (유전) 형질
06	harsh	16	언어[말]의
07	govern	17	권한, 권위
08	encounter	18	총명한; 지능이 있는
09	therapy	19	징후, 조짐; 증상
10	nerve	20	염색하다; 염료

함께 외우는 어휘 쌍

우리말을 보고 알맞은 단어를 쓰세요.

21 　　　　　준비하다; 배열하다 ― 　　　　　준비; 배열

22 　　　　　진화하다 ― 　　　　　진화

23 　　　　　유전자 ― 　　　　　유전의

24 　　　　　항복[굴복]하다 ― 　　　　　정복하다

괄호 안에서 알맞은 단어를 고르세요.

25 (Neutral / Neural) Switzerland does not participate in wars.

DAY 24

0691

soar
[sɔːr]

동 ¹급증하다, 치솟다 ²날아오르다

The eagle **soared** high in the sky.
독수리는 하늘 높이 날아올랐다.

0692

endure
[indʒúər]

동 ¹견디다, 참다 ²지속하다

There is a limit to the amount of pain the human body
can **endure**.
인체가 견딜 수 있는 고통의 양에는 한계가 있다.

0693

withstand
[wiðstǽnd]
withstood – withstood

동 견디다, 이겨내다

I am curious about how tall buildings **withstand** strong
wind. 교과서
나는 고층 건물이 어떻게 강한 바람을 견디는지 궁금하다.

0694

hesitate
[hézətèit]

동 망설이다, 주저하다

My son **hesitates** to try new foods.
나의 아들은 새로운 음식을 맛보기를 주저한다.

◉ **hesitation** 명 ¹주저, 망설임 ²우유부단

0695

passive
[pǽsiv]

형 수동적인, 소극적인 (반 active)

They were **passive** or indifferent to the urgent problems
of our society.
그들은 우리 사회의 긴급한 문제들에 대해 소극적이거나 무관심했다.

0696

measure
[méʒər]

동 ¹측정하다 ²평가하다 명 ¹조치 ²척도

Microplastics are very difficult to **measure**. 모의
미세 플라스틱 조각은 측정하기가 매우 어렵다.

◉ **measurement** 명 ¹측정, 측량 ²치수

0697

measurable
[méʒərəbl]

형 ¹측정할 수 있는 ²주목할 만한

Learning a musical instrument has **measurable** benefits.
악기를 배우는 것은 주목할 만한 이점을 가지고 있다.

0698

architecture
[ɑ́ːrkətèktʃər]

명 ¹건축(학) ²건축 양식

He took an interest in **architecture** at a young age and
studied **architecture** in Barcelona. 교과서
그는 어린 나이에 건축에 관심을 가졌고 바르셀로나에서 건축을 공부했다.

◉ **architect** 명 건축가

0699

sacred
[séikrid]

형 신성한, 종교적인

The Ganges River is **sacred** in India.
갠지스강은 인도에서 신성시된다.

0700

slope
[sloup]

명 ¹경사면, (산)비탈 ²기울기 동 경사지다

The historic site is located on a mountain **slope** of the
Sacred Valley in Peru. 교과서
그 역사 유적지는 페루의 신성한 계곡의 산악 경사면에 위치해 있다.

0701 ● ● ● ● ●

glance
[glæns]

명 힐끗 보기 동 힐끗 보다

Making an egg stand on end seems to be easy at first **glance**. 교과서
달걀을 똑바로 세우는 것이 처음에는 쉬워 보인다.

● **at first glance** 처음에는, 언뜻 보기에는
● **at a glance** 한눈에

0702 ● ● ● ● ●

concise
[kənsáis]

형 간결한

The news article was precise and **concise**.
그 뉴스 기사는 정확하고 간결했다.

● **concisely** 부 간결하게

0703 ● ● ● ● ●

summarize
[sʌ́məràiz]

동 요약하다

The teacher told me to **summarize** the essay as concisely as possible.
선생님은 나에게 에세이를 가능한 한 간략하게 요약하라고 말씀하셨다.

0704 ● ● ● ● ●

summary
[sʌ́məri]

명 요약, 개요 형 간략한, 요약한

Writing a one-page **summary** is a good way to see the whole thing at a glance.
한 쪽 요약문을 쓰는 것은 전체를 한눈에 이해할 수 있는 좋은 방법이다.

0705 ● ● ● ● ●

mine
[main]

명 1광산 2지뢰 동 채굴하다 대 내 것

After a huge explosion, the whole **mine** filled up with dust and rock. 교과서
거대한 폭발이 있고 나서, 광산 전체가 먼지와 바위로 가득 찼다.

● **miner** 명 광부

0706 ●●●●●

faith
[feiθ]

몡 ¹믿음, 신뢰 ²신념

The miners buried inside the mine were finally rescued, and it was a victory of **faith**. 교과서
광산 내부에 갇혀 있던 광부들이 마침내 구조되었고, 그것은 믿음의 승리였다.

0707 ●●●●●

faithful
[féiθfəl]

혱 충실한, 신의 있는

Dogs are very **faithful** to their masters.
개는 주인에게 매우 충실하다.

◉ **faithfulness** 몡 충실함, 신뢰할 만함

0708 ●●●●●

rapidly
[rǽpidli]

튀 빠르게, 급격히

In the 1860s, the populations of Manhattan and Brooklyn were **rapidly** increasing. 교과서
1860년대에 맨해튼과 브루클린의 인구는 급격히 증가하고 있었다.

◉ **rapid** 혱 빠른

0709 ●●●●●

advantage
[ædvǽntidʒ]

몡 ¹유리한 조건 ²이점, 장점

Technology has both **advantages** and disadvantages.
기술은 장점과 단점 둘 다 가지고 있다.

◉ **take advantage of** (기회 등을) 활용하다

0710 ●●●●●

progress
몡 [prágres]
통 [prəgrés]

몡 ¹전진 ²진보, 발전 통 ¹전진하다 ²진보하다

Athletes have been taking advantage of the **progress** in science and technology to improve their skills. 교과서
운동선수들은 실력을 향상하기 위해 과학과 기술의 진보를 활용해 오고 있다.

◉ **progressive** 혱 진보적인, 점진적인

0711

extract
[ikstrǽkt]

동 ¹추출하다 ²발췌하다 명 ¹추출물 ²발췌

The melting point of lead is relatively low, so it is easy to **extract** lead from ores.
납의 녹는점은 상대적으로 낮아서 광석에서 납을 추출하기는 쉽다.

0712

fiction
[fíkʃən]

명 ¹소설 ²허구

I am a big fan of science **fiction**. 모의
나는 공상 과학 소설을 정말 좋아한다.

○ **fictional** 형 ¹소설의 ²허구의, 꾸며낸

0713

patent
[pǽtnt]

명 특허권 형 ¹특허의 ²명백한 동 특허를 얻다

Michael Faraday made the first electric generator but refused to hold the **patent** on his invention.
마이클 패러데이는 최초의 전기 발전기를 만들었으나, 그의 발명품에 대해 특허권을 갖는 것을 거절했다.

0714

vibrate
[váibreit]

동 떨리다, 흔들리다, 진동하다

His cell phone began to **vibrate** in his pocket.
주머니 안에 있던 그의 휴대 전화가 진동하기 시작했다.

0715

vibration
[vaibréiʃən]

명 떨림, 진동

Miners digging for copper and gold felt **vibrations** in the earth. 교과서
구리와 금을 캐던 광부들은 땅속에서 진동을 느꼈다.

0716 ●●●●●

fragile
[frǽdʒəl]

📁 부서지기 쉬운, 취약한

The glass vase is very **fragile** and breaks easily.
그 유리 꽃병은 매우 약하고 쉽게 깨진다.

0717 ●●●●●

grace
[greis]

📁 ¹우아함, 품위 ²은총 📁 ¹꾸미다 ²~을 빛내다

The ballerina moved with natural **grace**.
그 발레리나는 타고난 우아함으로 움직였다.
By the **grace** of God, they survived the tsunami.
신의 은총으로 그들은 지진 해일에서 살아남았다.

◎ **graceful** 📁 우아한

0718 ●●●●●

decent
[díːsnt]

📁 ¹제대로 된, 적절한 ²예의 바른

Everyone deserves a **decent** education.
모든 사람은 제대로 된 교육을 받을 가치가 있다.

◎ **decently** 📁 점잖게, 단정하게

 시험 빈출 혼동 단어

0719 ●●●●●

carve
[kɑːrv]

📁 ¹조각하다, 깎아서 만들다 ²(글씨를) 새기다

The rice terraces were **carved** out of the slope 2,000
years ago. 교과서
그 계단식 논은 2,000년 전에 산비탈을 깎아서 만들어졌다.

0720 ●●●●●

curve
[kəːrv]

📁 구부리다 📁 곡선, 만곡부, 커브

At the first **curve** in the road, my heart started beating
fast. 모의
도로의 첫 번째 커브에서 내 심장은 빠르게 뛰기 시작했다.

◎ **curvy** 📁 구불구불한

196   DAY 24

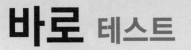

바로 테스트

정답 406쪽

DAY 24

영어는 우리말로, 우리말은 영어로 쓰세요.

01	passive	11	급증하다; 날아오르다
02	decent	12	우아함, 품위; 은총
03	rapidly	13	광산; 지뢰
04	endure	14	망설이다, 주저하다
05	advantage	15	힐끗 보기; 힐끗 보다
06	fiction	16	추출하다
07	sacred	17	건축(학); 건축 양식
08	concise	18	전진; 진보
09	fragile	19	특허권
10	withstand	20	경사면; 기울기

함께 외우는 어휘 쌍

우리말을 보고 알맞은 단어를 쓰세요.

21		측정하다	—	측정할 수 있는
22		요약하다	—	요약, 개요
23		믿음; 신념	—	충실한, 신의 있는
24		떨림, 진동	—	떨리다, 진동하다

괄호 안에서 알맞은 단어를 고르세요.

25 The architect believed that the natural world is full of (curved / carved) lines, rather than straight lines.

DAY 24   197

DAY 25

0721

convey
[kənvéi]

동 ¹전달하다 ²운반하다

In Ancient Greece, myths **conveyed** the truth about the complexity of life. 모의
고대 그리스에서, 신화는 삶의 복잡성에 관한 진실을 전달했다.

0722

informative
[infɔ́ːrmətiv]

형 유익한

We had an **informative** talk on stress management with Dr. Jones. 교과서
우리는 Jones 박사와 스트레스 관리법에 관한 유익한 대화를 나누었다.

0723

subtle
[sʌ́tl]

형 ¹미묘한 ²교묘한 ³민감한

The movie's message was too **subtle** for me to understand.
그 영화의 메시지는 너무 난해해서 내가 이해할 수 없었다.

0724

distort
[distɔ́ːrt]

동 비틀다, 왜곡하다

Sometimes the media **distort** the truth.
때때로 언론은 진실을 왜곡한다.

0725

strain
[strein]

명 ¹긴장, 부담 ²(근육) 염좌

Distorted history has caused a **strain** between Korea and Japan.
왜곡된 역사는 한국과 일본 사이에 긴장감을 조성했다.

0726

drown
[draun]

동 ¹익사하다, 빠지다 ²흠뻑 젖게 하다

With thousands of websites and TV channels, it is easy to **drown** in a flood of media. 모의
수천 개의 웹 사이트와 TV 채널로 인해 매체의 홍수에 빠지기 쉽다.

0727

grind
[graind]
ground-ground

동 갈다, 빻다

You should **grind** garlic and put it in spaghetti sauce.
마늘을 갈아서 스파게티 소스에 넣어야 한다.

0728

compare
[kəmpέər]

동 비교하다, 비유하다

In many cultures, life is often **compared** to a journey.
교과서
많은 문화에서 인생은 종종 여행에 비유된다.

0729

comparison
[kəmpǽrisn]

명 비교, 비유

The **comparisons** are made to convey feelings of love in a more concise but memorable way. 교과서
사랑이라는 감정을 더 간결하지만, 인상적으로 전달하기 위해 비유가 쓰였다.

0730

analogy
[ənǽlədʒi]

명 ¹비유 ²유사(성)

An **analogy** is a comparison between two things. 교과서
비유는 두 사물 사이의 비교이다.

0731

logic
[ládʒik]

명 ¹논리(학) ²타당성

In most cases, it is not difficult to see the **logic** behind the comparisons. 교과서
대부분의 경우, 비유 뒤에 숨은 논리를 보는 것은 어렵지 않다.

0732

logical
[ládʒikəl]

형 ¹논리적인 ²타당한

Logical thinking helps solve the math problem.
논리적인 사고는 수학 문제를 푸는 데 도움이 된다.

◎ **logically** 부 ¹논리적으로 ²필연적으로

0733

enroll
[inróul]

동 등록하다, 명부에 올리다, 입학시키다

They **enrolled** their children in a private school.
그들은 자녀들을 사립 학교에 입학시켰다.

◎ **enrollment** 명 등록, 입학

0734

tease
[tiːz]

동 놀리다, 괴롭히다 명 장난, 놀림

Emma made her son apologize to the girl he had **teased**.
Emma는 그녀의 아들이 놀렸던 그 소녀에게 사과하도록 했다.

0735

harassment
[hərǽsmənt]

명 괴롭힘, 희롱

There are laws against **harassment** at work.
직장 내 괴롭힘을 금지하는 법이 있다.

◎ **harass** 동 괴롭히다, 희롱하다

0736

mock
[mɑk]

동 ¹놀리다 ²흉내내다 명 ¹놀림 ²흉내

Everyone **mocked** Brian's new haircut.
모두가 Brian의 새로운 머리 모양을 놀렸다.

0737

anticipate
[æntísəpèit]

동 ¹예상하다 ²기대하다

The cost turned out to be higher than **anticipated**.
비용은 예상했던 것보다 더 높게 나왔다.

0738

anticipation
[æntìsəpéiʃən]

명 ¹예상 ²기대

We were full of **anticipation** thinking about experiencing a new culture.
우리는 새로운 문화를 경험할 것을 생각하며 기대로 가득 차 있었다.

0739

foretell
[fɔːrtél]
foretold – foretold

동 예언하다, 예지하다

None of us can **foretell** what lies ahead.
앞날에 어떤 일이 있을지는 우리 중 아무도 모른다.

0740

hazard
[hǽzərd]

명 위험 (요소)

The research showed that fine dust is a **hazard** to humans.
그 연구는 미세 먼지가 인간에게 위험 요소임을 보여 주었다.

rare
[rɛər]

형 ¹드문, 희귀한 ²(고기를) 살짝 익힌

In **rare**, extreme cases, medical attention may be required.
드물지만 심한 경우에는 치료가 필요할 수도 있다.

conserve
[kənsə́:rv]

동 ¹절약하다 ²보호하다, 보존하다

We can **conserve** natural resources by recycling. 교과서
우리는 재활용을 함으로써 천연자원을 절약할 수 있다.

conservative
[kənsə́:rvətiv]

형 보수적인 명 보수주의자

There are two newspapers; one newspaper is liberal, and the second is **conservative**. 모의
두 개의 신문이 있다. 한 신문은 진보적이고 두 번째 신문은 보수적이다.

conservation
[kɑ̀nsərvéiʃən]

명 보호, 보존

The environmental organization is concerned with rare bird **conservation**.
그 환경 단체는 희귀 조류 보호에 관심이 있다.

conservatory
[kənsə́:rvətɔ̀:ri]

명 ¹온실 ²음악 학교

She studied music in a **conservatory** in Italy. 교과서
그녀는 이탈리아에 있는 음악 학교에서 공부했다.

0746 ●●●●●

frustrate
[frʌstreit]

동 ¹좌절감을 주다 ²방해하다

They were **frustrated** because there was no one around to help them.
그들을 도와줄 사람이 주변에 아무도 없어서 그들은 낙담했다.

0747 ●●●●●

chaos
[kéiɑs]

명 무질서, 혼돈, 혼란

With "perfect" **chaos** we are frustrated by having to adapt and react again and again. 모의
'완전한' 무질서로 인해 우리는 몇 번이고 적응하고 대응해야만 하는 것에 좌절한다.

● **chaotic** 형 무질서한, 혼란스러운

0748 ●●●●●

distant
[dístənt]

형 ¹먼, 떨어진 ²거리를 두는

A close neighbor is better than a **distant** cousin.
가까운 이웃이 먼 사촌보다 낫다. (속담)

● **distance** 명 ¹거리 ²먼 곳

시험 빈출 혼동 단어

0749 ●●●●●

spill
[spil]
spilled[spilt] –
spilled[spilt]

동 엎지르다, 흘리다 명 유출

The accident caused the ship to **spill** oil into the ocean.
그 사고로 인해 배에서 기름이 바다로 유출되었다.

0750 ●●●●●

spell
[spel]
spelled[spelt] –
spelled[spelt]

동 철자를 말하다[쓰다] 명 주문, 마법

What word in the English language is always **spelled** incorrectly? 교과서
영어로 무슨 단어가 항상 잘못 써지는가?

바로 테스트

영어는 우리말로, 우리말은 영어로 쓰세요.

01	informative	11	비틀다, 왜곡하다
02	hazard	12	드문, 희귀한
03	enroll	13	익사하다, 빠지다
04	chaos	14	보수적인; 보수주의자
05	tease	15	온실; 음악 학교
06	frustrate	16	먼, 떨어진
07	convey	17	긴장; (근육) 염좌
08	foretell	18	괴롭힘, 희롱
09	mock	19	갈다, 빻다
10	subtle	20	비유; 유사(성)

함께 외우는 어휘 쌍

우리말을 보고 알맞은 단어를 쓰세요.

21		논리(학); 타당성	—	논리적인; 타당한
22		보호하다, 보존하다	—	보호, 보존
23		비교하다, 비유하다	—	비교, 비유
24		예상하다; 기대하다	—	예상; 기대

괄호 안에서 알맞은 단어를 고르세요.

25 My daughter (spelled / spilled) orange juice on her desk.

Crossword Puzzle

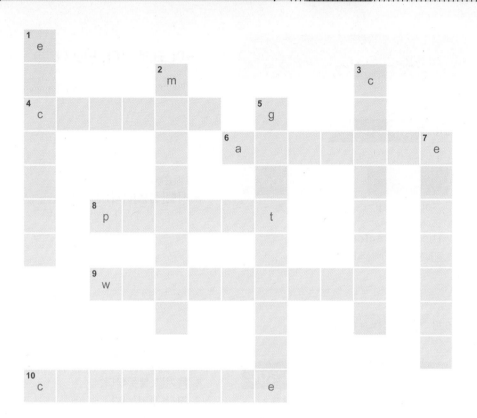

➲ ACROSS

4	전달하다; 운반하다
6	준비하다; 배열하다
8	특허권; 특허를 얻다
9	견디다, 이겨내다
10	절약하다; 보호하다

➲ DOWN

1	둘러싸다; 동봉하다
2	명상하다; 숙고하다
3	결론을 내리다; 끝내다
5	감사, 고마움
7	시행[집행]하다; 강요하다

| en- | ~이 되게 하다, 만들다 |

0618  en**force**

| **en** | **+** | **force** |
| ~이 되게 하다 | | 힘 |

힘을 사용하다
图 **시행[집행]하다; 강요하다**

The police **enforce** the laws.
경찰은 법을 집행한다.

0626  en**courage**

| **en** | **+** | **courage** |
| 만들다 | | 용기 |

용기를 만들어 주다
图 **용기를 북돋우다;**
권장[장려]하다

They **encourage** people to use more eco-friendly products.
그들은 사람들에게 더 환경친화적인 제품을 사용할 것을 권장한다.

0692 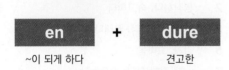 en**dure**

| **en** | **+** | **dure** |
| ~이 되게 하다 | | 견고한 |

(오랫동안) 견고하게 하다
图 **견디다, 참다; 지속하다**

The pain was too great to **endure**.
통증이 너무 심해서 참을 수가 없었다.

ex-	ad-	pre-	re-	com-	dis-	in-	en-
out-	trans-	over-	ir-	inter-	de-	sub-	contra-

DAY 21-25

en- ~ 안에

0606 enclose

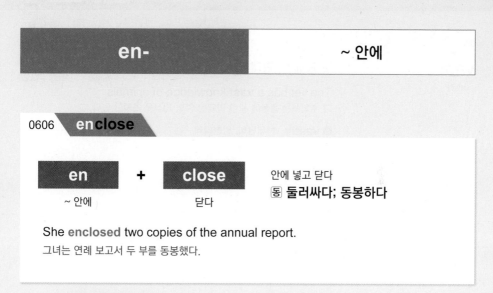

en (~ 안에) **+** **close** (닫다)

안에 넣고 닫다
[동] 둘러싸다; 동봉하다

She **enclosed** two copies of the annual report.
그녀는 연례 보고서 두 부를 동봉했다.

0667 encounter

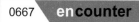

en (~ 안에) **+** **counter** (반대되는 것)

안에 있는 것과 반대되는 것을 만나다
[동] (우연히) 마주치다; (위험에) 부닥치다
[명] 마주침

Immigrants usually **encounter** many difficulties at first.
이민자들은 보통 처음에 많은 어려움에 부닥친다.

0733 enroll

en (~ 안에) **+** **roll** (두루마리)

두루마리로 된 명부에 기입하다
[동] 등록하다, 명부에 올리다, 입학시키다

We **enrolled** Julia as a member of our club.
우리는 Julia를 우리 동아리 회원으로 등록했다.

DAY 26

0751

vast
[væst]

형 광대한, 막대한

The vet has a **vast** knowledge of animals.
그 수의사는 동물에 관한 방대한 양의 지식을 가지고 있다.

◎ **vastly** 부 대단히, 엄청나게

0752

outcome
[áutkʌm]

명 결과, 성과

It is difficult to predict the **outcomes** of sporting contests.
모의
스포츠 경기의 결과를 예측하는 것은 어렵다.

0753

organize
[ɔ́ːrɡənàiz]

동 ¹체계화하다, 정리하다 ²조직하다

Brainstorm ideas before writing and **organize** them logically.
글을 쓰기 전에 아이디어를 짜내고 그것들을 논리적으로 정리해라.

◎ **organization** 명 ¹조직, 단체 ²구조, 체계

0754

transfer
[trænsfə́ːr]

동 ¹옮기다, 이동하다 ²갈아타다 명 이동, 환승

Ondol works by storing and **transferring** heat over a long period of time. 교과서
온돌은 오랫동안 열을 저장하고 전달하면서 작용한다.

0755

broaden
[brɔ́ːdn]

동 넓어지다, 퍼지다

While traveling, you can **broaden** your mind.
여행하면서 당신은 사고의 폭을 넓힐 수 있다.

0756

motion
[móuʃən]

명 ¹운동, 움직임 ²동작

We observed the **motion** of stars at the science museum.
우리는 과학 박물관에서 별의 움직임을 관찰했다.

0757

motive
[móutiv]

명 동기, 이유 형 움직이게 하는

The **motive** of the murder is yet unknown.
살인 동기는 아직 밝혀지지 않았다.

0758

terminal
[tə́:rmənl]

명 종착역, 종점, 터미널 형 말기의, 불치의

The bus had already left when I reached the **terminal**.
내가 터미널에 도착했을 때 버스는 이미 떠나고 없었다.

The patient is in a **terminal** phase.
그 환자는 치료할 수 없는 단계이다.

0759

navigate
[nǽvəgèit]

동 ¹길을 찾다 ²항해하다

In the past, sailors **navigated** by the stars.
옛날에는 선원들이 별을 보고 항해했다.

◉ **navigation** 명 항해, 운항

0760

navigator
[nǽvəgèitər]

명 ¹조종사, 항해사 ²(차량용) 내비게이터

The **navigator** couldn't find a path to the destination.
그 내비게이터는 목적지까지 가는 경로를 찾지 못했다.

0761

vessel
[vésəl]

몡 ¹그릇 ²(대형) 선박 ³혈관

Empty **vessels** make the most sound.
빈 그릇이 가장 많은 소리를 낸다. (빈 수레가 요란하다. / 속담)

0762

equip
[ikwíp]

통 (장비를) 갖추다, 설비하다

The drones will be **equipped** with GPS navigation systems. 교과서
그 드론은 GPS 운행 유도 시스템이 갖추어질 것이다.

0763

equipment
[ikwípmənt]

몡 장비, 설비

Running needs no special **equipment**, but only a pair of sneakers.
달리기에는 특별한 장비가 필요 없고 운동화 한 켤레만 필요하다.

0764

trail
[treil]

몡 ¹오솔길 ²자국, 흔적 통 ¹끌다 ²추적하다

Hike the Valley is a hiking program where we guide participants through local **trails**. 모의
Hike the Valley는 우리가 참가자들에게 지역 숲길을 안내하는 하이킹 프로그램이다.

0765

litter
[lítər]

몡 쓰레기 통 어지럽히다

Helping an elderly neighbor and picking up **litter** are simple things you can do to help others. 교과서
이웃에 사는 노인을 돕는 것과 쓰레기를 줍는 것은 다른 사람들을 돕기 위해 할 수 있는 간단한 것들이다.

0766 ● ● ● ● ●

fascinate
[fǽsənèit]

통 매혹하다

He was **fascinated** by the natural wonders of the surrounding countryside. 교과서
그는 주변 시골의 자연의 경이로움에 매료되었다.

◉ **fascinating** 형 매혹적인

0767 ● ● ● ● ●

charm
[tʃɑːrm]

명 매력 동 매혹하다

You can showcase your own **charm** with your unique style. 교과서
당신은 독특한 스타일로 당신만의 매력을 뽐낼 수 있다.

0768 ● ● ● ● ●

claim
[kleim]

동 ¹주장하다 ²요구하다 명 ¹주장 ²요구

Parents may often **claim** that they spend a lot of time with their children. 모의
부모들은 종종 그들이 많은 시간을 자녀들과 함께한다고 주장할지도 모른다.

◉ **baggage claim** 수하물 찾는 곳

0769 ● ● ● ● ●

lively
[láivli]

형 ¹활기찬 ²선명한

The show fascinates the audience with **lively** music and cheerful dance.
그 공연은 생동감 넘치는 음악과 흥겨운 춤으로 관중들을 매료시킨다.

0770 ● ● ● ● ●

genuine
[dʒénjuin]

형 ¹진짜의, 진품의 ²진실한

Can you distinguish between false laughter and **genuine** laughter?
당신은 가짜 웃음과 진짜 웃음을 구별할 수 있는가?

0771

upward
[ʌ́pwərd]

튄 위쪽으로 ꤰ ¹위쪽의 ²(양·가격이) 상승하는

The balloons floated **upward**.
풍선들이 위쪽으로 떠올랐다.

0772

involve
[inválv]

동 포함하다, 관련시키다

His job **involved** learning about the injuries suffered by
people working at dangerous jobs. 교과서
그의 일은 위험한 직장에서 근무하는 사람들이 입는 부상에 대해 배우는 것과
관련이 있었다.

0773

risk
[risk]

명 위험 (요소) 동 위태롭게 하다

Exercising regularly cuts the **risk** of heart disease in half.
규칙적으로 운동하는 것은 심장마비의 위험을 절반으로 줄인다.

0774

risky
[ríski]

형 위험한

I couldn't think of a way to get out of the **risky** situation.
모의
나는 그 위험한 상황에서 벗어날 수 있는 방법이 떠오르지 않았다.

0775

panic
[pǽnik]
panicked–panicked

동 (겁에 질려) 당황하다 형 당황한 명 공포, 공황

In case of fire, don't **panic**, and follow the escape route.
불이 날 경우, 당황하지 말고 탈출 경로를 따라가라.

0776 ● ● ● ● ●

prove

[pru:v]
proved–proved[proven]

동 증명하다, 입증하다

This experiment will **prove** the theory right.
이 실험은 그 이론이 옳다는 것을 입증할 것이다.

◎ **provable** 형 입증할 수 있는

0777 ● ● ● ● ●

proof

[pru:f]

명 증거, 입증 형 (~에) 견디는 동 방수 처리를 하다

There is no absolute **proof** of his being guilty.
그가 유죄라는 분명한 증거가 없다.

0778 ● ● ● ● ●

resistant

[rizístənt]

형 ^{1}저항하는 ^{2}~에 강한 명 저항자

Some people are **resistant** to change because they are afraid. 교과서
어떤 사람들은 두렵기 때문에 변화에 저항한다.

◎ **resistance** 명 저항

 시험 빈출 혼동 단어

0779 ● ● ● ● ●

resist

[rizíst]

동 ^{1}저항하다 ^{2}(열 등에) 강하다 ^{3}참다

The woman had the courage to **resist** injustice. 교과서
그 여성은 불의에 저항할 용기가 있었다.

0780 ● ● ● ● ●

insist

[insíst]

동 주장하다

He **insisted** on his innocence, but no one believed him.
그는 자신의 결백을 주장했지만, 아무도 그를 믿지 않았다.

◎ **insistence** 명 주장, 강조

바로 테스트

영어는 우리말로, 우리말은 영어로 쓰세요.

01	outcome	11	체계화하다; 조직하다
02	claim	12	동기; 움직이게 하는
03	panic	13	그릇; (대형) 선박; 혈관
04	broaden	14	진짜의, 진품의; 진실한
05	fascinate	15	오솔길; 자국, 흔적
06	charm	16	위쪽으로
07	lively	17	옮기다; 갈아타다
08	motion	18	저항하는
09	vast	19	포함하다, 관련시키다
10	litter	20	종착역; 말기의

함께 외우는 어휘 쌍

우리말을 보고 알맞은 단어를 쓰세요.

21		위험 (요소)	—		위험한
22		증명하다	—		증거, 입증
23		항해하다	—		조종사, 항해사
24		(장비를) 갖추다	—		장비

괄호 안에서 알맞은 단어를 고르세요.

25 The chocolate cake looked delicious, so she couldn't (insist / resist) eating it.

DAY 27

0781

admire
[ædmáiər]

동 존경하다, 칭찬하다

Park Güell was built for a rich businessman who **admired** Gaudi's style. 교과서
구엘 공원은 가우디의 스타일을 높이 평가했던 부유한 사업가를 위해 지어졌다.

0782

responsible
[rispánsəbl]

형 책임이 있는

Responsible citizens keep order when they are in public places. 교과서
책임 있는 시민은 공공장소에서 질서를 지킨다.

0783

outgoing
[áutgòuiŋ]

형 ¹외향적인 ²(자리를) 떠나는

It was difficult for me to make new friends because I'm not an **outgoing** person. 교과서
나는 외향적인 사람이 아니어서 새로운 친구를 만드는 것이 어려웠다.

0784

marvel
[má:rvəl]

명 경이로움 동 놀라다, 경탄하다

Niagara Falls is one of the natural **marvels** of the world.
나이아가라 폭포는 세계적인 자연의 경이로움 중 하나이다.

0785

marvelous
[má:rvələs]

형 놀라운, 믿기 힘든

The magician showed **marvelous** tricks on the stage.
그 마술사는 무대 위에서 놀라운 묘기를 보여 주었다.

0786

intend
[inténd]

동 의도하다, ~할 작정이다

That is exactly what I **intend** to convey.
그것이 바로 내가 전달하려고 의도하는 것이다.

◎ **intention** 명 의도

◎ **intentional** 형 의도적인, 고의적인

0787

intent
[intént]

형 ¹몰두하는, 전념하는 ²작정한 명 의도

The singer was **intent** on writing a song.
그 가수는 곡을 쓰는 데 몰두하고 있었다.

good **intent** 좋은 의도[선의]

0788

tempt
[tempt]

동 유혹하다

If ever my heart is **tempted** to arrogance, I remind myself
of what I once was. 모의
만약 내 마음이 오만함에 유혹을 받는다면, 나는 나 자신에게 예전의 나를
상기시킨다.

0789

impulse
[ímpʌls]

명 ¹충동 ²충격, 자극

He bought the jacket on **impulse** as it was 70% off.
그는 재킷이 70% 할인을 해서 그것을 충동 구매했다.

0790

fortunate
[fɔ́ːrtʃənət]

형 운 좋은, 다행인

It is **fortunate** that nobody was injured in the car accident.
그 자동차 사고로 다친 사람이 없어서 다행이다.

◎ **fortunately** 부 운 좋게도, 다행히

0791

scoop
[sku:p]

명 (작은 국자 같이 생긴) 숟갈 동 뜨다, 푸다

I **scooped** up the ice cream from the bowl.
나는 그릇에서 아이스크림을 펐다.

0792

twist
[twist]

동 휘다, 비틀다, 돌리다

There was a road with its *hairpin turns that **twisted** back and forth down the mountain. 모의
산 아래로 앞뒤로 굽어진 급커브가 있는 도로가 있었다.

*hairpin turn 급커브

0793

squeeze
[skwi:z]

동 ¹짜다 ²밀어 넣다

Squeeze a lemon and put the juice in the tea. 모의
차에 레몬을 짜 넣거나 주스를 넣어라.

0794

project
명 [prádʒekt]
동 [prədʒékt]

명 ¹계획 ²과제 동 ¹기획하다 ²(영상을) 비추다

The **project** should be accomplished by the students themselves.
그 과제는 학생들 스스로에 의해서 완수되어야 한다.

0795

projection
[prədʒékʃən]

명 ¹(투사된) 영상, 투영도 ²예상, 예측

During the Age of Exploration in the 15th and 16th centuries, new map **projections** were devised. 교과서
15세기와 16세기 탐험의 시대에 새로운 지도 투영법이 고안되었다.

0796

guarantee
[gὰərəntíː]

명 보증(서) 통 보증[보장]하다

We **guarantee** that the color of this shirt won't fade over time.
우리는 이 셔츠의 색깔이 시간이 지나도 바래지 않을 것을 보장한다.

0797

translate
[trænsléit]

통 번역하다, 옮기다, 해석하다

The novel has been **translated** into 40 different languages.
그 소설은 40개의 다른 언어로 번역되었다. 교과서

◎ **translation** 명 번역, 해석

0798

evaluate
[ivǽljuèit]

통 평가하다, 측정하다

Each student's performance is **evaluated** twice a year.
각 학생의 성취도는 일 년에 두 번 평가된다.

◎ **evaluation** 명 평가

0799

rely
[rilái]

통 의존하다, 믿다

We **rely** on nature for everything we need to survive, including air, food, and water. 교과서
우리는 공기, 음식 그리고 물을 포함하여 살아가는 데 필요한 모든 것을 자연에 의존하고 있다.

0800

reliable
[riláiəbl]

형 믿을 만한

Mark is a decent and **reliable** person.
Mark는 예의 바르고 믿을 만한 사람이다.

0801

variable
[vέəriəbl]

휑 변동할 수 있는 몡 변수

Class hours are **variable** according to the curriculum.
수업 시간은 교육 과정에 따라 변동할 수 있다.

0802

fright
[frait]

몡 놀람, 두려움

The cat ran away in **fright** as it saw a big dog approaching.
`교과서`
그 고양이는 큰 개가 접근하는 것을 보자 두려워서 도망갔다.

0803

frighten
[fráitn]

동 놀라게 하다, 두렵게 하다

Jack told his sister a scary story to **frighten** her.
Jack은 여동생을 놀라게 하려고 무서운 이야기를 해 주었다.

0804

bind
[baind]
bound－bound

동 ¹묶다 ²감다 ³(약속·의무 등으로) 구속하다

You need to **bind** the paper with paper clips.
그 서류를 종이 클립으로 묶어야 한다.

● **be bound to** ~할 의무가 있다

0805

bond
[band]

몡 ¹유대, 결합 ²채권

The **bond** between the two friends was really strong.
두 친구 사이의 유대는 정말 단단했다.

0806

sort
[sɔːrt]

명 종류, 분류 동 분류하다

Look around, and you will see that there are all **sorts** of people in the world.
주위를 둘러보면 세상에 많은 종류의 사람이 있다는 것을 알게 될 것이다.

0807

defect
[díːfekt]

명 ¹결함, 결점 ²부족, 결핍

The vehicle turned out to have a serious engine **defect**.
그 자동차는 심각한 엔진 결함이 있다고 밝혀졌다.

0808

flaw
[flɔː]

명 ¹결함, 결점 ²(갈라진) 금, 흠

A **flaw** in the program caused the computer to crash.
프로그램의 결함이 컴퓨터가 고장을 일으키게 했다.

 시험 빈출 혼동 단어

0809

considerate
[kənsídərət]

형 사려 깊은, 배려하는

It is important to be **considerate** of other people's feelings.
다른 사람의 감정을 배려하는 것이 중요하다.

0810

considerable
[kənsídərəbl]

형 ¹상당한, 많은 ²중요한

One outcome of motivation is behavior that takes **considerable** effort. 모의
동기 부여의 한 가지 결과는 상당한 노력을 필요로 하는 행동이다.

영어는 우리말로, 우리말은 영어로 쓰세요.

01	tempt	11	책임이 있는
02	variable	12	충동; 충격, 자극
03	intend	13	짜다; 밀어 넣다
04	sort	14	보증(서); 보증하다
05	outgoing	15	존경하다, 칭찬하다
06	defect	16	번역하다, 옮기다
07	intent	17	묶다; 감다
08	flaw	18	평가하다, 측정하다
09	twist	19	유대; 채권
10	fortunate	20	(작은 국자 같이 생긴) 숟갈

함께 외우는 어휘 쌍

우리말을 보고 알맞은 단어를 쓰세요.

21		경이로움; 놀라다	—		놀라운, 믿기 힘든
22		(영상을) 비추다	—		(투사된) 영상
23		놀라게 하다	—		놀람
24		의존하다, 믿다	—		믿을 만한

괄호 안에서 알맞은 단어를 고르세요.

25 I want you to be understanding and (considerable / considerate).

DAY 28

0811

ambition
[æmbíʃən]

명 야망, 포부

Her **ambition** was to become a pilot.
그녀의 야망은 조종사가 되는 것이었다.

0812

ambitious
[æmbíʃəs]

형 야심 있는

The **ambitious** project will be carried out by several young artists.
그 야심 찬 계획은 몇몇 젊은 예술가들에 의해 진행될 것이다.

0813

recall
[rikɔ́:l]

동 ¹기억해 내다 ²회수하다 명 ¹기억 ²회수

Summer vacation will be **recalled** for its highlights, and the less exciting parts will fade away with time. 모의
여름휴가에서 가장 좋았던 부분은 기억되고, 덜 흥미로운 부분은 시간이 지나면서 희미해질 것이다.

0814

division
[divíʒən]

명 ¹분할, 분배 ²나눗셈 ³(조직의) 부

After the **division** of the two Koreas was concluded, they had to live apart. 교과서
남한과 북한의 분할이 종결된 후, 그들은 떨어져 살아야 했다.

0815

mistreat
[mìstrí:t]

동 학대하다, 혹사하다

We must not **mistreat** animals.
우리는 동물을 학대하면 안 된다.

0816

core
[kɔːr]

명 ¹속, 중심부 ²[the ~] 핵심 형 핵심적인

We don't usually eat apple or pear **cores**.
우리는 대개 사과나 배의 속은 먹지 않는다.

0817

outline
[áutlàin]

명 개요, 윤곽 동 개요를 서술하다, 윤곽을 그리다

The report includes an **outline** of the project.
보고서에는 프로젝트의 개요가 포함되어 있다.

0818

compete
[kəmpíːt]

동 경쟁하다, 겨루다, (경기에) 참가하다

The team **competed** in the state basketball tournament.
교과서
그 팀은 주(州) 농구 대회에 출전했다.

0819

competition
[kàmpətíʃən]

명 ¹경쟁, 대회 ²경쟁자

Her constant effort helped her win the grand prize in an international **competition**. 교과서
그녀의 끊임없는 노력 덕분에 그녀는 국제 대회에서 최우수상을 받았다.

0820

competent
[kámpətənt]

형 유능한

Being organized will make you look **competent**.
정리정돈이 되어 있는 것은 당신을 유능해 보이게 할 것이다.

0821

transplant

명 [trǽnsplæ̀nt]
동 [trænsplǽnt]

명 이식 (수술) 동 ¹이식하다 ²옮겨 심다

The campaign has led to a massive rise in the number of organ **transplants**. 교과서
그 캠페인은 장기 이식의 수를 엄청나게 증가시켰다.

0822

kidney

[kídni]

명 신장, 콩팥

The patient received a **kidney** transplant successfully from her sister.
그 환자는 여동생으로부터 신장을 성공적으로 이식받았다.

0823

flesh

[fleʃ]

명 ¹(사람·동물의) 살 ²과육

The peel of a pineapple is not edible, but the **flesh** is delicious.
파인애플 껍질은 먹을 수 없지만, 과육은 맛있다.

0824

miracle

[mírəkl]

명 기적

There are only two ways to live your life. One is as though nothing is a **miracle**. The other is as though everything is. – Albert Einstein
인생을 살아가는 데는 오직 두 가지 방법밖에 없다. 하나는 아무것도 기적이 아닌 것처럼, 다른 하나는 모든 것이 기적인 것처럼 살아가는 것이다.

0825

approve

[əprúːv]

동 승인하다, 찬성하다

The council did not **approve** of the plan.
의회는 그 계획을 승인하지 않았다.

0826 ●●●●●

complain
[kəmpléin]

통 불평하다

The customer **complained** about late delivery.
그 고객은 배송이 늦은 것에 대해 불평했다.

◉ **complaint** 명 ¹불평 ²고소

0827 ●●●●●

narrate
[nǽreit]

통 이야기하다, 해설하다

The documentary was **narrated** by a famous actor.
그 다큐멘터리는 유명한 배우가 해설했다.

0828 ●●●●●

converse
[kənvə́:rs]

통 대화하다

No one likes to **converse** with self-centered people.
자기중심적인 사람들과 대화하는 것을 좋아하는 사람은 없다.

0829 ●●●●●

conversation
[kànvərséiʃən]

명 대화, 회화

The boy's knowledge of English was limited, so he
avoided **conversation**. 교과서
그 소년의 영어 지식은 부족했고, 그래서 그는 대화를 피했다.

0830 ●●●●●

outbound
[áutbàund]

형 나가는, 떠나는

The number of **outbound** travelers decreased this year.
올해는 출국 여행객 수가 감소했다.

0831 ● ● ● ● ●

dreadful
[drédfəl]

형 끔찍한, 무서운, 지독한

Monday is the most **dreadful** day of the week.
월요일은 일주일 중 가장 끔찍한 날이다.

0832 ● ● ● ● ●

fury
[fjúəri]

명 분노, 격분

I understand a **fury** in your words, but not the words.
– William Shakespeare
당신 말속의 분노는 이해하지만 무슨 말인지는 모르겠다.

0833 ● ● ● ● ●

blaze
[bleiz]

명 ^{1}불길 ^{2}광채 동 ^{1}불꽃을 내며 타다 ^{2}빛나다

The **blaze** spread and burned five houses.
그 불길이 번져서 다섯 채의 집을 태웠다.

0834 ● ● ● ● ●

radical
[rǽdikəl]

형 ^{1}급진적인 ^{2}근본적인 명 급진주의자

I cannot take his **radical** point of view.
나는 그의 급진적인 관점을 받아들일 수 없다.

0835 ● ● ● ● ●

provoke
[prəvóuk]

동 ^{1}유발하다 ^{2}화나게 하다, 자극하다

The artworks made from trash **provoke** an interest in
environmental conservation in people. 교과서
쓰레기로 만든 그 예술 작품들은 사람들에게 환경보호에 관한 관심을
유발한다.

0836

spare
[spɛər]

통 ¹할애하다 ²막다, 피하게 하다　형 예비의, 여분의

Overprotective parents **spare** kids from all natural consequences.　모의
과잉보호하는 부모들은 아이들이 자연스럽게 생기는 모든 결과를 경험하지 못하게 막는다.

0837

aspect
[ǽspekt]

명 ¹측면, 양상 ²방향

Ads will cover up or play down negative **aspects** of the company or service they advertise.　모의
광고는 선전하는 회사나 서비스의 부정적인 측면을 숨기거나 약화한다.

0838

initial
[iníʃəl]

형 ¹초기의 ²머리글자의　명 머리글자(-s)

Earthquakes create low-frequency sounds in the **initial** stage.
지진은 초기 단계에서 저주파 소리를 만들어낸다.

 시험 빈출 혼동 단어

0839

initiate
[iníʃièit]

통 시작하다, 창시하다

I waited until he was ready to **initiate** conversation.
나는 그가 대화를 시작할 준비가 될 때까지 기다렸다.

0840

imitate
[ímətèit]

통 모방하다, 흉내 내다

Bill can **imitate** the actor's performance perfectly.
Bill은 그 배우의 연기를 완벽하게 흉내 낼 수 있다.

○ **imitation** 명 모조품, 모방

바로 테스트

영어는 우리말로, 우리말은 영어로 쓰세요.

01	kidney	11	분할, 분배; 나눗셈	
02	outbound	12	불길; 불꽃을 내며 타다	
03	recall	13	이식 (수술); 이식하다	
04	provoke	14	불평하다	
05	flesh	15	급진적인; 급진주의자	
06	narrate	16	학대하다, 혹사하다	
07	aspect	17	초기의; 머리글자의	
08	competent	18	기적	
09	dreadful	19	분노, 격분	
10	approve	20	할애하다; 예비의, 여분의	

우리말을 보고 알맞은 단어를 쓰세요.

21		야망, 포부	—		야심 있는
22		대화하다	—		대화, 회화
23		경쟁하다	—		경쟁; 경쟁자
24		핵심; 핵심적인	—		개요, 윤곽

괄호 안에서 알맞은 단어를 고르세요.

25 The start-up company collected the (initial / imitate) investment
   in the first year.

DAY 29

0841

superb
[supə́ːrb]

형 최상의, 훌륭한

The weather was **superb** for camping.
날씨가 캠핑하기에 최상이었다.

○ **superbly** 부 훌륭하게

0842

output
[áutpùt]

명 ¹생산[산출]량 ²출력, 결과 동 출력하다 (반 input)

For a set of inputs, a robot always produces the same
output. 모의
일련의 입력에 대해 로봇은 항상 똑같은 결과를 만든다.

0843

triumph
[tráiəmf]

동 이겨내다 명 ¹승리(감) ²업적

This movie is about how a family's love **triumphs** over
hardships.
이 영화는 가족의 사랑이 어떻게 역경을 이겨내는지에 관한 것이다.

0844

strategy
[strǽtədʒi]

명 전략, 계획

Product placement is a marketing **strategy** for indirect
advertising on TV shows. 교과서
작품 속 광고는 TV 쇼에서의 간접 광고를 위한 마케팅 전략이다.

0845

component
[kəmpóunənt]

명 성분, (구성) 요소, 부품

One of the machine's **components** is missing.
그 기계의 부품 중 하나가 사라졌다.

0846

particular
[pərtíkjulər]

형 [1]특유의 [2]특별한

Milk has a **particular** smell.
우유는 특유의 냄새가 있다.

◎ **particularly** 부 특히

0847

chemistry
[kéməstri]

명 화학

Her interest in **chemistry** started when she was ten years old. 모의
화학에 대한 그녀의 흥미는 그녀가 열 살 때 생겼다.

0848

laboratory
[lǽbərətɔːri]

명 실험실(= lab)

The scientist will build a **laboratory** where he can do experiments.
그 과학자는 자신이 실험을 할 수 있는 실험실을 지을 것이다.

0849

scholar
[skálər]

명 [1]학자 [2]장학생

The **scholar**'s argument was beside the point. 교과서
그 학자의 주장은 요점을 벗어났다.

0850

scholarship
[skálərʃip]

명 [1]장학금 [2]학문

She went to university on a **scholarship**.
그녀는 장학금을 받고 대학에 진학했다.

0851

oral
[ɔ́:rəl]

형 구두의, 입의

Candidates must pass an **oral** test for admission.
지원자들은 입학하려면 구두시험을 통과해야 한다.

◉ **orally** 부 구두[말]로, 입을 통해서

0852

recite
[risáit]

동 낭독하다, 암송하다

She **recited** her poem to the audience.
그녀는 청중 앞에서 자신의 시를 낭독했다.

0853

critic
[krítik]

명 비평가, 평론가

Food **critics** go to restaurants and write about food for magazines or websites. 교과서
음식 평론가는 식당을 방문해서 잡지나 웹 사이트에 실릴 음식에 관한 글을 쓴다.

◉ **critical** 형 ¹비판적인 ²중요한

0854

criticize
[krítəsàiz]

동 ¹비평[비판]하다 ²비난하다

Negative people **criticize** everything.
부정적인 사람들은 모든 것을 비난한다.

0855

criticism
[krítəsìzm]

명 ¹비평, 비판 ²비난

His painting has received harsh **criticism**.
그의 그림은 가혹한 비평을 받았다.

0856 ●●●●●

struggle
[strʌ́gl]

명 ¹싸움 ²노력　동 ¹싸우다 ²노력하다

There were signs of a **struggle** in the crime scene.
범죄 현장에는 싸운 흔적이 있었다.

0857 ●●●●●

agent
[éidʒənt]

명 ¹대리인 ²직원

The travel **agent** helped me plan my summer vacation.
그 여행사 직원은 내가 여름휴가 계획을 세우는 데 도움을 주었다.

0858 ●●●●●

agency
[éidʒənsi]

명 대리점, 단체

A new generation of spacecraft is being built at the
National *Aeronautics and Space **Agency**(NASA) of
the United States. 교과서
차세대 우주선이 미국 국립 항공 우주국(NASA)에서 제작되는 중이다.

*aeronautics 항공술, 항공학

0859 ●●●●●

relevant
[réləvənt]

형 ¹관련 있는, 적절한 ²유의미한

The evidence **relevant** to the case disappeared.
그 사건과 관련된 증거가 사라졌다.

○ **relevance** 명 관련(성), 적절함, 타당성

0860 ●●●●●

vague
[veig]

형 희미한, 모호한

I have a **vague** memory of meeting him before.
나는 전에 그를 만났던 기억이 희미하게 난다.

0861

apparent
[əpǽrənt]

혱 ¹분명한 ²~인 것처럼 보이는

A panic attack can happen for no **apparent** reason.
공황 발작은 분명한 이유 없이 일어날 수 있다.

● **apparently** 문 ¹보기에 ²분명히

0862

row
[rou]

명 ¹줄, 열 ²노젓기 동 (노를) 젓다

Rows of bookshelves were installed in the bookshop.
교과서
여러 줄의 책꽂이들이 서점에 설치되었다.

0863

suit
[suːt]

명 ¹정장 ²~옷 ³소송 동 ¹어울리다 ²알맞다

This new training **suit** is connected to a mobile app.
교과서
이 새로운 운동복은 휴대 전화 앱과 연동된다.

0864

suitable
[súːtəbl]

혱 적합한, 적절한, 알맞은

Jeans are not **suitable** to wear to the meeting.
청바지는 그 회의에 입고 가기에 적절하지 않다.

0865

capable
[kéipəbl]

혱 ¹할 수 있는 ²유능한

Whoever has a healthy mind is **capable** of reading other people's minds. 교과서
정신이 건강한 사람은 누구나 다른 사람의 마음을 읽을 수 있다.

0866

reckless
[réklis]

형 ¹무모한, 난폭한 ²개의치 않는

People should be brave, but if someone is too brave they become **reckless**. 모의
사람들은 용감해져야 하지만, 만약 어떤 사람이 너무 용감하다면 그 사람은 무모해진다.

0867

appeal
[əpíːl]

동 ¹호소하다 ²매력이 있다 명 ¹호소, 애원 ²매력

Music **appeals** powerfully to young children. 모의
음악은 어린아이들에게 대단히 매력적이다.

0868

sensation
[senséiʃən]

명 ¹느낌, 감각 ²돌풍, 엄청난 관심

A "runner's high" means a feel-good **sensation** that rushes through your body after a run. 교과서
'러너스 하이'는 달리기를 한 후에 온몸에 흐르는 기분 좋은 느낌을 의미한다.

 시험 빈출 혼동 단어

0869

sensible
[sénsəbl]

형 분별 있는, 현명한

It would be much more **sensible** to do it later.
그것을 나중에 하는 것이 훨씬 더 현명할 듯하다.

0870

sensitive
[sénsətiv]

형 ¹민감한, 예민한 ²섬세한, 감성적인

When you get old, your teeth are **sensitive** to cold food.
나이가 들면 치아는 차가운 음식에 민감하다.

바로 테스트

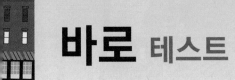

정답 408쪽

영어는 우리말로, 우리말은 영어로 쓰세요.

01	particular	11	이겨내다; 승리(감)
02	recite	12	줄, 열; 노젓기
03	struggle	13	느낌, 감각; 돌풍
04	superb	14	화학
05	vague	15	비평, 비판
06	laboratory	16	할 수 있는; 유능한
07	apparent	17	생산량; 출력
08	strategy	18	호소하다; 매력
09	relevant	19	성분, (구성) 요소, 부품
10	reckless	20	구두의, 입의

> 함께 외우는 어휘 쌍

우리말을 보고 알맞은 단어를 쓰세요.

21	학자; 장학생	—	장학금; 학문
22	비평하다	—	비평가
23	대리인	—	대리점, 단체
24	정장; 어울리다	—	적합한, 적절한

괄호 안에서 알맞은 단어를 고르세요.

25 This camera is highly (sensible / sensitive) to temperature.

DAY 30

0871

session
[séʃən]

명 ¹시간, 기간 ²학년, 학기

We will have a question-and-answer **session** at the close of the speech. 모의
우리는 연설이 끝나면 질의응답 시간을 가질 것이다.

0872

sophomore
[sáfəmɔ̀:r]

명 2학년생 형 2학년생의

He dropped out of college in his **sophomore** year.
그는 2학년 때 대학을 중퇴했다.

0873

appetite
[ǽpətàit]

명 ¹식욕 ²욕구

I often suffer from headaches and loss of **appetite**.
나는 종종 두통과 식욕 감퇴에 시달린다.

0874

stir
[stəːr]

동 ¹휘젓다, 섞다 ²(살짝) 움직이다

Stir in the pot until all the ingredients are mixed.
모든 재료가 섞일 때까지 냄비 안을 저어라.

0875

scramble
[skrǽmbl]

동 ¹기어오르다 ²서로 다투다 ³뒤섞다

When the music stopped, every kid **scrambled** for a seat.
음악이 멈추자 모든 아이들이 자리를 차지하기 위해 서로 다투었다.

0876

digestion
[didʒéstʃən, dai-]

명 소화(력)

The acid in sodas slows **digestion** and blocks nutrient absorption. 교과서
탄산음료 안의 산은 소화를 늦추고 영양소의 흡수를 막는다.

◉ **digest** 동 소화하다

0877

obesity
[oubíːsəti]

명 비만

Eating too much sugar can lead to **obesity**. 교과서
설탕을 너무 많이 먹는 것은 비만으로 이어질 수 있다.

0878

tense
[tens]

형 긴장한, 팽팽한 동 긴장하다

When you get angry, your blood pressure rises and your muscles become **tense**.
화가 나면, 혈압이 오르고 근육이 긴장된다.

0879

tension
[ténʃən]

명 긴장, 불안

I took a hot bath to relieve the **tension**.
나는 긴장을 완화하려고 뜨거운 물로 목욕을 했다.

0880

chill
[tʃil]

명 냉기, 오한 동 춥게 하다, 오싹하게 하다 형 추운

What happened next was something that **chilled** my blood. 모의
다음에 일어난 일은 내 간담을 서늘하게 한 어떤 것이었다.

hatred
[héitrid]

명 증오, 혐오

Mom told me never to hold onto **hatred** toward someone.
엄마는 나에게 누군가를 향한 증오를 절대 품지 말라고 말씀하셨다.

◉ **hate** 동 미워하다, 혐오하다

racial
[réiʃəl]

형 인종 간의, 인종의

Racial hatred causes harm to individuals.
인종 간의 증오는 개인에게 해를 끼친다.

racism
[réisizm]

명 ¹인종 차별 ²민족 우월 의식

He was unable to get a teaching position at any university, possibly as a result of **racism**. 모의
아마도 인종 차별의 결과로, 그는 어떤 대학에서도 교직을 얻을 수 없었다.

alien
[éiljən]

형 ¹이질적인 ²외국의 ³외계의 명 외계인

When I first went to Africa, it all felt very **alien** to me.
내가 아프리카에 처음 갔을 때, 그곳의 모든 것이 나에게 매우 낯설게 느껴졌다.

biased
[báiəst]

형 편향된, 편견을 가진

Biased information can make it difficult for you to have a balanced view.
편향된 정보는 당신이 균형 잡힌 견해를 갖는 것을 어렵게 만들 수 있다.

◉ **bias** 명 선입관, 편견

0886

adverse
[ædvə́ːrs]

형 ¹부정적인 ²반대의

Violent movies have an **adverse** effect on children.
폭력적인 영화는 아이들에게 부정적인 영향을 끼친다.

◉ **adversely** 분 반대로

0887

convict
동 [kənvíkt]
명 [kánvikt]

동 유죄를 선고하다 명 죄수

He has been **convicted** of robbery.
그는 강도죄로 유죄 판결을 받았다.

0888

convince
[kənvíns]

동 설득하다, 확신시키다

I tried to **convince** Mom to raise my allowance.
나는 용돈을 올려달라고 엄마를 설득하려 했다.

0889

penalty
[pénəlti]

명 ¹형벌, 처벌 ²벌금 ³(스포츠) 페널티

The death **penalty** is still practiced in some countries.
일부 국가에서는 여전히 사형 제도가 시행되고 있다.

0890

release
[rilíːs]

동 ¹풀어 주다, 석방하다 ²발표하다, 공개하다

The prisoner was **released** after serving her sentence.
그 죄수는 형기를 마치고 출소했다.

His song became popular as soon as it was **released**.
그의 노래는 발표되자마자 인기를 얻었다.

0891

kidnap
[kídnæp]

⑧ 납치하다, 유괴하다

Two British travelers were **kidnapped** near the border of Mali in Africa.
아프리카 말리 국경 근처에서 두 명의 영국 여행자들이 납치되었다.

0892

justify
[dʒʌ́stəfài]

⑧ 정당화하다

You can't **justify** lying for any reason.
너는 어떤 이유로도 거짓말하는 것을 정당화할 수 없다.

0893

transition
[trænzíʃən]

⑲ ¹변화, 변천 ²과도기

In the 1970s, the country was in a **transition** period.
1970년대에 그 나라는 과도기였다.

0894

profession
[prəféʃən]

⑲ ¹직업 ²전문직

Whatever you enjoy doing, make that your **profession**.
네가 무엇을 즐겨 하든지 간에, 그것을 네 직업으로 삼아라.

0895

professional
[prəféʃnl]

⑱ ¹직업의 ²전문의 ⑲ 전문가

She is a **professional** personal trainer. 교과서
그녀는 전문 개인 트레이너이다.

0896

cooperate
[kouάpərèit]

§ 협력하다, 협조하다

We **cooperate** in plenty of ways, from lining up at a bus stop to sharing knowledge on a website. 교과서
우리는 버스 정류장에서 줄을 서는 것에서부터 웹 사이트에서 지식을 공유하는 것까지 수많은 방식으로 협력을 한다.

0897

cooperative
[kouάpərətiv]

§ 협력하는, 협조적인

The staff at the front desk wasn't **cooperative** at all.
안내 데스크에 있는 직원은 전혀 협조적이지 않았다.

0898

corporate
[kɔ́ːrpərət]

§ ¹기업의, 회사의 ²공동의

The company announced a **corporate** strategy to focus on core businesses.
그 기업은 핵심 사업에 중점을 둔 기업 전략을 발표했다.

 시험 빈출 혼동 단어

0899

cooperation
[kouάpəréiʃən]

§ 협력, 협동, 협조

Cooperation is a process that started with the first single-celled creatures. 교과서
협력은 최초의 단세포 생물과 함께 시작된 과정이다.

0900

corporation
[kɔ̀ːrpəréiʃən]

§ ¹기업, 회사 ²단체, 조합

She became the president of the **corporation**.
그녀는 회사의 대표가 되었다.

바로 테스트

영어는 우리말로, 우리말은 영어로 쓰세요.

01	stir	11	시간, 기간; 학년, 학기
02	adverse	12	소화(력)
03	kidnap	13	유죄를 선고하다
04	appetite	14	이질적인; 외계인
05	hatred	15	2학년생
06	justify	16	냉기, 오한; 추운
07	biased	17	처벌; 벌금
08	convince	18	비만
09	transition	19	기업의, 회사의
10	release	20	기어오르다; 서로 다투다

함께 외우는 어휘 쌍

우리말을 보고 알맞은 단어를 쓰세요.

21		긴장한	—	긴장
22		인종 간의, 인종의	—	인종 차별
23		직업; 전문직	—	직업의; 전문의
24		협력하다	—	협력하는

괄호 안에서 알맞은 단어를 고르세요.

25 With the (corporation / cooperation) of the citizens, the city could hold the international sports event successfully.

Crossword Puzzle

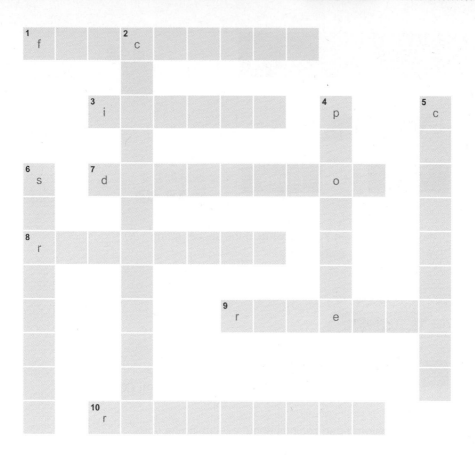

⊘ ACROSS

1 매혹하다
3 몰두하는; 의도
7 소화(력)
8 관련 있는; 유의미한
9 풀어 주다; 발표하다
10 저항하는; ~에 강한

⊘ DOWN

2 상당한; 중요한
4 유발하다; 자극하다
5 유능한
6 전략, 계획

최중요 접두사 16 DAY 26-30

out-	밖으로

0752 outcome

out (밖으로) **+** **come** (오다)

밖으로 나온 것
명 **결과, 성과**

They made a bet on the **outcome** of the soccer game.
그들은 그 축구 경기의 결과에 내기했다.

0783 outgoing

out (밖으로) **+** **going** (가는)

밖으로 나가는
형 **외향적인; (자리를) 떠나는**

Chris is **outgoing** and zealous about everything he does.
Chris는 외향적이고 그가 하는 모든 일에 열성적이다.

0817 outline

out (밖으로) **+** **line** (선)

바깥 선
명 **개요, 윤곽**
동 **개요를 서술하다, 윤곽을 그리다**

The teacher **outlined** the lesson objectives.
선생님께서는 수업 목표의 개요를 설명해 주셨다.

ex-	ad-	pre-	re-	com-	dis-	in-	en-
out-	trans-	over-	ir-	inter-	de-	sub-	contra-

DAY 26-30

trans-	이쪽에서 저쪽으로

0797

trans	+	**late**
이쪽에서 저쪽으로		이동하다

이쪽에서 저쪽으로 옮기다
⑧ **번역하다, 옮기다, 해석하다**

Tyler can **translate** English into Korean.
Tyler는 영어를 한국어로 번역할 수 있다.

0821 transplant

trans	+	**plant**
이쪽에서 저쪽으로		심다; 식물

이쪽에서 저쪽으로 (옮겨) 심다
⑲ **이식 (수술)**
⑧ **이식하다; 옮겨 심다**

Doctors have successfully performed a face **transplant**.
의사들은 성공적으로 안면 이식 수술을 했다.

0893 transition

trans	+	**it**	+	**ion**
이쪽에서 저쪽으로		가다		명사형 접미사

이쪽에서 저쪽으로 가다
⑲ **변화, 변천; 과도기**

Teenagers are in a time of **transition**.
십 대들은 과도기에 있다.

DAY 31

0901
column
[kάləm]

명 ¹기둥 ²(신문) 칼럼 ³세로줄

Each **column** looks like a huge tree. 교과서
각 기둥이 한 그루의 거대한 나무처럼 보인다.

0902
collapse
[kəlǽps]

동 ¹붕괴하다 ²실패하다 명 ¹붕괴 ²실패

The hotel **collapsed** during the storm.
그 호텔은 폭풍우 때 무너졌다.

0903
shelter
[ʃéltər]

명 ¹보호소, 피난처 ²주거지 동 보호하다

The city built a **shelter** for the homeless.
그 도시는 노숙자들을 위한 보호소를 지었다.

0904
dwell
[dwel]
dwelled[dwelt] –
dwelled[dwelt]

동 ¹살다, 거주하다 ²생각하다

A friend is a single soul **dwelling** in two bodies. – Aristotle
친구는 두 개의 몸에 깃든 하나의 영혼이다.

What we **dwell** on is who we become.
우리가 무슨 생각을 하는지가 우리가 어떤 사람이 되는지를 결정한다.

○ **dwell on** 깊이 생각하다

0905
decorative
[dékərətiv]

형 장식용의

Tomatoes were at first grown only as a **decorative** plant rather than as a food. 교과서
토마토는 처음에는 식용으로서가 아니라 관상용 식물로만 재배되었다.

0906

disposable
[dispóuzəbl]

형 일회용의

Using **disposable** cups may be convenient, but it is not eco-friendly. 교과서
일회용 컵을 사용하는 것은 편리할 수는 있지만, 환경친화적이지 않다.

0907

dispose
[dispóuz]

동 ¹처리하다, 없애다 ²배치하다

Koreans **dispose** of over 15 billion disposable cups each year. 교과서
한국인들은 해마다 150억 개가 넘는 일회용 컵을 버린다.

0908

troop
[tru:p]

명 ¹군대, 부대(-s) ²떼, 무리

She organized medical *units to help the **troops** when the First World War broke out. 모의
제1차 세계대전이 발발했을 때 그녀는 군부대를 돕기 위해 의료 부대를 조직했다.   *unit 부대, 단체

0909

region
[rí:dʒən]

명 ¹지역, 지방 ²영역, 분야

The government sent troops to the troubled **region**.
정부는 분쟁 지역에 군대를 보냈다.

0910

regional
[rí:dʒənl]

형 지역의, 지방의

Tourism influences **regional** economic development.
관광 산업은 지역 경제 발전에 영향을 끼친다.

eager
[íːgər]

형 ¹열망하는 ²열심인

David is always **eager** to learn something new.
David는 항상 새로운 것을 배우기를 열망한다.

◉ **eagerly** 부 ¹간절히 ²열심히

overnight
[óuvərnáit]

부 ¹밤새 ²갑자기, 하룻밤 사이에　형 야간의

I ended up staying at the airport **overnight** after I missed my flight.
나는 비행기를 놓치고 결국 밤새 공항에서 보내게 되었다.

greed
[griːd]

명 ¹탐욕 ²식탐

The writer showed in his novel that **greed** leads to unhappiness.
그 작가는 그의 소설에서 탐욕은 불행으로 이어진다는 것을 보여 주었다.

greedy
[gríːdi]

형 탐욕스러운, 욕심 많은

She is very **greedy** for money.
그녀는 돈에 욕심이 매우 많다.

manual
[mǽnjuəl]

명 설명서　형 ¹수동의 ²육체노동의

You should check the **manual** carefully before you operate this machine.
이 기계를 작동시키기 전에 설명서를 꼼꼼히 확인해야 한다.

0916

sigh
[sai]

명 한숨 (소리) 동 한숨을 쉬다

With a **sigh** of relief, I took my wallet and thanked the police. 모의
안도의 한숨을 내쉬며 나는 내 지갑을 받았고 경찰에게 고마워했다.

0917

persist
[pərsíst]

동 ¹집요하게 계속하다, 고집하다 ²지속하다

The reporter **persisted** with his questioning.
그 기자는 집요하게 계속 질문했다.

◉ **persistent** 형 ¹집요한, 고집 센 ²지속적인

0918

persistence
[pərsístəns]

명 ¹끈기, 고집 ²지속성

The award was for her research on the importance of **persistence**. 모의
그 상은 끈기의 중요성에 관한 그녀의 연구에 바치는 것이었다.

0919

haste
[heist]

명 서두름, 성급함

Haste makes waste.
서두르면 일을 그르친다. (속담)

0920

frown
[fraun]

동 눈살을 찌푸리다 명 찌푸린 얼굴

Have you ever **frowned** at people who were talking loudly in public? 교과서
공공장소에서 크게 떠드는 사람들을 보고 눈살을 찌푸린 적이 있는가?

0921

mode
[moud]

명 방법[수단], 형태, 상태

The **modes** of transportation have evolved over the decades.
교통수단은 수십 년에 걸쳐 발전되어 왔다.

0922

code
[koud]

명 ¹암호, 부호 ²규칙 통 부호화하다

The secret to this error-free system is in a **coding** system. 교과서
그 무결점 시스템의 비결은 부호화 체계에 있다.

0923

sculpt
[skʌlpt]

통 조각하다, 새기다

The Thinker was **sculpted** by Auguste Rodin.
〈생각하는 사람〉은 오귀스트 로댕에 의해 조각되었다.

● **sculptor** 명 조각가

0924

sculpture
[skʌlptʃər]

명 조각품, 조각

The walls are decorated with **sculptures** that describe events in the Bible. 교과서
그 벽들은 성경 속 사건들을 묘사하는 조각상들로 장식되어 있다.

0925

portrait
[pɔ́ːrtrit]

명 초상화

The *Mona Lisa* is one of the most famous **portraits**.
〈모나리자〉는 가장 유명한 초상화들 중 하나이다.

0926 ●●●●●

convert
[kənvə́ːrt]

동 전환하다, 바꾸다

Recycling requires large amounts of energy to **convert** used resources into new products. 교과서
재활용은 사용된 자원을 새 제품으로 바꾸기 위해 많은 양의 에너지를 필요로 한다.

0927 ●●●●●

capacity
[kəpǽsəti]

명 ¹용량, 수용력 ²능력 ³지위, 자격

The memory **capacity** of this USB is 1 megabyte(MB).
이 USB의 메모리 용량은 1MB이다.

0928 ●●●●●

reserve
[rizə́ːrv]

동 ¹예약하다 ²남겨 두다

You can **reserve** a seat in advance online.
온라인으로 미리 좌석을 예약할 수 있다.

○ **reservation** 명 ¹예약 ²보류

 시험 빈출 혼동 단어

0929 ●●●●●

accommodate
[əkɑ́mədèit]

동 ¹수용하다 ²맞추다 ³편의를 제공하다

The stadium can **accommodate** 30,000 people.
그 경기장은 30,000명을 수용할 수 있다.

○ **accommodation** 명 ¹숙박 시설 ²편의

0930 ●●●●●

accumulate
[əkjúːmjulèit]

동 모으다, 축적하다

He has **accumulated** a huge collection of rocks.
그는 엄청난 양의 돌을 모았다.

바로 테스트

영어는 우리말로, 우리말은 영어로 쓰세요.

01	dwell	11	밤새; 갑자기
02	troop	12	용량, 수용력; 능력
03	mode	13	붕괴하다; 붕괴
04	shelter	14	암호, 부호; 규칙
05	disposable	15	한숨 (소리); 한숨을 쉬다
06	portrait	16	눈살을 찌푸리다
07	decorative	17	예약하다; 남겨 두다
08	haste	18	설명서
09	convert	19	처리하다; 배치하다
10	eager	20	기둥; (신문) 칼럼; 세로줄

함께 외우는 어휘 쌍

우리말을 보고 알맞은 단어를 쓰세요.

21		지역, 지방	—	지역의, 지방의
22		조각하다	—	조각품, 조각
23		탐욕	—	탐욕스러운
24		집요하게 계속하다	—	끈기; 지속성

괄호 안에서 알맞은 단어를 고르세요.

25 The sofa is wide enough to (accumulate / accommodate) five people.

DAY 32

0931
assume
[əsúːm]

동 추정하다, 가정하다

Many people may **assume** that something with a higher price tag is better in quality. 교과서
많은 사람들은 더 높은 가격표가 달린 것이 더 질이 좋은 것이라고 추정할지도 모른다.

0932
assumption
[əsʌ́mpʃən]

명 가정, 전제, 가설

Sometimes, we are fascinated when our **assumptions** are turned inside out. 모의
때때로, 우리는 우리의 전제가 뒤집힐 때 매료된다.

0933
determine
[ditə́ːrmin]

동 ¹결정하다 ²밝히다, 알아내다

It was difficult to **determine** exactly where the accident had taken place.
정확하게 어디에서 그 사고가 일어났는지 밝히기가 어려웠다.

○ **determination** 명 결심, 결정

0934
strengthen
[stréŋkθən]

동 ¹강화하다 ²강해지다

The backpacking trip **strengthened** our family bond.
그 배낭여행은 우리 가족 간의 유대감을 강화했다.

0935
presence
[prézns]

명 ¹존재 ²참석

Her mere **presence** was enough to strengthen the crowd. 교과서
그녀의 존재만으로도 군중에게 힘을 주기에 충분했다.

0936

biology
[baiáləʤi]

몡 생물학

She is a professional in marine **biology**.
그녀는 해양 생물학의 전문가이다.

0937

biologist
[baiáləʤist]

몡 생물학자

The wildlife **biologist** spent more than a decade studying zebras in Tanzania. 모의
그 야생 생물학자는 탄자니아에서 얼룩말을 연구하면서 10년 이상을 보냈다.

0938

inhabit
[inhǽbit]

동 거주하다, 서식하다

Eskimos **inhabit** places with a severe climate.
에스키모인들은 혹독한 기후를 가진 곳에 거주한다.

● **inhabitant** 몡 ¹거주민 ²서식 동물

0939

livestock
[láivstὰk]

몡 가축(류)

Hundreds of years ago, tigers often came down to villages to eat **livestock**. 교과서
수백 년 전에, 호랑이들은 종종 마을로 내려와 가축들을 잡아먹었다.

0940

barn
[bɑːrn]

몡 외양간, 헛간

Mend the **barn** after the horse is stolen.
소 잃고 외양간 고친다. (속담)

0941

overlap
[òuvərlǽp]

동 ¹겹치다 ²일치하다　명 겹침, 중복

The photos on the desk were **overlapping**.
책상 위에 사진들이 겹쳐져 있었다.

0942

reverse
[rivə́:rs]

동 뒤집다, 거꾸로 하다　명 반대, 뒷면　형 반대의

The high court **reversed** the decision.
고등 법원은 그 판결을 뒤집었다.

0943

capture
[kǽptʃər]

동 ¹붙잡다 ²포착하다　명 포획

Several cameras **capture** a ball from various angles, showing exactly where the ball is at a certain time. 교과서
여러 대의 카메라가 다양한 각도에서 공을 포착하여 특정 시점에 공이 정확히 어디에 있는지를 보여 준다.

0944

captive
[kǽptiv]

형 ¹붙잡힌 ²사로잡힌　명 포로

They release the **captive** chimpanzees into the wild.
그들은 포획된 침팬지들을 야생으로 풀어 준다.

0945

profound
[prəfáund]

형 깊은, 심오한

He answered in simple but **profound** words. 모의
그는 간결하지만 심오한 말로 대답했다.

0946

domestic
[dəméstik]

형 ¹국내의 ²가정용의

We flew to Sydney and transferred to a **domestic** flight to Cairns.
우리는 시드니까지 비행기를 타고 가서 케언즈행 국내선으로 갈아탔다.

0947

overseas
[òuvərsíz]

부 해외로

Without him, many of Korea's treasures would have been taken **overseas**. 교과서
그가 없었다면, 한국의 많은 보물이 해외로 반출되었을 것이다.

0948

shipment
[ʃípmənt]

명 배송, 수송품

The desk was damaged during the **shipment**. 모의
그 책상은 배송 중에 파손되었다.

0949

stock
[stɑk]

명 ¹재고품 ²주식, 채권 ³가축

The product became so popular among teens that it instantly went out of **stock**. 교과서
그 제품은 십 대들 사이에서 큰 인기를 얻어서 금세 재고가 바닥났다.

0950

craft
[kræft]

명 ¹(수)공예 ²기술 ³우주선, 선박

The **craft** of mask-making has been considered an art in Venice for hundreds of years. 교과서
가면 만드는 기술은 베니스에서 수백 년 동안 예술로 여겨져 왔다.

0951

moderate

형 [mádərət]
동 [mádərèit]

형 ¹온건한, 온화한 ²적당한 동 완화하다

Korea has a **moderate** winter compared to Russia.
한국은 러시아에 비해 겨울이 온화하다.

0952

commute

[kəmjúːt]

동 통근하다 명 통근 (거리)

People wanted to have a bridge connecting the two cities because it would make their **commute** quicker. 교과서
사람들은 두 도시를 잇는 다리를 원했는데, 그것이 그들의 통근을 더 빠르게 만들어 줄 것이기 때문이었다.

0953

commuter

[kəmjúːtər]

명 통근자

The subway platform was crowded with **commuters**.
지하철 승강장은 통근자들로 붐볐다.

0954

instinct

[ínstiŋkt]

명 본능, 직감

Teens are influenced more by feelings and **instincts** than by reason when making decisions. 교과서
십 대들은 의사결정을 할 때 이성보다 감정과 본능에 더 많은 영향을 받는다.

0955

instinctive

[instíŋktiv]

형 본능적인, 직관적인

A mother's love for her children is an **instinctive** behavior.
자식에 대한 어머니의 사랑은 본능적인 행위이다.

◎ **instinctively** 부 본능적으로

0956 ●●●●●

cite
[sait]

图 (예로) 들다, 인용하다

Charles Darwin is often **cited** as one of the greatest biologists in history.
찰스 다윈은 종종 역사상 가장 유명한 생물학자 중 한 명으로 거론된다.

0957 ●●●●●

frank
[fræŋk]

휑 솔직한, 숨김없는

We had a **frank** conversation about the issue.
우리는 그 문제에 관해 솔직한 대화를 나누었다.

◎ **frankly** 图 솔직하게

0958 ●●●●●

embarrass
[imbǽrəs]

图 당황하게 하다

Avoid talking about stuff that would **embarrass** other people.
다른 사람들을 당황하게 하는 문제에 관해 이야기하는 것을 피해라.

◎ **embarrassing** 휑 당황하게 하는

 시험 빈출 혼동 단어

0959 ●●●●●

vain
[vein]

휑 ¹헛된 ²허영심이 강한

All their efforts were in **vain**.
그들의 모든 노력이 허사였다.

0960 ●●●●●

vein
[vein]

图 정맥, 혈관

Veins are the blood vessels that carry blood to your heart.
정맥은 피를 심장으로 나르는 혈관이다.

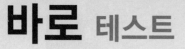

바로 테스트

영어는 우리말로, 우리말은 영어로 쓰세요.

01	barn	11	겹치다; 중복
02	profound	12	국내의; 가정용의
03	moderate	13	뒤집다, 거꾸로 하다
04	cite	14	(수)공예; 기술; 우주선
05	strengthen	15	배송, 수송품
06	overseas	16	통근하다; 통근 (거리)
07	embarrass	17	거주하다, 서식하다
08	determine	18	존재; 참석
09	frank	19	통근자
10	livestock	20	재고품; 주식

우리말을 보고 알맞은 단어를 쓰세요.

21	가정하다	—	가정
22	본능, 직감	—	본능적인, 직관적인
23	생물학	—	생물학자
24	붙잡다	—	붙잡힌

괄호 안에서 알맞은 단어를 고르세요.

25   They shouted loudly in the (vain / vein) hope that someone might help.

0961

overlook
[òuvərlúk]

동 ¹간과하다 ²눈감아 주다 ³내려다보다

The police **overlooked** a vital piece of evidence.
경찰은 중요한 증거를 간과했다.

0962

incline
[inkláin]

동 ¹(마음이) 기울다 ²경향이 있다 ³경사지다

We are instinctively **inclined** to put the self first.
우리는 본능적으로 자신을 우선으로 놓는 경향이 있다.

0963

decline
[dikláin]

동 ¹감소하다 ²거절하다 명 감소, 하락

Habitat loss causes the **decline** of bees' population. 모의
서식지 감소는 벌의 개체수 감소를 초래한다.

0964

posture
[pástʃər]

명 자세, 태도

Poor **posture** can produce pain. 교과서
나쁜 자세는 통증을 일으킬 수 있다.

0965

straighten
[stréitn]

동 (자세를) 바로 하다

A few minutes of stretching will help **straighten** up your body. 교과서
몇 분간의 스트레칭은 당신의 몸을 바로 세우는 데 도움이 될 것이다.

◉ **straight** 형 곧은, 똑바른 부 ¹똑바로 ²곧장

0966

estimate
동 [éstəmèit]
명 [éstəmət]

동 ¹평가하다 ²추정하다 명 ¹평가, 판단 ²견적

The tree is **estimated** to be about 200 years old.
그 나무는 약 200년 정도 된 것으로 추정된다.

0967

underestimate
[ʌndəréstəmeit]

동 과소평가하다 (반 overestimate)

Do not **underestimate** yourself by comparing yourself with others.
자신을 다른 사람들과 비교함으로써 자신을 과소평가하지 마라.

0968

analyze
[ǽnəlàiz]

동 분석하다

He is good at **analyzing** sports games and explaining sports rules to other people. 교과서
그는 스포츠 경기를 분석하고, 다른 사람들에게 스포츠 규칙을 설명하는 것에 능하다.

0969

audible
[ɔ́ːdəbl]

형 들리는, 들을 수 있는

Her voice was barely **audible** because of the background noise.
배경 소음 때문에 그녀의 목소리는 거의 들리지 않았다.

0970

auditory
[ɔ́ːditɔ̀ːri]

형 청각의

Most elderly people have **auditory** problems.
대부분의 노인들은 청각 문제를 가지고 있다.

pedestrian
[pədéstriən]

명 보행자 형 보행의, 도보의

Several **pedestrians** blocked the way, delaying the ambulance's arrival. 교과서
몇몇 보행자들이 길을 막아 구급차의 도착을 늦게 만들었다.

gear
[giər]

명 장비, 장치

When you go skiing, you need to put on safety **gear** like goggles and a helmet. 모의
스키를 탈 때는 고글이나 헬멧 같은 안전 장비를 착용해야 한다.

implement
명 [ímpləmənt]
동 [ímpləmènt]

명 도구, 기기 동 (약속·계획 등을) 시행하다

They sell a range of farm **implements**.
그들은 다양한 농기구를 판매한다.

◉ **implementation** 명 시행, 이행

astronomer
[əstránəmər]

명 천문학자

Recently, **astronomers** have discovered a new alien planet.
최근에 천문학자들이 새로운 외계 행성을 발견했다.

astronomy
[əstránəmi]

명 천문학

This camp is for high school students who want to learn more about **astronomy**. 모의
이 캠프는 천문학에 대해 더 배우고 싶어하는 고등학생을 위한 것이다.

0976

orbit
[ɔ́ːrbit]

명 ^{1}궤도 ^{2}활동 범위 동 궤도를 돌다

When Earth and Mars are closest in their **orbits**, a round trip would take at least one year. 교과서
지구와 화성이 궤도상 가장 가까이 있을 때도 왕복하는 데 적어도 1년이 걸릴 것이다.

0977

comet
[kάmit]

명 혜성

When a **comet** has a long tail, it can be easily observed.
만약 혜성이 긴 꼬리를 가지고 있다면, 그것은 쉽게 관찰될 수 있다.

0978

rotate
[róuteit]

동 ^{1}회전하다 ^{2}교대하다

The Earth **rotates** from west to east.
지구는 서에서 동으로 회전한다.

0979

rotation
[routéiʃən]

명 ^{1}(지구의) 자전, 회전 ^{2}교대

Wheat and corn are planted in **rotation**.
밀과 옥수수가 교대로 경작된다.

0980

axis
[ǽksis]

명 축, 중심선

The Greeks proposed that the Earth might rotate on an **axis**. 모의
그리스인들은 지구가 축을 중심으로 회전할지도 모른다고 제안했다.

rural
[rúərəl]

혱 시골의

Growing up in **rural** New York State, he had never experienced people so different from him. 교과서
뉴욕주의 시골에서 자란 그는 자신과는 전혀 다른 사람들을 경험해 보지 못했다.

urban
[ə́:rbən]

혱 도시의

You would be lucky if you could see even one or two stars in **urban** areas. 교과서
당신이 도시 지역에서 한두 개의 별이라도 볼 수 있다면 운이 좋은 것이다.

urbanize
[ə́:rbənàiz]

동 도시화하다

Seoul is one of the most **urbanized** cities in the world.
서울은 세계에서 가장 도시화된 도시들 중 하나이다.

manufacture
[mæ̀njufǽktʃər]

동 제조하다 명 제조, 제품

The global company **manufactures** cars.
그 세계적인 기업은 자동차를 제조한다.

◉ **manufacturer** 명 제조사, 생산 회사

bewildered
[biwíldərd]

혱 당혹한, 어리둥절한

We became **bewildered** by his odd behavior.
우리는 그의 이상한 행동에 어리둥절해졌다.

0986 ●●●●●

realistic
[rìːəlístik]

형 현실적인, 사실적인

Realistic art was popular during the Renaissance. 교과서
사실주의 미술은 르네상스 시대에 인기 있었다.

0987 ●●●●●

astonish
[əstániʃ]

동 깜짝 놀라게 하다

The actor was **astonished** by the number of fans waiting for him.
그 배우는 자신을 기다리고 있는 팬들의 수에 깜짝 놀랐다.

0988 ●●●●●

startle
[stáːrtl]

동 깜짝 놀라게 하다

The massive explosion **startled** all of us.
거대한 폭발은 우리 모두를 깜짝 놀라게 했다.

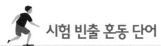 시험 빈출 혼동 단어

0989 ●●●●●

cruel
[krúːəl]

형 잔인한, 잔혹한

The rich man was very unkind and **cruel** to his servants.
모의
그 부자는 자신의 하인들에게 매우 불친절했으며 잔인했다.

0990 ●●●●●

crawl
[krɔːl]

동 기다, 기어가다

Babies learn to **crawl** before they walk.
아기들은 걷기 전에 기는 것을 배운다.

영어는 우리말로, 우리말은 영어로 쓰세요.

01	posture	11	간과하다
02	rural	12	제조하다; 제조
03	realistic	13	궤도; 활동 범위
04	comet	14	보행자
05	gear	15	감소하다; 거절하다
06	astonish	16	도시화하다
07	urban	17	당혹한, 어리둥절한
08	startle	18	분석하다
09	implement	19	축, 중심선
10	incline	20	(자세를) 바로 하다

함께 외우는 어휘 쌍

우리말을 보고 알맞은 단어를 쓰세요.

21	평가하다	—	과소평가하다
22	천문학자	—	천문학
23	회전하다; 교대하다	—	(지구의) 자전; 교대
24	들리는, 들을 수 있는	—	청각의

괄호 안에서 알맞은 단어를 고르세요.

25 I saw some ants (cruel / crawl) around the leaves.

DAY 34

0991

burst
[bəːrst]
burst–burst

동 ¹폭발하다 ²터뜨리다 명 파열, 폭발

Everyone **burst** with excited shouts and unending cheers
for the players. 교과서
모두가 선수들을 향한 들뜬 외침과 끝없는 환호성을 터뜨렸다.

0992

passion
[pǽʃən]

명 열정, 애착

Since I was young, I have had a **passion** for machines
that move fast. 교과서
어렸을 때부터 나는 빨리 움직이는 기계를 매우 좋아했다.

0993

passionate
[pǽʃənət]

형 열정적인

Try to find what you're **passionate** about.
당신이 무엇에 열정적인지를 찾으려고 노력해라.

0994

rage
[reidʒ]

명 격노 동 몹시 화내다

No road **rage**. Very dangerous! 모의
운전 중 난폭 행동 금지. 매우 위험함!

◉ **raging** 형 극심한, 격렬한

0995

spark
[spɑːrk]

명 불꽃, 불똥 동 ¹촉발시키다 ²불꽃을 튀기다

One day, a **spark** of hope crossed his mind. 교과서
어느 날, 희망의 불꽃이 그의 뇌리를 스쳐 갔다.

0996

attain
[ətéin]

동 (노력 끝에) 이루다, 획득하다

He **attained** a degree in physics.
그는 물리학 학위를 땄다.

◉ **attainable** 형 이룰 수 있는

0997

endeavor
[indévər]

명 노력, 시도 동 노력하다

The government made every **endeavor** to bring about peace.
정부는 평화를 이루기 위해 모든 노력을 다했다.

0998

devote
[divóut]

동 바치다, 헌신하다

She **devoted** her whole life to taking care of the sick.
그녀는 아픈 사람들을 돌보는 데 평생을 바쳤다.

0999

devotion
[divóuʃən]

명 헌신, 전념

The patients were his main objects of **devotion**. 교과서
환자들이 그의 주된 헌신의 대상이었다.

1000

afterward
[ǽftərwərd]

부 나중에, 뒤에

Skipping school may feel good at the time, but it will drag you into even deeper trouble **afterward**. 교과서
결석을 하면 당시에는 기분이 좋을지 모르지만, 나중에 더 심한 곤경에 빠지게 될 것이다.

1001

overhear
[òuvərhíər]
overheard – overheard

동 우연히 듣다, 엿듣다

They talked quietly so as not to be **overheard**.
그들은 남이 엿듣지 않도록 조용히 말했다.

1002

remarkable
[rimá:rkəbl]

형 주목할 만한

The **remarkable** thing is how well the system works.
교과서
주목할 점은 이 시스템이 얼마나 잘 작동하는가이다.

◉ **remark** 명 ¹발언, 논평 ²주목 동 언급하다

1003

inquire
[inkwáiər]

동 ¹묻다 ²조사하다, 탐구하다

Mom **inquired** of me about the result of the exam.
엄마는 나에게 시험 결과를 물으셨다.

1004

inquiry
[inkwáiəri]

명 ¹문의 ²연구, 조사

This is a reply to your **inquiry** about the shipment status
of the desk you purchased. 모의
이것은 당신이 구매한 책상의 배송 상태 문의에 대한 회신입니다.

1005

likewise
[láikwàiz]

부 똑같이, 마찬가지로

He used reason to inquire into the nature of the universe
and encouraged others to do **likewise**. 모의
그는 우주의 본질을 탐구하기 위해 이성을 사용하였고, 다른 사람들도 마찬
가지로 그렇게 하도록 권장하였다.

1006

stroke
[strouk]

명 [1]타격 [2]젓기 [3](글씨의) 획 [4]뇌졸중

Using only a wing **stroke** or two, the penguin flew at great speed from one end of the pool to the other. 교과서
겨우 한두 번의 날갯짓으로, 그 펭귄은 수영장의 한쪽 끝에서 다른 쪽까지 엄청난 속도로 날아갔다.

1007

cast
[kæst]
cast–cast

동 [1]던지다 [2]배역을 정하다 [3]주조하다 명 [1]던지기 [2]배역 [3]깁스

The fishermen **cast** their nets into the sea.
그 어부들은 바다에 그물을 던졌다.

1008

spit
[spit]
spat–spat

동 (입에 든 것을) 뱉다, 침을 뱉다

Do not **spit** on the street.
길거리에 침을 뱉지 마라.

1009

leisure
[líːʒər]

명 여가, 틈

He usually plays games in his **leisure** time.
그는 여가 시간에 보통 게임을 한다.

○ **leisurely** 형 느긋한, 여유로운 부 느긋하게

1010

stroll
[stroul]

명 산책 동 거닐다, 산책하다

We are enjoying a **stroll** in the sunshine.
우리는 햇살 아래서 산책을 즐기고 있다.

1011
negotiator
[nigóuʃìèitər]

명 협상가, 교섭자

A **negotiator** must be a good listener.
협상가는 남의 말을 잘 들어주는 사람이어야 한다.

1012
negotiation
[nigòuʃiéiʃən]

명 협상, 교섭

They reached an agreement after a long **negotiation**.
그들은 오랜 협상 끝에 합의점에 도달했다.

◎ **negotiate** 동 협상하다

1013
representative
[rèprizéntətiv]

명 ¹대표자 ²하원 의원 형 ¹대표하는 ²나타내는

He served as a **representative** for the people of the state of Pennsylvania. 교과서
그는 펜실베이니아주의 하원 의원으로 재직했다.

◎ **represent** 동 ¹대표하다 ²나타내다

1014
consult
[kənsʌ́lt]

동 상담하다, 상의하다

When you are in trouble, **consult** your teacher.
어려움에 처하면, 선생님과 상의해라.

1015
consultant
[kənsʌ́ltənt]

명 상담가, 자문 위원

He was a founding member and now works as a **consultant** to the company.
그는 회사의 창립 멤버였고, 현재 자문 위원으로 일하고 있다.

1016

submit
[səbmít]

⑧ [1]제출하다 [2]복종하다 [3]제안하다

Every student must **submit** two essays online.
모든 학생은 2개의 에세이를 온라인으로 제출해야만 한다.

1017

resign
[rizáin]

⑧ 사임하다, 물러나다

The candidate refused to **resign** from his position.
그 후보자는 직위에서 물러나기를 거절했다.

1018

recruit
[rikrú:t]

⑧ 뽑다, 모집하다 ⑲ 신입 사원[회원]

The baseball team **recruited** some young players.
그 야구팀은 젊은 선수들 몇 명을 뽑았다.

◎ **recruitment** ⑲ 신규 모집, 채용

 시험 빈출 혼동 단어

1019

innate
[inéit]

⑲ 타고난, 선천적인

It is an **innate** instinct to avoid pain.
고통을 피하는 것은 선천적인 본능이다.

◎ **innately** ⑭ 선천적으로

1020

intimate
[íntəmət]

⑲ 친밀한, 친한

My most **intimate** friends are from the same middle school.
나의 가장 친한 친구들은 같은 중학교 출신이다.

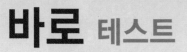

바로 테스트

영어는 우리말로, 우리말은 영어로 쓰세요.

01	attain	11	격노; 몹시 화내다
02	leisure	12	타격; 젓기; 뇌졸중
03	overhear	13	(입에 든 것을) 뱉다
04	negotiator	14	협상, 교섭
05	likewise	15	불꽃; 촉발시키다
06	submit	16	던지다; 배역을 정하다
07	remarkable	17	대표자; 대표하는
08	burst	18	사임하다, 물러나다
09	stroll	19	노력, 시도
10	afterward	20	모집하다; 신입 사원

함께 외우는 어휘 쌍

우리말을 보고 알맞은 단어를 쓰세요.

21		열정	—	열정적인
22		묻다; 조사하다	—	문의; 연구, 조사
23		헌신하다	—	헌신
24		상담하다	—	상담가

괄호 안에서 알맞은 단어를 고르세요.

25 Some scholars believe that our ability for language is (innate / intimate).

DAY 35

1021

overall
형 [óuvərɔ̀:l]
부 [óuvərɔ̀:l]

형 전체의, 전반적인 부 전반적으로

Overall, the total Internet usage time increased steadily.
모의
전반적으로 총 인터넷 사용 시간은 꾸준히 증가했다.

1022

tender
[téndər]

형 부드러운, 다정한

Her voice was so **tender** that the baby soon fell asleep.
그녀의 목소리는 매우 부드러워서 아기는 금방 잠이 들었다.

1023

deceive
[disíːv]

동 속이다, 기만하다

Many people were **deceived** by his tender words.
많은 사람들이 그의 다정한 말에 속았다.

1024

deceit
[disíːt]

명 속임수, 기만, 사기

They were disappointed with the lies and **deceit** of politicians.
그들은 정치인들의 거짓말과 기만에 실망했다.

1025

disguise
[disɡáiz]

동 ¹위장[변장]하다 ²숨기다 명 ¹변장 ²은폐

The spy **disguised** himself as a police officer.
그 스파이는 경찰관으로 위장했다.

● **disguised** 형 ¹변장한 ²속임수의

1026 ●●●●●

exaggerate
[igzǽdʒərèit]

동 과장하다

The press **exaggerated** the story.
언론에서는 그 이야기를 과장했다.

◉ **exaggeration** 명 과장

1027 ●●●●●

clash
[klæʃ]

동 ¹(시합 등에서) 맞붙다 ²충돌하다 명 충돌, 대립

Thousands of angry citizens **clashed** with the police.
수천 명의 분노한 시민들이 경찰과 충돌했다.

1028 ●●●●●

unify
[júːnəfài]

동 통합하다, 통일하다

West and East Germany were **unified** in 1991.
서독과 동독은 1991년에 통일되었다.

1029 ●●●●●

associate
동 [əsóuʃièit]
명 [əsóuʃiət]

동 ¹연관 짓다 ²어울리다 명 동료

I don't want to **associate** with someone who always complains.
나는 항상 불평하는 누군가와 어울리고 싶지 않다.

1030 ●●●●●

association
[əsòusiéiʃən]

명 ¹협회 ²유대, 제휴 ³연관성

He set up the Blue Cross Medical **Association**, the first medical insurance system in Korea. 교과서
그는 한국 최초의 의료 보험인 청십자 의료 보험 조합을 설립했다.

1031 ● ● ● ● ●

overwhelm
[òuvərhwélm]

동 ¹압도하다, 휩싸다 ²제압하다

I was **overwhelmed** with joy when I won the race.
경주에서 이겼을 때 나는 기쁨에 휩싸였다.

◎ **overwhelming** 형 압도적인

1032 ● ● ● ● ●

commit
[kəmít]

동 ¹헌신하다 ²약속하다 ³(죄를) 저지르다

We have been **committed** to protecting our planet by
reducing energy consumption and waste. 모의
우리는 에너지 소비와 낭비를 줄임으로써 지구를 보호하는 것에 헌신해 왔다.

1033 ● ● ● ● ●

commitment
[kəmítmənt]

명 ¹헌신, 전념 ²약속, 의지

I could feel his strong **commitment** against the war.
나는 전쟁에 반대하는 그의 강한 의지를 느낄 수 있었다.

1034 ● ● ● ● ●

commission
[kəmíʃən]

명 ¹위원회 ²수수료 ³위임(장) 동 의뢰하다

They organized a **commission** to find what went wrong.
그들은 무엇이 잘못되었는지 찾기 위해 위원회를 조직했다.

1035 ● ● ● ● ●

committee
[kəmíti]

명 위원회

The **committee** was divided on the issue.
위원회는 그 문제에 관해서 의견이 갈렸다.

1036

budget
[bʌ́dʒit]

명 예산(안), 경비 동 예산을 세우다

She is on a tight **budget** these days. 모의
그녀는 요즘 예산이 빠듯하다.

1037

loan
[loun]

명 대출(금), 대여 동 빌려주다

Julia got a **loan** from a bank to buy a house.
Julia는 집을 사기 위해 은행에서 대출을 받았다.

1038

grief
[griːf]

명 슬픔, 비탄

Meeting new people helped Stella recover from her **grief**.
교과서
새로운 사람들을 만나는 것은 Stella가 슬픔에서 회복하는 데 도움이 되었다.

1039

soothe
[suːð]

동 (마음을) 달래다, 진정시키다

Try to meditate to **soothe** your mind.
마음을 진정시키기 위해 명상을 해 보아라.

1040

distressed
[distrést]

형 괴로워하는, 고민하는

He played a cheerful animation to comfort the **distressed** child at the crash scene. 교과서
그는 충돌 사고 현장에서 괴로워하는 아이를 달래 주기 위해 유쾌한 만화 영화를 틀어 주었다.

1041 ●●●●●

eliminate
[ilímənèit]

동 ¹제거하다 ²탈락시키다

I wonder who will be **eliminated** first in the competition.
나는 그 대회에서 누가 제일 먼저 탈락할지 궁금하다.

◉ **elimination** 명 제거, 삭제

1042 ●●●●●

dispense
[dispéns]

동 나눠 주다, 베풀다

The organization **dispenses** free meals to the poor.
그 단체는 가난한 사람들에게 무료 음식을 나눠 준다.

1043 ●●●●●

circumstance
[sə́ːrkəmstæns]

명 상황, 환경

Under no **circumstances** can we follow the suggestion.
어떠한 상황에서도 우리는 그 제안을 따를 수 없다.

1044 ●●●●●

institute
[ínstətjùːt]

동 ¹제정하다 ²(소송 등을) 시작하다 명 협회, 기관

The patient **instituted** a *lawsuit against the hospital.
그 환자는 병원을 상대로 소송을 시작했다.

*lawsuit 소송

1045 ●●●●●

institution
[ìnstətjúːʃən]

명 ¹기관, 시설 ²제도 ³도입, 시행

The **institution** offers courses for young people from 7 to 18 years old.
그 기관은 7세부터 18세까지의 젊은이들을 위한 강좌들을 제공한다.

1046

slavery
[sléivəri]

몡 노예, 노예 제도

In some parts of the world, **slavery** still exists. 교과서
세계의 몇몇 지역에서는 노예 제도가 여전히 존재한다.

1047

abolish
[əbáliʃ]

동 (법률·제도 등을) 폐지하다

Slavery was **abolished** in America in 1865.
미국에서 노예 제도는 1865년에 폐지되었다.

1048

amend
[əménd]

동 (법 등을) 개정하다, 수정하다

They agreed to **amend** the law on domestic violence.
그들은 가정 폭력에 관한 법률을 개정하는 데 동의했다.

○ **amendment** 몡 개정, 수정

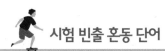

시험 빈출 혼동 단어

1049

legislate
[lédʒislèit]

동 법률을 제정하다

The bill will be **legislated** by the end of this year.
그 법안은 올해 말까지는 제정될 것이다.

1050

register
[rédʒistər]

동 등록하다 몡 기록(부), 등록

Students have to **register** for the class in advance.
학생들은 미리 수강 신청을 해야 한다.

영어는 우리말로, 우리말은 영어로 쓰세요.

01	unify	11	전반적인
02	distressed	12	과장하다
03	circumstance	13	위원회; 수수료
04	disguise	14	예산(안), 경비
05	soothe	15	제거하다; 탈락시키다
06	tender	16	(법률·제도 등을) 폐지하다
07	committee	17	(법 등을) 개정하다
08	grief	18	나눠 주다, 베풀다
09	overwhelm	19	대출(금), 대여; 빌려주다
10	clash	20	노예, 노예 제도

함께 외우는 어휘 쌍

우리말을 보고 알맞은 단어를 쓰세요.

21 _____ 연관 짓다; 어울리다 — _____ 협회; 유대; 연관성

22 _____ 기관; 제도; 도입 — _____ 제정하다; (소송 등을) 시작하다

23 _____ 속이다, 기만하다 — _____ 속임수, 기만

24 _____ 헌신하다; 약속하다 — _____ 헌신; 약속

괄호 안에서 알맞은 단어를 고르세요.

25 When you move, you have to (register / legislate) the new address.

Crossword Puzzle

DAY 31-35

정답 410쪽

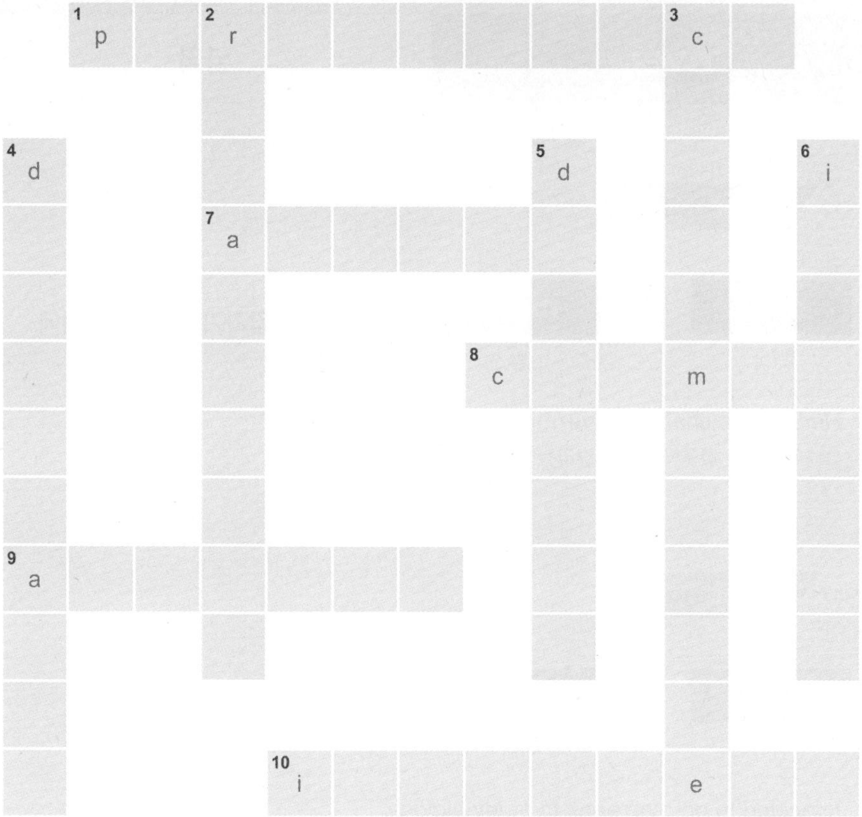

ACROSS

1 끈기, 고집; 지속성
7 추정하다, 가정하다
8 헌신하다; (죄를) 저지르다
9 분석하다
10 도구; (약속 등을) 시행하다

DOWN

2 주목할 만한
3 상황, 환경
4 일회용의
5 헌신, 전념
6 본능, 직감

최중요 접두사 16 DAY 31-35

over-	넘어

0912 over**night**

over + **night**
넘어   밤

밤을 넘어
[부] 밤새; 갑자기, 하룻밤 사이에
[형] 야간의

Her life has changed **overnight**.
그녀의 인생은 하룻밤 사이에 달라졌다.

0947 over**seas**

over + **sea(s)**
넘어   바다

바다 너머의
[부] 해외로

I decided to go **overseas** to study biology.
나는 생물학을 공부하기 위해 해외로 가기로 결심했다.

1001 over**hear**

over + **hear**
넘어   듣다

(벽) 너머로 듣다
[동] 우연히 듣다, 엿듣다

She **overheard** her parents arguing.
그녀는 부모님이 다투는 소리를 우연히 들었다.

ex- | ad- | pre- | re- | com- | dis- | in- | en-
out- | trans- | over- | ir- | inter- | de- | sub- | contra-

| over- | ~ 위에 |

0941 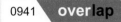 **overlap**

over + **lap**

~ 위에 겹치다

위에 겹쳐 놓다
통 겹치다, 일치하다
명 겹침, 중복

A bird's feathers **overlap**.
새의 깃털은 서로 겹쳐져 있다.

0961  **overlook**

over + **look**

넘어 / ~ 위에 보다

위에서 (대충) 넘기며 보다
통 간과하다; 눈감아 주다;
내려다보다

I **overlooked** some of his mistakes.
나는 그의 실수를 몇 번 눈감아 주었다.

1031  **overwhelm**

over + **whelm**

~ 위에 내리누르다

위에서 내리누르다
통 압도하다, 휩싸다; 제압하다

She was **overwhelmed** by all the love and support.
그녀는 그 모든 사랑과 지지로 인해 격한 감정에 휩싸였다.

DAY 36

1051

welfare
[wélfὲər]

몡 복지, 후생

We should pay attention to the children's **welfare**.
우리는 아동 복지에 주의를 기울여야 한다.

1052

household
[háushòuld]

몡 가정, 가구 혱 가정의, 가정용의

Washing machines vastly reduce the amount of
household tasks. 모의
세탁기는 집안일의 양을 막대하게 줄여 준다.

1053

decompose
[dìːkəmpóuz]

동 분해되다, 부패하다

As food waste **decomposes** in landfills, it releases
methane gas.
음식물 쓰레기가 매립지에서 부패하면서 그것은 메탄가스를 방출한다.

1054

sanitary
[sǽnətèri]

혱 위생의, 위생적인

The campsite is equipped with **sanitary** facilities.
그 야영장은 위생 시설을 갖추고 있다.

1055

purify
[pjúːrəfài]

동 정화하다

Scientists are working on methods to **purify** used water.
과학자들은 사용한 물을 정화하는 방법을 연구하고 있다.

1056

irregular
[irégjulər]

형 ¹불규칙한 ²비정상적인

Caffeine may bring about an **irregular** heartbeat. 교과서
카페인은 불규칙한 심장 박동을 초래할 수도 있다.

1057

diminish
[dimíniʃ]

동 ¹줄이다 ²감소하다

The severe threat of the storm will be **diminished**.
그 폭풍의 심각한 위협은 줄어들 것이다.

1058

minimize
[mínəmàiz]

동 최소화하다

Exercising is a good way to **minimize** your stress.
운동하는 것은 스트레스를 최소화하는 좋은 방법이다.

○ **minimum** 형 최소한의 명 최소한도

1059

maximize
[mǽksəmàiz]

동 극대화하다

The goal of a business is to **maximize** profits.
사업의 목적은 이윤을 극대화하는 것이다.

1060

maximum
[mǽksəməm]

형 최대의, 최고의 명 최대, 최고

This special device produces a sound with a **maximum**
of 150 decibels.
이 특수 장치는 최고 150데시벨의 소리를 만들어 낸다.

1061

investigate
[invéstəgèit]

[동] 조사하다, 탐사하다, 수사하다

A diving robot **investigates** the ocean floor where people cannot go. 교과서
다이빙 로봇은 사람들이 갈 수 없는 해저를 탐사한다.

1062

investigation
[invèstəgéiʃən]

[명] 조사, 연구, 수사

There will be further **investigation** of the case.
그 사건에 대한 추가 조사가 있을 것이다.

1063

bankrupt
[bǽŋkrʌpt]

[형] 파산한 [동] 파산시키다 [명] 파산자

Many companies went **bankrupt** during the IMF financial crisis.
IMF 금융 위기 때 많은 회사가 파산했다.

◉ **bankruptcy** [명] 파산, 부도

1064

interrupt
[ìntərʌ́pt]

[동] 방해하다, 중단시키다

The parade was **interrupted** by heavy rain.
그 거리 행진은 폭우로 중단되었다.

1065

abrupt
[əbrʌ́pt]

[형] ¹갑작스러운 ²퉁명스러운

His death was **abrupt** and completely unexpected.
그의 죽음은 갑작스러웠고 전혀 예상하지 못한 것이었다.

◉ **abruptly** [부] ¹갑자기 ²퉁명스럽게

1066

cling
[kliŋ]
clung–clung

동 ¹달라붙다 ²집착하다

Emma's wet hair **clung** to her face.
Emma의 젖은 머리카락이 그녀의 얼굴에 달라붙었다.

1067

prospect
[práspekt]

명 가능성, 전망, 예상

Job **prospects** for computer engineers look good.
컴퓨터 공학자의 일자리 전망은 좋아 보인다.

1068

recreate
[rìkriéit]

동 재현하다, 되살리다

The figures in the painting **recreated** the dreamlike atmosphere of the play. 교과서
그림 속의 형상들은 희곡의 꿈과 같은 분위기를 재현했다.

1069

contribute
[kəntríbjuːt]

동 기여하다, 공헌하다, 기부하다

Each individual has the potential to **contribute** to making the world a better place. 교과서
각 개인은 세상을 더 좋은 곳으로 만드는 데 기여할 잠재력을 가지고 있다.

1070

contribution
[kàntrəbjúːʃən]

명 기여, 공헌, 기부금

Many people praised the engineer's **contributions** to the project. 교과서
많은 사람들이 그 프로젝트에 대한 엔지니어의 공헌에 찬사를 보냈다.

1071

oppose
[əpóuz]

동 ¹반대하다 ²대항하다

Many people **oppose** mercy killing.
많은 사람들이 안락사에 반대한다.

○ **opposition** 명 반대, 항의

1072

opponent
[əpóunənt]

명 반대자, 상대 형 반대의

The boxer was knocked down by his **opponent**.
그 권투 선수는 상대 선수에게 맞고 쓰러졌다.

1073

tropical
[trápikəl]

형 열대의, 열대 지방의

I like **tropical** fruits such as mangoes and durians.
나는 망고나 두리안 같은 열대 과일을 좋아한다.

1074

flourish
[flə́:riʃ]

동 ¹번창하다 ²잘 자라다

Palm trees **flourish** in the tropical regions.
야자나무는 열대 지방에서 잘 자란다.

1075

depression
[dipréʃən]

명 ¹우울증 ²불경기 ³저기압

When her husband passed away, she came down with
depression. 교과서
그녀의 남편이 세상을 떠났을 때, 그녀는 우울증에 걸렸다.

As the tropical **depression** moves over warmer waters, it
becomes a "tropical storm." 교과서
열대성 저기압은 더 따뜻한 물 위로 움직이면서 '열대성 폭풍'이 된다.

1076

devastating
[dévəstèitiŋ]

[형] ¹파괴적인 ²치명적인, 충격적인

Natural disasters have always had **devastating** results.
자연재해는 항상 치명적인 결과를 가져왔다.

1077

restore
[ristɔ́ːr]

[동] ¹복원하다, 회복하다 ²반환하다

The painting has been **restored** several times.
그 그림은 여러 번 복원되었다.

1078

seemingly
[síːmiŋli]

[부] 겉보기에는

Light is a **seemingly** harmless part of nature, but it can be pollution. 교과서
빛은 겉보기에는 해가 없는 것 같지만, 그것은 공해가 될 수 있다.

시험 빈출 혼동 단어

1079

fierce
[fiərs]

[형] ¹사나운, 흉포한 ²격렬한, 맹렬한

The **fierce** tiger was painted by a famous Korean artist.
그 맹렬한 호랑이는 한국의 유명한 화가에 의해 그려졌다.

◎ **fiercely** [부] 사납게, 치열하게

1080

pierce
[piərs]

[동] 뚫다, 찌르다

Dave had his ears **pierced** when he was 18.
Dave는 18살 때 귀를 뚫었다.

바로 테스트

영어는 우리말로, 우리말은 영어로 쓰세요.

01	maximum	11	줄이다, 감소하다
02	decompose	12	불규칙한; 비정상적인
03	abrupt	13	파산한; 파산시키다
04	tropical	14	가능성, 전망, 예상
05	interrupt	15	위생의
06	devastating	16	번창하다; 잘 자라다
07	purify	17	복원하다, 회복하다
08	depression	18	달라붙다; 집착하다
09	recreate	19	겉보기에는
10	household	20	복지, 후생

함께 외우는 어휘 쌍

우리말을 보고 알맞은 단어를 쓰세요.

21	최소화하다 —	극대화하다
22	기여하다, 기부하다 —	기여, 기부금
23	조사하다, 수사하다 —	조사, 수사
24	반대하다; 대항하다 —	반대자, 상대

괄호 안에서 알맞은 단어를 고르세요.

25 Frightened by the (fierce / pierce) dog, the child sat on the ground and cried.

DAY 37

1081

establish
[istǽbliʃ]

동 설립하다, 수립하다

The zoo was **established** in 2010.
그 동물원은 2010년에 설립되었다.

◎ **established** 형 ¹확립된 ²정착한

1082

reform
[rifɔ́ːrm]

동 개혁하다, 개선하다 명 개혁, 개선

It is necessary to **reform** the education system.
그 교육 제도를 개혁할 필요가 있다.

1083

minister
[mínəstər]

명 ¹장관, 각료 ²성직자

She was first elected prime **minister** in 2008.
그녀는 2008년에 처음으로 국무총리로 선출되었다.

1084

ministry
[mínəstri]

명 ¹정부 부처 ²[the ~] 직무

The government plans to establish the new **ministry** on July 1st this year.
정부는 올해 7월 1일에 새 부처를 설립할 계획이다.

1085

corrupt
[kərʌ́pt]

형 부패한, 타락한

The journalist revealed the list of **corrupt** politicians.
그 기자는 부패한 정치인들의 명단을 공개했다.

◎ **corruption** 명 부패, 비리

1086 ● ● ● ● ●

tame
[teim]

동 ¹길들이다 ²다스리다 형 길들여진

Tame your anger and use it to your advantage.
화를 다스려서 자신에게 유리하게 사용해라.

1087 ● ● ● ● ●

temperate
[témpərət]

형 ¹(기후가) 온화한 ²온건한, 절제하는

The island has a **temperate** climate throughout the year.
그 섬은 일 년 내내 온화한 기후이다.

1088 ● ● ● ● ●

poll
[poul]

명 ¹여론 조사 ²투표(수)

The **poll** shows that the majority of the population
supports the bill.
그 여론 조사는 인구의 대다수가 그 법안을 지지한다는 것을 보여 준다.

1089 ● ● ● ● ●

civil
[sívəl]

형 시민의, 민간의

She spoke out for **civil** rights, women's rights, and poor
people. 모의
그녀는 시민권, 여성의 권리 그리고 빈민들을 지지하는 목소리를 냈다.

1090 ● ● ● ● ●

civilization
[sìvəlizéiʃən]

명 문명(사회)

We were amazed by the outstanding building skills of the
Inca **civilization**. 교과서
우리는 잉카 문명의 뛰어난 건축 기술에 놀랐다.

1091

choir
[kwaiər]

명 합창단

She failed her audition for the school **choir** because she was too nervous. 교과서
그녀는 너무 긴장해서 학교 합창단 오디션에 떨어졌다.

1092

interval
[íntərvəl]

명 ¹간격, 틈 ²중간 휴식 시간

There will be a five-minute **interval** after this commercial.
이 광고 후에 5분의 간격이 있을 것이다.

1093

compose
[kəmpóuz]

동 ¹구성하다 ²작곡하다

He **composed** a piano sonata with three movements. 교과서
그는 3개의 악장으로 된 피아노 소나타를 작곡했다.

◉ **composer** 명 작곡가

1094

conduct
[kəndʌ́kt]

동 ¹수행하다 ²지휘하다 ³(열·전기 등을) 전도하다

He produced a video where he **conducted** along to piano music. 교과서
그는 피아노 음악에 맞춰 자신이 지휘한 비디오를 만들었다.

1095

conductor
[kəndʌ́ktər]

명 ¹지휘자 ²(열차) 차장 ³(물리) 전도체

The **conductor** of the orchestra bowed to the audience.
그 오케스트라 지휘자는 청중들에게 인사했다.

1096

dictate
[díkteit]

통 ¹받아쓰게 하다 ²지시하다

The teacher **dictated** a sentence to her students.
선생님은 학생들에게 문장을 받아쓰게 했다.

◎ **dictation** 명 ¹받아쓰기, 구술 ²명령

1097

abbreviate
[əbríːvièit]

통 줄여 쓰다, 간략화하다

It is not easy to read his writing because he often
abbreviates words.
그는 종종 단어들을 줄여서 쓰기 때문에 그의 글을 읽기는 쉽지 않다.

1098

literacy
[lítərəsi]

명 문해력(글을 읽고 쓰는 능력)

He had a poor **literacy** level and was barely able to read.
그는 문해력이 형편없어서 간신히 읽을 수 있었다.

1099

illiteracy
[ilítərəsi]

명 문맹, 무식

The **illiteracy** rate is lower than 1% in this country.
이 나라의 문맹률은 1%보다 더 낮다.

1100

illiterate
[ilítərət]

형 문맹의 명 문맹자

About two-thirds of the people in Africa are still **illiterate**.
아프리카 국민의 약 3분의 2가 여전히 문맹이다.

1101

context
[kántekst]

명 맥락, 문맥, 전후 관계

Try to use **context** to better remember new words.
새로운 단어들을 더 잘 기억하기 위해 맥락을 이용해 보아라.

1102

paradox
[pǽrədàks]

명 역설

It is a real **paradox** that there are a lot of homeless people in such a wealthy country.
그렇게 부유한 나라에 많은 노숙자가 있다는 것은 정말로 역설적이다.

1103

irony
[áiərəni]

명 풍자, 비꼬기, 반어법

I sense the **irony** in his comments.
그의 논평에서 풍자가 느껴진다.

◉ **ironic** 형 역설적인, 반어적인

1104

decisively
[disáisivli]

부 ¹결정적으로 ²단호히

The robot moved around quickly and **decisively** using the wheels attached to its feet. 교과서
그 로봇은 발에 부착된 바퀴를 이용하여 빠르고 단호하게 움직였다.

◉ **decisive** 형 ¹결정적인 ²단호한

1105

somewhat
[sʌ́m/hwʌ̀t]

부 다소, 어느 정도, 약간

She looked **somewhat** disappointed by the result.
그녀는 결과에 다소 실망한 것처럼 보였다.

1106

censor
[sénsər]

명 검열관 동 검열하다

The **censor** cut some of the bad language from the movie.
검열관은 그 영화에서 일부 저속한 언어들을 삭제했다.

1107

supervise
[súːpərvàiz]

동 감독하다, 지휘하다

He continued to **supervise** the bridge building for years.
교과서
그는 다리 건설을 수년간 계속해서 감독했다.

1108

deliberate
형 [dilíbərət]
동 [dilíbərèit]

형 ¹고의의 ²신중한 동 숙고하다

It was not a mistake; it was **deliberate**.
그것은 실수가 아니라, 고의적이었다.

 시험 빈출 혼동 단어

1109

conscious
[kánʃəs, kɔ́n-]

형 ¹의식하는 ²의식이 있는

She is too **conscious** of her appearance.
그녀는 자기 외모에 대해 너무 의식한다.

1110

conscience
[kánʃəns, kɔ́n-]

명 양심, 가책

This is a matter of our **conscience**.
이것은 우리 양심의 문제이다.

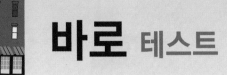

바로 테스트

정답 410쪽

영어는 우리말로, 우리말은 영어로 쓰세요.

01	temperate	11	설립하다, 수립하다
02	context	12	간격; 중간 휴식 시간
03	deliberate	13	받아쓰게 하다
04	poll	14	길들이다; 길들여진
05	paradox	15	개혁하다; 개혁
06	supervise	16	문맹의; 문맹자
07	decisively	17	풍자, 비꼬기
08	compose	18	줄여 쓰다
09	somewhat	19	검열관; 검열하다
10	choir	20	부패한, 타락한

함께 외우는 어휘 쌍

우리말을 보고 알맞은 단어를 쓰세요.

21		시민의, 민간의	—		문명(사회)
22		문해력	—		문맹, 무식
23		지휘하다	—		지휘자
24		장관, 각료	—		정부 부처

괄호 안에서 알맞은 단어를 고르세요.

25 The man is still (conscience / conscious) but he is badly injured.

DAY 38

1111

clarify
[klǽrəfài]

동 분명히 하다

Putting your plan down on paper will help **clarify** your thoughts. 모의
계획을 종이에 적는 것은 당신의 생각을 분명하게 하는 데 도움이 될 것이다.

1112

ordinary
[ɔ́ːrdənèri]

형 보통의, 평범한

The magazine contains true stories about **ordinary** people.
그 잡지는 평범한 사람들에 관한 진실한 이야기를 담고 있다.

1113

extraordinary
[ikstrɔ́ːrdənèri]

형 비범한, 특별한

Gaudi's **extraordinary** works show how important he was to the development of modern architecture. 교과서
가우디의 비범한 작품들은 그가 현대 건축의 발달에 있어 얼마나 중요한 인물이었는지를 보여 준다.

1114

fundamental
[fʌ̀ndəméntl]

형 근본적인, 기본적인 명 기본, 원리

Honesty is a **fundamental** part of every strong relationship. 모의
정직은 모든 굳건한 관계의 근본적인 부분이다.

1115

anthem
[ǽnθəm]

명 축가, 찬송가

They began singing the national **anthem** loudly. 교과서
그들은 큰 소리로 국가를 부르기 시작했다.

1116 ●●●●●

patriotism
[péitriətìzm]

명 애국심

I believe voting is an act of **patriotism**.
나는 투표를 하는 것이 애국하는 행위라고 생각한다.

◉ **patriot** 명 애국자

1117 ●●●●●

prosper
[práspər]

동 번영하다, 성공하다

Korea's economy will continue to **prosper** in the future.
한국 경제는 앞으로도 계속 번영할 것이다.

1118 ●●●●●

circulate
[sə́:rkjulèit]

동 ¹순환하다[시키다] ²퍼지다 ³유통하다

Your heart beats to **circulate** your blood.
심장은 피를 순환시키기 위해 뛴다.

◉ **circulation** 명 ¹순환 ²유통

1119 ●●●●●

circuit
[sə́:rkit]

명 ¹순환, 순회 ²둘레 ³(전기) 회로

The Earth takes a year to make a complete **circuit** of the Sun.
지구가 태양의 둘레를 한 바퀴 순환하는 데 일 년이 걸린다.

1120 ●●●●●

voltage
[vóultidʒ]

명 전압

The **voltage** in the circuit is 100 volts.
그 전기 회로의 전압은 100볼트이다.

1121

permit
[pərmít]

동 허용하다, 허락하다

The use of cell phones is not **permitted** during class.
수업 중에 휴대 전화 사용은 허용되지 않는다.

◎ **permission** 명 허용, 허락

1122

dare
[dɛər]

동 감히 ~하다, ~할 용기가 있다

People **dared** to raise their voices to oppose the war.
사람들은 전쟁을 반대하기 위해 과감히 목소리를 높였다.

◎ **daring** 형 대담한, 용감한 명 대담성, 용기

1123

property
[prápərti]

명 ^{1}재산, 소유물 ^{2}부동산 ^{3}특성

Hanji has special **properties** that will help protect
spacecraft from the harmful rays of the sun. 교과서
한지는 태양의 유해 광선들로부터 우주선을 보호하는 데 도움이 되는
특별한 특성들이 있다.

1124

productive
[prədʌ́ktiv]

형 생산적인, 생산하는

Helping others may be the secret to living a life that is
happier, healthier, and more **productive**. 교과서
다른 사람들을 돕는 것은 더 행복하고, 더 건강하고, 그리고 더 생산적인 삶을
사는 비결일지도 모른다.

1125

coincide
[kòuinsáid]

동 ^{1}동시에 일어나다 ^{2}일치하다

The show on tour **coincides** with the release of her tenth
album.
그 순회공연은 그녀의 열 번째 앨범이 발매되는 날에 동시에 열린다.

◎ **coincidence** 명 ^{1}(우연의) 일치 ^{2}동시에 일어남

1126

correspond
[kɔ̀:rəspánd]

통 ¹일치하다, 상응하다 ²교신하다

Everyone wants to be treated in a way that **corresponds** to their ability.
누구나 본인의 능력에 상응하는 방식으로 대접받기를 원한다.

1127

correspondent
[kɔ̀:rəspándənt]

명 통신원, 특파원

Reporters and **correspondents** play a key role in our society.
기자와 특파원들은 우리 사회에서 중요한 역할을 한다.

1128

antarctic
[æntá:rktik]

형 남극의(반 arctic) 명 남극 지역, 남극해

The **Antarctic** King Sejong Station was built in 1988.
남극 세종 과학 기지는 1988년에 세워졌다.

1129

pioneer
[pàiəníər]

명 개척자, 선구자 통 개척하다

Franz Kafka is a famous writer, but some people credit him as a **pioneer** in helmet design. 교과서
프란츠 카프카는 유명한 작가이지만, 일부 사람들은 그를 안전모 디자인의 선구자로 믿는다.

1130

expedition
[èkspədíʃən]

명 탐험(대), 원정(대)

Roald Amundsen was the leader of the first **expedition** that reached the South Pole.
로알 아문센은 남극에 도달한 최초의 탐험대 대장이었다.

1131 ●●●●●

upcoming
[ʌ́pkʌ̀miŋ]

형 다가오는, 곧 있을

He has not decided whom to support in the **upcoming** election.
그는 곧 있을 선거에서 누구를 지지할지 결정하지 못했다.

1132 ●●●●●

era
[íərə, érə]

명 시대, 연대, 시기

The novel's historical background is the Victorian **era**.
그 소설의 역사적 배경은 빅토리아 여왕 시대이다.

1133 ●●●●●

interpret
[intə́ːrprit]

동 ¹통역하다 ²해석하다

Her job is to **interpret** and translate English into Korean.
그녀의 직업은 영어를 한국어로 통역하고 번역하는 것이다.

1134 ●●●●●

interpretation
[intə̀ːrprətéiʃən]

명 ¹통역 ²해석

The **interpretations** of the painting were left to the viewers.
그 그림에 대한 해석은 관람자들에게 맡겨졌다.

1135 ●●●●●

dense
[dens]

형 밀집한, 빽빽한

The tribe lives in the village surrounded by the **dense** forest.
그 부족은 빽빽한 숲에 둘러싸인 마을에 산다.

1136

irritate
[írətèit]

图 짜증 나게 하다

Many people think that they should look at calming colors when they are **irritated**.
많은 사람이 짜증이 날 때는 차분한 색을 보아야 한다고 생각한다. 교과서

1137

agonize
[ǽɡənàiz]

图 괴로워하다, 고뇌하다

The CEO **agonized** over the decision to resign for weeks.
그 CEO(최고 경영자)는 사임하기로 한 결정을 두고 몇 주 동안 고민했다.

1138

immoral
[imɔ́:rəl]

图 부도덕한

Cheating on the exam is **immoral** and wrong.
시험 중 부정행위는 부도덕하고 잘못된 것이다.

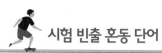 시험 빈출 혼동 단어

1139

moral
[mɔ́:rəl]

图 도덕적인

Moral systems are different for every culture. 모의
도덕적 체계는 문화마다 다르다.

◎ **morally** 图 도덕적으로
◎ **morality** 图 도덕(성)

1140

morale
[mərǽl]

图 사기, 의욕

He tried to keep **morale** up with his team. 교과서
그는 팀의 사기를 높이 유지하려고 노력했다.

바로 테스트

영어는 우리말로, 우리말은 영어로 쓰세요.

01	permit	11	애국심
02	era	12	감히 ~하다
03	pioneer	13	동시에 일어나다
04	upcoming	14	탐험(대), 원정(대)
05	agonize	15	분명히 하다
06	voltage	16	밀집한, 빽빽한
07	irritate	17	번영하다, 성공하다
08	property	18	남극의
09	anthem	19	근본적인; 기본
10	immoral	20	생산적인, 생산하는

함께 외우는 어휘 쌍

우리말을 보고 알맞은 단어를 쓰세요.

21		순환하다[시키다]	—		순환; (전기) 회로
22		통역하다	—		통역
23		보통의, 평범한	—		비범한, 특별한
24		교신하다	—		통신원, 특파원

괄호 안에서 알맞은 단어를 고르세요.

25 DNA technology causes some (moral / morale) issues.

DAY 39

1141 ●●●●●

dependence
[dipéndəns]

명 의존, 종속

We must reduce the **dependence** on fossil fuels.
우리는 화석 연료에 대한 의존도를 줄여야만 한다.

◎ **dependent** 형 의존하는, 종속의

1142 ●●●●●

credulous
[krédʒuləs]

형 잘 믿는, 잘 속는

Lisa is so **credulous** that anyone can fool her.
Lisa는 너무 잘 속아서 누구나 그녀를 속일 수 있다.

1143 ●●●●●

industry
[índəstri]

명 ¹산업, 공업 ²근면

Bollywood in India is the largest movie **industry** in the world. 교과서
인도의 발리우드는 세계에서 가장 큰 영화 산업이다.
All things are won by **industry**.
모든 것은 근면에 의해서 얻어진다. (속담)

◎ **industrious** 형 부지런한, 근면한

1144 ●●●●●

industrial
[indʌ́striəl]

형 산업의, 공업의

Farm and **industrial** jobs have slowly dried up. 모의
농장과 산업 일자리들이 천천히 고갈되었다.

1145 ●●●●●

industrialize
[indʌ́striəlàiz]

동 산업[공업]화하다

China has **industrialized** very quickly.
중국은 매우 빠르게 산업화되고 있다.

1146 ●●●●●

transaction
[trænsǽkʃən]

몡 ¹거래, 매매 ²처리 (과정)

Most **transactions** are processed online.
대부분의 거래는 온라인으로 처리된다.

○ **transact** 통 ¹거래하다 ²처리하다

1147 ●●●●●

via
[váiə, víːə]

젠 ¹~을 거쳐 ²~을 이용하여

The plane flies from Seoul to London **via** Dubai.
그 비행기는 서울에서 출발하여 두바이를 거쳐 런던으로 날아간다.

1148 ●●●●●

retail
[ríːteil]

몡 소매 혱 소매의

Many **retail** clothing chains are increasing their use of organic cotton. 교과서
많은 소매 의류 가맹점들은 유기농 면의 사용을 늘리고 있다.

1149 ●●●●●

wholesale
[hóulsèil]

몡 도매 혱 도매의

Wholesale prices are cheaper than retail prices.
도매가는 소매가보다 더 저렴하다.

1150 ●●●●●

exploit
[iksplɔ́it]

통 ¹(부당하게) 이용하다, 착취하다 ²(자원을) 개발하다

The official **exploited** his position for personal gain.
그 공무원은 개인의 이익을 위해 자신의 지위를 이용했다.

1151

tug
[tʌg]

명 힘껏 당김 동 힘껏 당기다, 끌다

Tug of war was a team sport in the Olympics from 1900 to 1920. 교과서
줄다리기는 1900년부터 1920년까지 올림픽 단체 경기였다.

1152

cognitive
[kágnitiv]

형 인지의, 인식의

A walk in the woods can bring about positive **cognitive** and emotional changes.
숲속을 걷는 것은 인지적 그리고 감정적으로 긍정적인 변화를 가져올 수 있다.

1153

interact
[ìntərǽkt]

동 상호 작용하다, 소통하다

Technology has changed the way we **interact** with the world around us. 교과서
기술은 우리가 주변의 세상과 상호 작용하는 방식을 바꾸었다.

1154

interaction
[ìntərǽkʃən]

명 상호 작용

Sharing assumes human **interaction** by its definition. 교과서
공유한다는 것은 그것의 정의상 인간의 상호 작용을 전제로 한다.

1155

interactive
[ìntərǽktiv]

형 상호 작용하는

The zoo allowed visitors to enjoy **interactive** exhibits.
그 동물원은 방문객들이 상호 작용하는 전시를 즐기도록 했다.

1156

discord
[dískɔ:rd]

명 불화, 다툼

There is **discord** between the coach and the players.
코치와 선수들 사이에 불화가 있다.

1157

formation
[fɔ:rméiʃən]

명 ¹형성, 구조 ²대형, 진형

Birds fly in a V **formation**.
새들은 V자 대형으로 난다.

1158

cope
[koup]

동 대처하다, 대응하다

Without the formation of social bonds, people would not have been able to **cope** with their environments. 모의
사회적 유대의 형성이 없었다면, 사람들은 그들의 환경에 대처할 수 없었을 것이다.

1159

orphan
[ɔ́:rfən]

동 고아로 만들다 명 고아

She was **orphaned** at the age of 10.
그녀는 열 살에 고아가 되었다.

1160

orphanage
[ɔ́:rfənidʒ]

명 고아원, 보육원

We spent several weeks volunteering at an **orphanage**.
교과서
우리는 고아원에서 봉사활동을 하며 몇 주간을 보냈다.

1161

foster
[fɔ́ːstər]

동 ¹육성하다, 증진하다 ²양육하다 형 위탁 ~

Many companies try to **foster** the relationship with their customers.
많은 회사들이 고객과의 관계를 증진시키기 위해 노력한다.

The twins were raised in a **foster** home.
그 쌍둥이는 위탁 가정에서 자랐다.

1162

accustomed
[əkʌ́stəmd]

형 익숙한

Nowadays consumers are **accustomed** to online advertisements.
요즘에는 소비자들이 온라인 광고에 익숙하다.

1163

prevail
[privéil]

동 ¹만연하다 ²우세하다

Cooperation **prevails** at every level of the animal kingdom. 교과서
협력은 동물 세계의 모든 계층에서 흔하게 나타난다.

○ **prevailing** 형 ¹널리 퍼진 ²우세한

1164

comply
[kəmplái]

동 따르다, 준수하다

Drivers should **comply** with traffic rules.
운전자들은 교통 법규를 따라야 한다.

1165

compliance
[kəmpláiəns]

명 ¹(법·명령 등의) 준수 ²순종

The company has acted in **compliance** with environmental laws.
그 회사는 환경법을 준수해 오고 있다.

portable
[pɔ́ːrtəbl]

형 휴대용의 명 휴대용 기기

I bought a **portable** keyboard for my tablet PC.
나는 태블릿 PC에 사용할 휴대용 키보드를 샀다.

stationary
[stéiʃənèri]

형 정지된, 고정된

People are riding a **stationary** exercise bike.
사람들이 고정된 운동용 자전거를 타고 있다.

eternal
[itə́ːrnəl]

형 영원한, 불멸의

Nothing is better than **eternal** happiness.
영원한 행복보다 더 좋은 것은 없다.

 시험 빈출 혼동 단어

derive
[diráiv]

동 유래하다, 파생하다

French and Spanish are **derived** from Latin.
프랑스어와 스페인어는 라틴어에서 유래되었다.

deprive
[dipráiv]

동 빼앗다, 박탈하다

No one has the right to **deprive** others of the opportunity to learn.
누구도 다른 사람에게서 배울 기회를 빼앗을 권리는 없다.

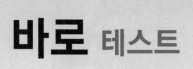
바로 테스트

영어는 우리말로, 우리말은 영어로 쓰세요.

01	industrial	11	의존, 종속
02	cognitive	12	거래, 매매; 처리 (과정)
03	accustomed	13	소매; 소매의
04	stationary	14	상호 작용
05	credulous	15	형성; 대형
06	discord	16	휴대용의
07	wholesale	17	(부당하게) 이용하다
08	prevail	18	대처하다, 대응하다
09	eternal	19	육성하다; 양육하다
10	via	20	힘껏 당김; 끌다

> 함께 외우는 어휘 쌍

우리말을 보고 알맞은 단어를 쓰세요.

21		상호 작용하다	—	상호 작용하는
22		고아	—	고아원
23		따르다, 준수하다	—	(법·명령 등의) 준수
24		산업	—	산업화하다

괄호 안에서 알맞은 단어를 고르세요.

25 The term "biomimicry" is (derived / deprived) from the Greek words *bios*, meaning "life," and *mimesis*, meaning "imitation."

DAY 40

1171 ● ● ● ● ●

stable
[stéibl]

혱 ¹안정된 ²침착한 몡 마구간

We should try to build up a **stable** society.
우리는 안정된 사회를 만들기 위해 노력해야 한다.
The lions entered the **stable** and attacked the cows.
교과서
사자들은 마구간에 들어가서 소를 공격했다.

1172 ● ● ● ● ●

stabilize
[stéibəlàiz]

통 안정되다[시키다]

Fortunately, the patient's condition was **stabilized**.
다행스럽게도, 그 환자의 상태는 안정되었다.

1173 ● ● ● ● ●

shed
[ʃed]

shed – shed

통 ¹없애다 ²떨어뜨리다 몡 헛간, 창고

The actor wants to **shed** his image as a singer in his new movie.
그 배우는 그의 새로운 영화에서 가수로서의 이미지를 없애고 싶어 한다.

1174 ● ● ● ● ●

peasant
[péznt]

몡 농부, 소작농

The king disguised himself as a **peasant**. 교과서
그 왕은 농부로 변장했다.

1175 ● ● ● ● ●

cultivate
[kʌ́ltəvèit]

통 ¹경작하다, 재배하다 ²(능력 등을) 기르다

You can't buy happiness, so you have to **cultivate** it. 모의
행복은 살 수 없기 때문에 당신은 행복을 일궈야만 한다.
○ **cultivation** 몡 ¹경작, 재배 ²양성, 육성

1176

barren
[bǽrən]

형 (땅이) 척박한, 불모의

The **barren** land was brought under cultivation.
그 척박한 땅이 개간되었다.

1177

pesticide
[péstəsàid]

명 살충제

Pesticides are a major cause of soil pollution.
살충제는 토양 오염의 주요 원인이다.

1178

fertile
[fə́:rtl]

형 (땅이) 비옥한, 기름진

Sudan is one of the most **fertile** lands in Africa.
수단은 아프리카에서 가장 비옥한 땅 중 하나이다.

1179

fertilizer
[fə́:rtəlàizər]

명 비료

Organic materials are produced without using chemical **fertilizers** and pesticides.
유기농 재료는 화학 비료와 살충제를 사용하지 않고 생산된다.

1180

scarce
[skɛərs]

형 ¹부족한 ²희귀한

When food is **scarce,** bacteria grow and divide much more slowly.
먹을 것이 부족하면, 세균은 훨씬 더 느리게 성장하고 분열한다.

1181 ●●●●●

contract
명 [kántrækt]
동 [kəntrǽkt]

명 계약(서) 동 ¹계약하다 ²수축하다[시키다]

They are going to fulfill the **contract**. 교과서
그들은 그 계약을 이행할 것이다.
Strength training **contracts** your muscles.
근력 훈련은 근육을 수축시킨다.

1182 ●●●●●

expire
[ikspáiər]

동 만료하다, 만기가 되다

The contract will **expire** at the end of October.
그 계약은 10월 말에 만료될 것이다.

1183 ●●●●●

expiration
[èkspəréiʃən]

명 만료, 만기

Check the **expiration** date before you buy dairy products.
유제품을 사기 전에 유통 기한을 확인해라.

1184 ●●●●●

equivalent
[ikwívələnt]

형 동등한, ~에 상당하는 명 동등한 것

One dollar is **equivalent** to 1,200 won at this exchange rate.
이 환율로는 1달러가 1,200원과 같다.

1185 ●●●●●

thrust
[θrʌst]
thrust – thrust

동 밀다, 찌르다 명 추진력

The engines and propellers provide **thrust** to move airplanes forward. 교과서
엔진과 프로펠러는 비행기가 앞으로 움직일 수 있는 추진력을 제공한다.

1186

interchange

图 [ìntərtʃéindʒ]
图 [íntərtʃèindʒ]

图 교환하다 图 ¹교환 ²교차로

People **interchange** their ideas when they debate.
사람들은 토론할 때 의견을 교환한다.

1187

auction

[ɔ́ːkʃən]

图 경매 图 경매로 팔다

A lot of celebrities participated in the charity **auction**.
많은 유명 인사들이 그 자선 경매에 참여했다.

1188

globalization

[glòubəlizéiʃən]

图 세계화

In India, many traditions are today being challenged as a
result of **globalization**. 교과서
오늘날 인도에서는 세계화의 결과로 많은 전통이 도전을 받고 있다.

1189

combat

图 [kámbæt]
图 [kəmbǽt]

图 전투, 싸움 图 싸우다

He captured scenes from the Korean War as a **combat**
photographer. 모의
그는 종군 사진 기자로 한국 전쟁 장면을 사진에 담아냈다.

1190

command

[kəmǽnd]

图 명령하다, 지시하다 图 명령, 지휘

The judge **commanded** him to appear in court.
판사는 그에게 법정에 출두하라고 지시했다.

discipline
[dísəplin]

명 ¹훈련 ²규율, 훈육

The coach taught his students **discipline**. 교과서
그 코치는 학생들에게 규율을 가르쳤다.

assault
[əsɔ́:lt]

동 공격하다, 폭행하다 명 습격, 폭행

The United States **assaulted** Iraq in 2003.
미국은 2003년에 이라크를 공격했다.

utilize
[jú:təlàiz]

동 이용하다, 활용하다

To cope with water shortages, we need to **utilize** rainwater.
물 부족에 대처하기 위해, 우리는 빗물을 이용할 필요가 있다.

utility
[ju:tíləti]

명 ¹유용(성) ²(전기·가스 등의) 공익사업 형 다용도의

This chemical has no **utility** as an agricultural fertilizer.
이 화학 물질에는 농업용 비료로서 유용성이 없다.
a **utility** room 다용도실

collaborate
[kəlǽbərèit]

동 협력하다, 협업하다

He **collaborated** with other people to add the finer details to his sketches. 모의
그는 스케치에 더 세밀한 세부 묘사를 하기 위해 다른 사람들과 협업했다.

◉ **collaboration** 명 협력, 공동 작업
◉ **collaborative** 형 협력적인, 합작의

1196 ●●●●●

obtain
[əbtéin]

동 얻다, 획득하다

Most people want to act immediately to **obtain** certain gains. 모의
대부분의 사람들은 확실한 이익을 얻기 위해 즉각적으로 행동하기를 원한다.

1197 ●●●●●

statistics
[stətístiks]

명 ¹통계 ²통계학

According to the **statistics**, Korea's birth rate has been falling every year.
통계에 따르면, 한국의 출생률은 매년 떨어지고 있다.

1198 ●●●●●

assure
[əʃúər]

동 ¹장담하다, 보증하다 ²안심시키다

The conductor **assured** the man that there was no need to search for the missing ticket. 모의
그 차장은 잃어버린 표를 찾을 필요가 없다고 그 남자를 안심시켰다.

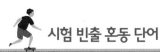 시험 빈출 혼동 단어

1199 ●●●●●

distract
[distrǽkt]

동 산만하게 하다, (주의를) 딴 데로 돌리다

Texting **distracts** drivers from the road.
문자를 보내는 것은 운전자들이 도로에 집중할 수 없게 한다.

○ **distraction** 명 주의 산만

1200 ●●●●●

district
[dístrikt]

명 지역, 구역

Paris is famous for the Louvre Museum, Montmartre **district**, and delicious food. 교과서
파리는 루브르 박물관, 몽마르트르 지역, 그리고 맛있는 음식으로 유명하다.

바로 테스트

영어는 우리말로, 우리말은 영어로 쓰세요.

01	barren	11	없애다; 헛간
02	interchange	12	동등한; 동등한 것
03	discipline	13	경매; 경매로 팔다
04	obtain	14	공격하다, 폭행하다
05	scarce	15	통계; 통계학
06	assure	16	세계화
07	thrust	17	살충제
08	peasant	18	경작하다, 재배하다
09	collaborate	19	명령하다, 지시하다
10	combat	20	계약(서); 계약하다

함께 외우는 어휘 쌍

우리말을 보고 알맞은 단어를 쓰세요.

21	(땅이) 비옥한	—	비료
22	이용하다	—	유용(성); 다용도의
23	만료하다	—	만료, 만기
24	안정된; 침착한	—	안정되다[시키다]

괄호 안에서 알맞은 단어를 고르세요.

25 Talking to your friends might help (district / distract) you from the anxiety.

Crossword Puzzle

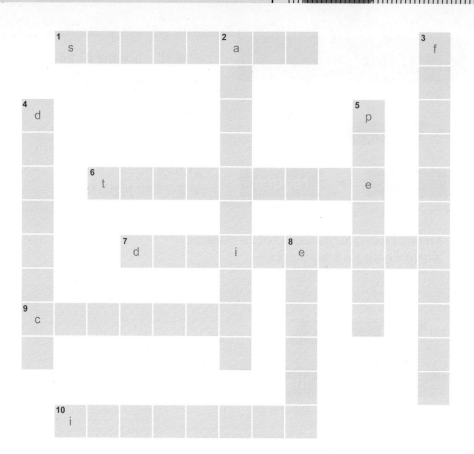

⊙ ACROSS

1 위생의, 위생적인
6 (기후가) 온화한; 온건한
7 고의의; 신중한
9 부패한, 타락한
10 짜증 나게 하다

⊙ DOWN

2 줄여 쓰다, 간략화하다
3 근본적인; 기본, 원리
4 지역, 구역
5 만연하다; 우세하다
8 만료하다, 만기가 되다

최중요 접두사 16 DAY 36-40

ir-	'부정' ＊변화형 il-, im-

1056 **ir**regular

ir	**+**	**regular**
'부정'		규칙적인

규칙적이지 않은
혱 **불규칙한; 비정상적인**

Irregular eating habits cause serious diseases.
불규칙한 식습관은 심각한 병을 초래한다.

1099 **il**literacy

il	**+**	**literacy**
'부정'		읽고 쓰는 능력

읽고 쓰는 능력이 없는 것
몡 **문맹, 무식**

Illiteracy is one of the root causes of poverty.
문맹은 가난의 근본 원인 중 하나이다.

1138 **im**moral

im	**+**	**moral**
'부정'		도덕적인

도덕적이지 않은
혱 **부도덕한**

The man achieved fortune by **immoral** means.
그 남자는 부도덕한 수단으로 재산을 쌓았다.

inter-   사이에, 상호 간

1092 **inter**val

| **inter** | + | **val** |
| 사이에 | | 벽 |

벽 사이에
圈 간격, 틈; 중간 휴식 시간

All the students left the classroom during the **interval**.
쉬는 시간에 모든 학생이 교실을 나갔다.

1153 **inter**act

| **inter** | + | **act** |
| 상호 간 | | 행동하다 |

상호 간 행동하다
통 상호 작용하다, 소통하다

The new student was outgoing, so he could easily **interact** with other kids.
그 전학생은 사교적이어서 다른 아이들과 쉽게 소통할 수 있었다.

1186 **inter**change

| **inter** | + | **change** |
| 상호 간 | | 바꾸다 |

상호 간 바꾸다
통 교환하다
圈 교환; 교차로

She likes to **interchange** ideas with her friends.
그녀는 친구들과 의견을 교환하는 것을 좋아한다.

DAY 41

1201 ●●●●●

depart
[dipá:rt]

통 출발하다, 떠나다

The plane will **depart** at its scheduled time.
그 비행기는 예정된 시각에 출발할 것이다.

1202 ●●●●●

departure
[dipá:rtʃər]

명 출발, 떠남

We think of life as having **departures**, paths, and
destinations. 교과서
우리는 인생에서 출발, 길, 그리고 목적지가 있다고 생각한다.

1203 ●●●●●

diagnose
[dáiəgnòus]

통 진단하다, 규명하다

He was **diagnosed** with kidney cancer.
그는 신장암을 진단받았다.

1204 ●●●●●

remedy
[rémədi]

명 ¹치료(약) ²해결책

He created a recipe for a **remedy** against poison. 교과서
그는 독에 대비한 치료약의 제조법을 만들었다.

1205 ●●●●●

treatment
[trí:tmənt]

명 ¹치료, 처치 ²대우, 취급

Surprised by the poor medical **treatment** for female
patients, she founded a hospital for women. 모의
여성 환자에 대한 열악한 치료에 놀라서, 그녀는 여성을 위한 병원을
설립했다.

1206

anatomy
[ənǽtəmi]

명 해부학

His sketches of human **anatomy** were a collaboration with a doctor. 모의
인체의 해부학적 구조를 그린 그의 스케치는 의사와 협업한 것이었다.

1207

spine
[spain]

명 척추, 등뼈

If you sleep on your back, you will have less back pain because your **spine** will be straight. 교과서
등을 대고 자면 척추가 쭉 뻗어지기 때문에 등 통증이 덜할 것이다.

◉ **spinal** 형 척추의

1208

skeleton
[skélətn]

명 ¹뼈대, 골격 ²해골

The **skeleton** is a frame that supports the body.
골격은 신체를 지탱해 주는 뼈대이다.

1209

joint
[dʒɔint]

명 ¹관절 ²이음매 형 공동의, 연합의

If you have pain in the knee **joint**, you must not run.
무릎 관절에 통증이 있다면, 달려서는 안 된다.

1210

abdomen
[ǽbdəmən]

명 배, 복부

Emma felt severe pain in her **abdomen**.
Emma는 배에 심한 통증을 느꼈다.

◉ **abdominal** 형 배의, 복부의

1211

faint
[feint]

동 기절하다　형 희미한, 미약한

The old man **fainted** because of the heat.
그 노인은 더위 때문에 기절했다.

1212

decay
[dikéi]

동 ^{1}썩다 ^{2}쇠퇴하다　명 ^{1}부패 ^{2}쇠퇴

If you drink sodas regularly, your teeth **decay** more
easily. 교과서
탄산음료를 자주 마신다면, 당신의 치아는 더 쉽게 썩을 것이다.

1213

diabetic
[dàiəbétik]

명 당뇨병 환자　형 당뇨병에 걸린

A **diabetic** has to control their blood sugar levels.
당뇨병 환자는 혈당 수치를 조절해야 한다.

1214

diabetes
[dàiəbíːtis]

명 당뇨병

Dietary fiber reduces the risk of heart disease and
diabetes.
식이 섬유는 심장병과 당뇨병의 위험을 줄여 준다.

1215

fatigue
[fətíːg]

명 피로, 피곤

Muscle **fatigue** makes it harder to move as normal.
근육 피로는 평소처럼 움직이는 것을 더 힘들게 만든다.

1216

acute
[əkjúːt]

형 ¹(병이) 급성의 ²날카로운

Acute ear infections are common in infants.
급성 중이염은 유아에게 흔하다.

◎ **acutely** 부 날카롭게, 격심하게

1217

chronic
[kránik]

형 (병이) 만성적인

Chronic stress may cause or worsen sleeplessness.
만성적인 스트레스는 불면증을 일으키거나 악화시킬 수 있다.

◎ **chronically** 부 만성적으로

1218

heredity
[hərédəti]

명 유전(적 특징)

The color of the eyes and hair depends on **heredity**.
눈동자와 머리카락의 색은 유전적 특징에 달려 있다.

1219

comprehend
[kàmprihénd]

동 ¹이해하다 ²포함하다

I couldn't **comprehend** what had happened.
나는 무슨 일이 일어났는지 이해할 수 없었다.

◎ **comprehension** 명 ¹이해(력) ²포함, 포괄

1220

comprehensive
[kàmprihénsiv]

형 ¹포괄적인, 광범위한 ²이해력이 있는

This book on anatomy provides **comprehensive** information about the human body. 교과서
해부학에 관한 이 책은 인체에 관한 광범위한 정보를 제공한다.

◎ **comprehensible** 형 이해할 수 있는

1221

ethical
[éθikəl]

형 윤리적인, 도덕적인

He doesn't eat meat because of **ethical** reasons.
그는 윤리적인 이유로 고기를 먹지 않는다.

○ **ethic** 명 ¹윤리 ²윤리학(-s)

1222

cherish
[tʃériʃ]

동 소중히 여기다, 간직하다

In Korea, many towns have **cherished** the *juldarigi* tradition. 교과서
한국에서는 많은 마을에서 줄다리기 전통을 소중히 여겨 왔다.

1223

heritage
[héritidʒ]

명 유산

In Rome, there are many cultural **heritage** sites. 교과서
로마에는 많은 문화 유적지가 있다.

1224

pottery
[pátəri]

명 도자기, 도예

While digging at the historic site, we found some pieces of ancient **pottery**. 교과서
유적지에서 땅을 파다가 우리는 몇 점의 고대 도자기 조각을 발견했다.

1225

phenomenon
[finámənàn]
복 **phenomena**

명 현상

An aurora is a natural **phenomenon** that occurs in the polar regions.
오로라는 극지방에서 나타나는 자연 현상이다.

1226

glacier
[gléiʃər]

명 빙하

Glaciers, wind, and flowing water help move tiny bits of rock along. 모의
빙하, 바람 그리고 흐르는 물은 작은 바위 조각들을 운반하는 데 도움이 된다.

1227

continent
[kántənənt]

명 대륙

The largest **continent** in the world is Asia.
세계에서 가장 큰 대륙은 아시아이다.

1228

geometry
[dʒiámətri]

명 기하학

The Greeks figured out mathematics and **geometry** long before calculators were available. 모의
그리스인은 계산기를 사용할 수 있기 훨씬 전에 수학과 기하학을 이해했다.

 시험 빈출 혼동 단어

1229

geology
[dʒiálədʒi]

명 ¹지질학 ²지질학적 특징

I learned about the deserts in **geology** class.
나는 지질학 수업에서 사막에 관해 배웠다.

1230

geography
[dʒiágrəfi]

명 ¹지리학 ²지형

The boy is a **geography** genius and knows where every country is.
그 소년은 지리학 천재여서 모든 나라가 어디 있는지 알고 있다.

○ **geographic** 형 지리적인

영어는 우리말로, 우리말은 영어로 쓰세요.

01	treatment	11	진단하다
02	abdomen	12	기절하다; 희미한
03	fatigue	13	윤리적인, 도덕적인
04	spine	14	해부학
05	heritage	15	현상
06	continent	16	빙하
07	remedy	17	뼈대, 골격; 해골
08	geometry	18	유전(적 특징)
09	cherish	19	도자기, 도예
10	decay	20	관절; 이음매

함께 외우는 어휘 쌍

우리말을 보고 알맞은 단어를 쓰세요.

21		당뇨병 환자	—		당뇨병
22		(병이) 급성의	—		(병이) 만성적인
23		이해하다	—		이해력이 있는
24		출발하다	—		출발

괄호 안에서 알맞은 단어를 고르세요.

25 People who are interested in earth and stones study (geography / geology).

1231

anchor
[ǽŋkər]

명 ¹닻 ²(뉴스) 앵커 동 ¹닻을 내리다 ²고정하다

The ship dropped **anchor** at the port.
그 배는 항구에 닻을 내렸다.

1232

humidity
[hju:mídəti]

명 습도, 습기

High **humidity** makes the weather unpleasant.
높은 습도는 날씨를 불쾌하게 만든다.

1233

botany
[bátəni]

명 식물학

She is going to major in **botany** at university.
그녀는 대학에서 식물학을 전공할 것이다.

◉ **botanist** 명 식물학자
◉ **botanic garden** 식물원

1234

petal
[pétl]

명 꽃잎

The flower has six white **petals**.
그 꽃은 여섯 장의 하얀색 꽃잎을 가지고 있다.

1235

creep
[kri:p]
crept – crept

동 ¹살살 기다[걷다] ²(식물이) 뻗어 나가다

An earthworm is **creeping** on the ground.
지렁이가 땅 위를 기어가고 있다.

1236 ●●●●●

actual
[ǽktʃuəl]

형 실제의, 현실의

The model looks younger than her **actual** age.
그 모델은 그녀의 실제 나이보다 더 어려 보인다.

◎ **actually** 부 실제로

1237 ●●●●●

demonstrate
[démənstrèit]

동 ¹입증하다, 설명하다 ²시위하다

The manager **demonstrated** how to use the machine.
매니저는 그 기계를 사용하는 법을 설명했다.

1238 ●●●●●

demonstration
[dèmənstréiʃən]

명 ¹입증, 설명 ²시위

The **demonstration** developed into a full-scale clash.
그 시위는 전면적인 충돌 사태로 번졌다.

1239 ●●●●●

philosophy
[filásəfi]

명 철학

He is interested in both science and **philosophy**.
그는 과학과 철학 둘 다에 관심이 있다.

1240 ●●●●●

abstract
형 [ǽbstrækt]
명 [ǽbstrækt]

형 추상적인, 관념적인 명 추상화

In his work *Three Musicians*, Picasso used **abstract**
forms to shape the players in an unexpected way. 모의
그의 작품인 〈Three Musicians〉에서, 피카소는 예상치 못한 방식으로
연주자들을 형상화하기 위해 추상적인 형태를 사용했다.

1241 ●●●●●

enthusiastic
[inθùːziǽstik]

웹 열정적인, 열광적인

Enthusiastic effort will become the driving force to help you achieve your goals. 교과서
열정적인 노력은 당신이 목표를 달성하는 데 도움이 될 원동력이 될 것이다.

◎ **enthusiasm** 명 열정, 열광

1242 ●●●●●

aspire
[əspáiər]

됭 열망하다, 바라다

She **aspired** to succeed in the field of engineering.
그녀는 공학 분야에서 성공하길 열망했다.

◎ **aspiration** 명 열망, 포부

1243 ●●●●●

inspire
[inspáiər]

됭 ¹영감을 주다 ²격려하다

A novel or play often **inspires** musicians and painters.
교과서
소설이나 희곡은 종종 음악가와 화가들에게 영감을 준다.

1244 ●●●●●

inspiration
[ìnspəréiʃən]

명 ¹영감, 격려 ²자극

His passion for the game was an **inspiration** to all his teammates. 교과서
경기에 대한 그의 열정은 팀 내 모든 선수에게 자극이 되었다.

1245 ●●●●●

perspiration
[pə̀ːrspəréiʃən]

명 ¹땀, 땀 흘리기 ²노력

Genius is one percent inspiration and ninety-nine percent **perspiration**. – Thomas A. Edison
천재는 1퍼센트의 영감과 99퍼센트의 땀(노력)으로 이루어진다.

1246

confer
[kənfə́ːr]

통 [1]상의하다 [2](상·학위 등을) 수여하다

My teacher wanted to **confer** with my parents about my grades.
나의 선생님은 내 성적에 관해 부모님과 상의하기를 원했다.

◉ **conference** 명 [1]회담 [2]회의

1247

lecture
[lékt∫ər]

명 [1]강의, 강연 [2]잔소리

The **lecture** was so boring that I fell asleep.
그 강연은 너무 지루해서 나는 잠이 들었다.

1248

dominate
[dámənèit]

동 지배하다, 우위를 차지하다

She was such a great tennis player that she **dominated** the game.
그녀는 너무나 훌륭한 테니스 선수여서 그 경기를 지배했다.

1249

dominant
[dámənənt]

형 지배적인, 우위를 차지하는

We humans have become the Earth's **dominant** species by cooperating. 모의
우리 인간은 협력함으로써 지구의 지배적인 종이 되었다.

1250

coexist
[kòuigzíst]

동 공존하다

Different races **coexist** peacefully.
다양한 인종이 평화롭게 공존한다.

◉ **coexistence** 명 공존

1251 ●●●●●

facility
[fəsíləti]

몡 ¹시설, 설비 ²기능 ³재능

The upgrade of public **facilities** will begin next Monday.

모의

공공 시설의 개선이 다음 주 월요일에 시작될 예정이다.

I have a **facility** for drawing.

나는 그림 그리는 것에 재능이 있다.

1252 ●●●●●

facilitate
[fəsílətèit]

동 ¹용이하게 하다 ²촉진하다

Smartphones can be used to **facilitate** learning.

스마트폰은 학습을 용이하게 하는 데 사용될 수 있다.

1253 ●●●●●

adore
[ədɔ́ːr]

동 흠모하다, 아주 좋아하다

My mom **adores** her dog, so she takes it everywhere.

나의 엄마는 그녀의 강아지를 아주 좋아해서 어디든 그것을 데리고 간다.

1254 ●●●●●

orient
동 [ɔ́ːriènt]
몡 [ɔ́ːriənt]

동 (목표 등을) 지향하다 몡 [the O~] 동양

The lectures are **oriented** towards AI technology.

그 강의는 AI(인공지능) 기술에 방향을 맞추었다.

◎ **orientation** 몡 ¹지향, 관심 ²예비 교육

1255 ●●●●●

contemplate
[kántəmplèit]

동 심사숙고하다

I have never **contemplated** my future seriously.

나는 내 미래에 대해 진지하게 생각해 본 적이 없다.

1256

betray
[bitréi]

동 배신하다

He **betrayed** his country by selling its secrets to the enemy.
그는 적에게 기밀을 팔아 조국을 배신했다.

ⓞ **betrayer** 명 배신자, 매국노

1257

plot
[plɑt]

명 ¹줄거리 ²음모

I enjoyed the amazing songs and **plot** of *The Phantom of the Opera*. 교과서
나는 〈오페라의 유령〉의 멋진 노래와 줄거리를 즐겼다.

1258

decode
[diːkóud]

동 (암호를) 해독하다

I **decoded** the password in less than one minute.
나는 일 분도 안 걸려서 그 암호를 해독했다.

 시험 빈출 혼동 단어

1259

notify
[nóutəfài]

동 통보하다, 알리다, 신고하다

We **notified** the police that the bike had been stolen.
우리는 자전거가 도난당한 것을 경찰에 신고했다.

1260

modify
[mádəfài]

동 수정하다, 바꾸다

He **modified** his motorcycle to make it faster. 교과서
그는 자신의 오토바이를 더 빨리 달릴 수 있게 개조했다.

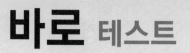

영어는 우리말로, 우리말은 영어로 쓰세요.

01	petal	11	닻; (뉴스) 앵커
02	enthusiastic	12	철학
03	aspire	13	강의, 강연; 잔소리
04	contemplate	14	공존하다
05	betray	15	(목표 등을) 지향하다
06	actual	16	습도, 습기
07	botany	17	(암호를) 해독하다
08	adore	18	줄거리; 음모
09	confer	19	땀, 땀 흘리기; 노력
10	abstract	20	살살 기다[걷다]

함께 외우는 어휘 쌍

우리말을 보고 알맞은 단어를 쓰세요.

21		입증하다, 설명하다	—		입증, 설명
22		영감을 주다	—		영감
23		지배하다	—		지배적인
24		시설, 설비	—		용이하게 하다

괄호 안에서 알맞은 단어를 고르세요.

25 Fortunately, Mr. Brown did not (modify / notify) my mom that I was absent.

DAY 43

1261
casual
[kǽʒuəl]

형 ¹평상시의 ²우연한 ³무심결의

The shirt is **casual** with a simple design. 교과서
그 셔츠는 단순한 디자인으로 평상시에 입을 수 있다.

1262
coordinate
[kouɔ́ːrdənèit]

동 ¹조직화하다, 조정하다 ²꾸미다

A new manager was appointed to **coordinate** the team.
그 팀을 조직화하기 위해 새 팀장이 임명되었다.

1263
intermediate
[intərmíːdiət]

형 중간의, 중급의

She took an **intermediate** Spanish class.
그녀는 중급 스페인어 강좌를 수강했다.

1264
indicate
[índikèit]

동 나타내다, 보여 주다

There is some historical evidence that **indicates** coffee originated in Ethiopia. 모의
커피가 에티오피아에서 유래했다는 것을 보여 주는 몇몇 역사적 증거가 있다.

1265
indication
[ìndikéiʃən]

명 표시, 징후

Some people believe that a black cat crossing their path is an **indication** of bad luck.
어떤 사람들은 검은 고양이를 마주치는 것이 불운의 징후라고 믿는다.

1266

stab
[stæb]

명 자상, 찌르는 듯한 아픔 동 찌르다

I felt a sudden **stab** of pain in my left leg.
나는 갑자기 왼쪽 다리가 찌르는 듯이 아팠다.

1267

tackle
[tǽkl]

명 ¹도구, 연장 ²(축구) 태클 동 태클하다

This box holds my father's fishing **tackles**.
이 상자에는 아빠의 낚시 도구가 들어 있다.

1268

declare
[diklέər]

동 ¹선언하다 ²(세관 등에) 신고하다

He **declared** that he would give a reward to anyone who
could answer the question. 교과서
그는 그 질문에 답할 수 있는 누구에게나 보상하겠다고 선언했다.

1269

stained
[steind]

형 얼룩진

The white shirt was **stained** with blue ink.
그 하얀 셔츠는 파란 잉크로 얼룩져 있었다.

◉ **stain** 동 얼룩지다, 착색하다 명 얼룩, 때

1270

pledge
[pledʒ]

명 서약, 맹세 동 서약하다, 맹세하다

I will make a **pledge** for organ donation.
나는 장기 기증에 서약할 것이다.

1271

construct
[kənstrʌ́kt]

동 ¹건설하다 ²구성하다

The pyramid was **constructed** using 2,300,000 stone blocks. 교과서
그 피라미드는 230만 개의 돌덩어리로 건설되었다.

1272

construction
[kənstrʌ́kʃən]

명 ¹건설, 공사 ²구조

The church has been under **construction** for more than one hundred years. 교과서
그 성당은 100년이 넘도록 공사 중이다.

1273

destruction
[distrʌ́kʃən]

명 파괴, 파멸

Destruction of the rainforest is caused by farming, mining, and other human activities. 교과서
열대 우림의 파괴는 농사, 채광, 그리고 다른 인간의 활동들로 야기된다.

1274

accelerate
[æksélərèit]

동 가속하다, 속도를 높이다

The construction was **accelerated** and completed before the end of October.
그 공사는 가속화되었고 10월 말 이전에 끝났다.

1275

equation
[ikwéiʒən]

명 방정식

Math is not just about calculating difficult **equations** but making better daily decisions.
수학은 단지 어려운 방정식을 계산하는 것뿐만 아니라 일상에서 더 나은 결정을 하도록 하는 것에 관한 것이다.

1276 ●●●●●

diameter
[daiǽmətər]

명 ^{1}지름 ^{2}(렌즈의) 배율

The **diameter** of the circle is 10 centimeters.
그 원의 지름은 10센티미터이다.

1277 ●●●●●

vapor
[véipər]

명 증기

Water turns to **vapor** when it boils at 100°C.
물은 100℃에서 끓을 때 수증기로 변한다.

1278 ●●●●●

vaporize
[véipəràiz]

동 증발하다

The water **vaporizes** into steam.
물은 증발하여 증기가 된다.

1279 ●●●●●

evaporate
[ivǽpərèit]

동 증발하다, 사라지다

Water **evaporates** quickly in the desert.
물은 사막에서 빨리 증발한다.

1280 ●●●●●

emission
[imíʃən]

명 배출(물), 배기가스

Eating locally is a way of reducing carbon **emissions**.
교과서
지역의 생산물을 먹는 것은 탄소 배출을 줄이는 방법이다.

◉ **emit** 동 내뿜다, 방출하다

1281 ●●●●●

damp
[dæmp]

형 축축한, 눅눅한

The weather turned **damp** and cold in late autumn.
늦가을에 날씨는 축축하고 추워졌다.

1282 ●●●●●

fluid
[flú:id]

명 액체 형 ¹부드러운 ²유동적인

On Earth, gravity drags bodily **fluids** downwards, but this does not happen in space. 교과서
지구에서는 중력이 체액을 아래로 끌어당기지만, 우주에서는 이러한 일이 일어나지 않는다.

1283 ●●●●●

dissolve
[dizálv]

동 녹다, 용해하다

Sugar and salt **dissolve** quickly in hot water.
설탕과 소금은 뜨거운 물에서 빨리 녹는다.

1284 ●●●●●

emerge
[imə́:rdʒ]

동 나타나다, 생겨나다

The geographic information system(GIS) **emerged** in the 1970s and 1980s. 교과서
지리 정보 시스템(GIS)은 1970년대와 1980년대에 생겨났다.

1285 ●●●●●

emergence
[imə́:rdʒəns]

명 출현, 발생

The **emergence** of super-bacteria has frightened the world.
슈퍼 박테리아의 출현은 세계를 두렵게 했다.

1286 ●●●●●

substance
[sʌ́bstəns]

명 ¹물질 ²실체, 본질

Acid is a chemical **substance** with a sour taste. 교과서
산은 신맛이 나는 화학 물질이다.

1287 ●●●●●

coherent
[kouhíərənt]

형 일관성 있는, 논리적인

The accused's speech was not **coherent**.
그 피의자의 말은 일관성이 없었다.

1288 ●●●●●

perceive
[pərsíːv]

동 인지하다

Color can impact how you **perceive** weight. 모의
색상은 당신이 무게를 인지하는 방식에 영향을 줄 수 있다.

 시험 빈출 혼동 단어

1289 ●●●●●

perceptive
[pərséptiv]

형 통찰력 있는, 지각의

The comment was **perceptive**.
그 논평은 통찰력이 있었다.

1290 ●●●●●

perspective
[pərspéktiv]

명 ¹관점, 시각 ²전망 ³원근법

We can get a better **perspective** on life from communication. 교과서
우리는 의사소통을 통해 삶에 대한 더 나은 관점을 얻을 수 있다.

영어는 우리말로, 우리말은 영어로 쓰세요.

01	intermediate	11	서약, 맹세
02	substance	12	가속하다
03	diameter	13	찌르는 듯한 아픔
04	perceive	14	배출(물), 배기가스
05	damp	15	평상시의; 무심결의
06	stained	16	일관성 있는, 논리적인
07	dissolve	17	도구, 연장; 태클하다
08	declare	18	파괴, 파멸
09	evaporate	19	액체; 유동적인
10	equation	20	조직화하다; 꾸미다

함께 외우는 어휘 쌍

우리말을 보고 알맞은 단어를 쓰세요.

21		나타내다, 보여 주다 —		표시, 징후
22		증기 —		증발하다
23		건설하다 —		건설, 공사
24		나타나다, 생겨나다 —		출현, 발생

괄호 안에서 알맞은 단어를 고르세요.

25 Moral and ethical opinions are affected by an individual's cultural (perceptive / perspective).

DAY 44

1291 ●●●●●

stimulate
[stímjulèit]

동 자극하다, 격려하다

Crocodiles' eyes are **stimulated** when the muscles around the mouth move to eat prey.
악어가 먹이를 먹기 위해 입 주위의 근육들이 움직일 때 그들의 눈은 자극을 받는다.

1292 ●●●●●

stimulus
[stímjələs]
복 **stimuli**

명 자극(제), 격려

Interactive learning is a good **stimulus** for children.
대화형 학습은 아이들에게 좋은 자극제가 된다.

1293 ●●●●●

agitated
[ǽdʒitèitid]

형 불안해하는, 동요된

The zookeeper tried to calm the **agitated** animal.
사육사는 불안해하는 동물을 진정시키려고 애썼다.

◉ **agitate** 동 선동하다, 동요시키다

1294 ●●●●●

despair
[dispɛ́ər]

명 절망 동 절망하다

He started on a journey from **despair** to happiness.
그는 절망에서 행복으로 가는 여정을 시작했다.

1295 ●●●●●

desperate
[déspərət]

형 ¹자포자기한 ²필사적인, 절실한

I am in a **desperate** situation. 교과서
나는 절박한 상황에 처해 있다.

◉ **desperately** 부 필사적으로

1296 ●●●●●

particle
[pɑ́ːrtikl]

명 작은 조각, 입자

Tiny plastic **particles** are eaten by various animals, and they get into the food chain. 모의
작은 플라스틱 조각들은 다양한 동물에게 먹혀 먹이 사슬 속으로 들어간다.

1297 ●●●●●

atom
[ǽtəm]

명 원자

An **atom** is the smallest particle of an element.
원자는 원소의 가장 작은 입자이다.

◉ **atomic** 형 원자의, 원자력의

1298 ●●●●●

elaborate
형 [ilǽbərət]
동 [ilǽbərèit]

형 정교한, 공들인 동 자세히 말하다

He offered an **elaborate** excuse for being late.
그는 늦은 것에 대해 그럴듯한 변명을 댔다.

◉ **elaborately** 부 고심해서

1299 ●●●●●

revive
[riváiv]

동 ¹회복시키다 ²부흥시키다

They wanted to **revive** their dying community. 모의
그들은 죽어가는 지역사회를 부흥시키고 싶어 했다.

1300 ●●●●●

revival
[riváivəl]

명 ¹회복, 부활 ²부흥

Its ability to adapt to the needs of every generation has led to the **revival** of *hanji*. 교과서
모든 세대의 요구에 적응할 수 있는 한지의 능력은 그것의 부활로 이어졌다.

1301

beast
[biːst]

뗑 짐승

Dining was a sign of the human community and it distinguished men from **beasts**. 모의
식사를 하는 것은 인간 사회의 표식이고 그것은 인간을 짐승과 구별했다.

1302

haunt
[hɔːnt]

동 ¹유령이 나오다 ²괴롭히다

The house has been **haunted** since it was built. 교과서
그 집은 지어졌을 때부터 유령이 나왔다.

1303

nightmare
[náitmɛ̀ər]

뗑 악몽

You may feel upset when you wake up from a **nightmare**, but you can let out a sigh of relief. 교과서
악몽을 꾸다가 깨면 기분이 나쁠 수도 있지만, 당신은 안도의 한숨을 쉴 수 있다.

1304

brutal
[brúːtl]

형 잔인한, 혹독한

The judge gave a **brutal** review of her performance.
그 심사위원은 그녀의 연기를 혹독하게 평했다.

1305

afflict
[əflíkt]

동 괴롭히다, 피해를 주다

I was **afflicted** with nightmares after watching the horror movie.
나는 공포 영화를 본 뒤 악몽에 시달렸다.

1306

spiral
[spáiərəl]

명 나선(형), 소용돌이 형 나선형의

The **spiral** stairs look like the shells of sea creatures.
교과서
그 나선형 계단은 바다 생물의 껍데기처럼 보인다.

1307

swirl
[swəːrl]

동 빙빙 돌다, 소용돌이치다 명 소용돌이

The rumors started to **swirl** about their marriage.
그들의 결혼을 둘러싼 소문이 돌기 시작했다.

1308

mechanic
[məkǽnik]

명 정비사, 기계공

My cousin is a car **mechanic**.
나의 사촌은 자동차 정비사이다.

◉ **mechanical** 형 ¹기계에 의한 ²기계적인

1309

mechanism
[mékənìzm]

명 ¹기계 장치 ²구조, 기제 ³절차, 방법

The human body has defense **mechanisms** to fight off infections.
인체는 감염에 대항하기 위한 방어 기제를 가지고 있다.

1310

activate
[ǽktəvèit]

동 작동시키다, 활성화하다

The areas in our brains that feel pleasure become **activated** when we give. 교과서
우리가 베풀 때 우리 뇌에서 즐거움을 느끼는 영역이 활성화된다.

◉ **activation** 명 활동화, 활성화

1311 ●●●●●

concept
[kánsept]

평 개념

The **concept** has been discussed at least as far back as Aristotle. 모의
그 개념은 적어도 아리스토텔레스 시대만큼 오래전부터 논의되어 왔다.

1312 ●●●●●

ambiguous
[æmbíɡjuəs]

형 모호한, (의미가) 애매한

Science is the least **ambiguous** of subjects.
과학은 모호함이 가장 적은 학문이다.

1313 ●●●●●

infer
[infə́ːr]

동 추론하다, 추측하다

You can **infer** the meaning of a word through its context.
당신은 문맥을 통해 단어의 뜻을 추론할 수 있다.

◉ **inference** 명 추론

1314 ●●●●●

administer
[ədmínistər]

동 ¹관리하다, 운영하다 ²집행하다

The fund will be **administered** by the commission.
그 기금은 위원회에 의해 운영될 것이다.

1315 ●●●●●

administration
[ædmìnəstréiʃən]

명 ¹관리, 운영 ²집행

FIFA used to allow the *referees absolute power over the **administration** of the game. 교과서
국제축구연맹은 경기 운영에 관해 심판에게 절대적인 권한을 부여했었다.

*referee 심판

1316

partial
[páːr∫əl]

형 ¹부분적인 ²편파적인

She will apply for a **partial** scholarship to study in Canada.
그녀는 캐나다에서 공부하기 위해 부분 장학금을 신청할 것이다.

1317

ripe
[raip]

형 익은, 숙성한, 무르익은

When grapes are completely **ripe**, the berries are less firm.
포도가 완전히 다 익으면, 열매는 덜 단단하다.

○ **ripen** 동 익다, 무르익다

1318

parasite
[pǽrəsàit]

명 기생충

The tiny fish eat **parasites** in the big fish's mouth. 교과서
그 작은 물고기는 큰 물고기의 입안에 있는 기생충을 먹는다.

 시험 빈출 혼동 단어

1319

hostility
[hɑstíləti]

명 적의, 적개심

There is no **hostility** between the two countries.
그 두 나라 사이에는 적의가 없다.

○ **hostile** 형 적대적인

1320

hospitality
[hɑ̀spətǽləti]

명 환대, 후한 대접

Thanks for your **hospitality**. 모의
환대해 주셔서 감사합니다.

○ **hospitable** 형 환대하는

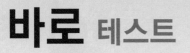

영어는 우리말로, 우리말은 영어로 쓰세요.

01	brutal	11	작은 조각, 입자
02	swirl	12	원자
03	agitated	13	악몽
04	concept	14	절망; 절망하다
05	activate	15	추론하다, 추측하다
06	beast	16	유령이 나오다
07	desperate	17	기생충
08	ripe	18	모호한, (의미가) 애매한
09	afflict	19	부분적인; 편파적인
10	elaborate	20	나선(형); 나선형의

함께 외우는 어휘 쌍

우리말을 보고 알맞은 단어를 쓰세요.

21	자극하다, 격려하다 —		자극(제), 격려
22	관리하다, 운영하다 —		관리, 운영
23	회복시키다 —		회복
24	정비사, 기계공 —		기계 장치

괄호 안에서 알맞은 단어를 고르세요.

25 He always shows (hostility / hospitality) and kindness to others.

DAY 45

1321

acquire
[əkwáiər]

⑤ ¹습득하다, 얻다 ²취득하다

In the studies, students who successfully **acquired** one positive habit reported less stress. 모의
이 연구에서 하나의 긍정적인 습관을 성공적으로 익힌 학생은 더 적은 스트레스를 (가지고 있음을) 보고했다.

1322

acquisition
[ækwizíʃən]

⑲ ¹습득 ²취득(물)

Human beings have depended on the cooperation of others for the **acquisition** of essential knowledge. 모의
인간은 필수적인 지식의 습득을 위해 타인들의 협력에 의존해 왔다.

1323

inherit
[inhérit]

⑤ 물려받다, 계승하다

It is important to **inherit** and further develop our traditions for future generations. 교과서
미래 세대를 위해 우리의 전통을 계승하고 더 발전시키는 것이 중요하다.

1324

custom
[kʌ́stəm]

⑲ ¹관습, 풍습 ²습관 ³관세, 세관(-s)

When he first met his German hosts, he greeted them following the German **custom**. 모의
그는 자기를 초대한 독일인들을 처음 만났을 때 독일의 풍습대로 인사를 했다.

1325

intangible
[intǽndʒəbl]

⑱ 만질 수 없는, 무형의(⑲ tangible)

Arirang was added to UNESCO's list of **Intangible** Cultural Heritage in 2012. 교과서
〈아리랑〉은 2012년에 유네스코 무형문화유산 목록에 등재되었다.

1326

anthropology

[ænθrəpálədʒi]

명 인류학

If you want to study humans, take **anthropology**.
인류에 관해 공부하고 싶다면 인류학을 선택해라.

● **anthropologist** 명 인류학자

1327

secure

[sikjúər]

형 ¹안전한 ²안심하는 동 안전하게 지키다

School libraries provide students with a **secure**
alternative to being home alone. 모의
학교 도서관은 집에 혼자 있는 것에 대한 안전한 대안을 학생에게 제공한다.

1328

constrain

[kənstréin]

동 ¹강요하다 ²제약을 가하다

Stage fright **constrained** me from making a speech in
public.
무대 공포증은 내가 사람들 앞에서 연설할 수 없게 했다.

1329

restrict

[ristríkt]

동 제한하다, 금지하다

The membership is **restricted** to fifty.
회원은 50명으로 제한되어 있다.

1330

restriction

[ristríkʃən]

명 제한, 규제

Some people have dietary **restrictions** because of
allergies. 교과서
어떤 사람들은 알레르기 때문에 섭취하는 음식에 제한이 있다.

1331

companion
[kəmpǽnjən]

명 ¹친구, 동료 ²반려자

He has searched for his long-lost **companion**. 교과서
그는 오랫동안 보지 못한 친구를 찾고 있다.

◎ **companionship** 명 친구 사이

1332

compassion
[kəmpǽʃən]

명 연민, 동정심

To be a doctor or a nurse, you need to have **compassion** for sick people.
의사나 간호사가 되기를 원한다면, 당신은 아픈 사람에 대한 연민이 필요하다.

1333

sympathize
[símpəθàiz]

동 ¹동정하다 ²공감하다

He believed animals also **sympathize** with each other's pain.
그는 동물도 서로의 고통을 공감한다고 믿었다.

1334

sympathy
[símpəθi]

명 ¹동정, 연민 ²공감

What she experienced taught her the importance of **sympathy** and understanding. 교과서
그녀가 경험한 것들은 그녀에게 연민과 이해심의 중요성을 가르쳐 주었다.

1335

intuition
[ìntʃuːíʃən]

명 직관력, 직감

Do you trust your guesses, **intuitions**, and insights?
당신은 당신의 추측이나 직관, 통찰력을 믿는가?

◎ **by intuition** 직감적으로

1336

personality
[pə̀:rsənǽləti]

명 성격, 인격, 개성

Your interests and **personality** make some careers more suitable for you and others less appropriate. 교과서
당신의 흥미와 성격은 어떤 직업들을 당신에게 더 적합하게 하고, 다른 것들은 덜 적합하게 한다.

1337

archaeology
[à:rkiálədʒi]

명 고고학

She was appointed as a professor of **archaeology**.
그녀는 고고학 교수로 임명되었다.

1338

archaeologist
[à:rkiálədʒist]

명 고고학자

Ten **archaeologists** have been digging up the cultural remains.
10명의 고고학자는 그 문화 유적지를 발굴해 오고 있다.

1339

archaeological
[à:rkiəládʒikəl]

형 고고학의

The goal of the project is to preserve an Inca **archaeological** site in Peru. 교과서
그 프로젝트의 목표는 페루에 있는 잉카의 고고학 유적을 보존하는 것이다.

1340

artifact
[á:rtəfæ̀kt]

명 ¹인공물, 공예품 ²인공 유물

The archaeologist discovered an ancient **artifact**.
그 고고학자는 고대 유물을 발견했다.

1341

merit
[mérit]

圀 ¹장점 ²(칭찬할 만한) 가치, 우수성

Everyone has their own **merits**. 교과서
누구나 자신만의 장점이 있다.

1342

demerit
[dimérit]

圀 단점, 결점, 약점

What are the merits and **demerits** of civilization?
문명사회의 장단점은 무엇인가?

1343

deficiency
[difíʃənsi]

圀 결핍, 결함

A **deficiency** of vitamin D makes bones weak.
비타민 D의 결핍은 뼈를 약하게 만든다.

1344

obsessive
[əbsésiv]

圀 집착하는, 강박적인

Some people are **obsessive** about their weight.
어떤 사람들은 몸무게에 집착한다.

◉ **obsess** 동 ¹(망상이) 사로잡다 ²(~에 대해) 강박감을 갖다

1345

deal
[di:l]

dealt – dealt

동 ¹다루다, 대처하다 ²거래하다 圀 거래

Safety issues are important when you **deal** with
strangers. 교과서
모르는 사람과 거래할 때는 안전 문제가 중요하다.
Fruits contain a great **deal** of water. 교과서
과일은 많은 양의 수분을 함유하고 있다.

◉ **a great deal of** 많은, 다량의

1346

○○○○○

simulation
[sìmjuléiʃən]

명 모의실험, 흉내

"Mirror neurons" in our brain run a **simulation** of other people's experiences. 교과서
우리 뇌 속에 있는 '거울 신경 세포'는 다른 사람의 경험을 가상으로 재현한다.

1347

○○○○○

humiliate
[hju:mílièit]

동 창피를 주다, 굴욕감을 주다

He **humiliated** me in front of my friends.
그는 내 친구들 앞에서 나에게 창피를 주었다.

○ **humiliating** 형 치욕적인, 굴욕적인

1348

○○○○○

suspend
[səspénd]

동 ¹매달다 ²(일시) 중지하다 ³정학[정직]시키다

She was **suspended** from school for a week.
그녀는 학교에서 일주일 동안 정학을 당했다.

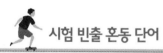 시험 빈출 혼동 단어

1349

○○○○○

complement
동 [kámpləmènt]
명 [kámpləmənt]

동 보완하다 명 보완물

They work well together because their personalities **complement** each other. 교과서
그들은 그들의 성격이 서로 보완하기 때문에 협업을 잘한다.

1350

○○○○○

compliment
동 [kámpləmènt]
명 [kámpləmənt]

동 칭찬하다 명 칭찬, 찬사

As his performance was extraordinary, many people gave him **compliments**.
그의 공연은 아주 훌륭해서 많은 사람이 그에게 찬사를 보냈다.

바로 테스트

영어는 우리말로, 우리말은 영어로 쓰세요.

01	secure	11	물려받다, 계승하다
02	demerit	12	직관력, 직감
03	custom	13	고고학의
04	suspend	14	만질 수 없는, 무형의
05	deficiency	15	강박적인
06	constrain	16	성격, 인격
07	simulation	17	친구, 동료
08	artifact	18	다루다; 거래하다
09	compassion	19	창피를 주다
10	anthropology	20	장점; (칭찬할 만한) 가치

함께 외우는 어휘 쌍

우리말을 보고 알맞은 단어를 쓰세요.

21		습득하다	—		습득
22		제한하다, 금지하다	—		제한, 규제
23		동정하다; 공감하다	—		동정; 공감
24		고고학	—		고고학자

괄호 안에서 알맞은 단어를 고르세요.

25 Ketchup is a great (compliment / complement) to a hotdog.

⮕ ACROSS

2	치료(약); 해결책
5	동정; 공감
8	유산
9	제한하다, 금지하다
10	용이하게 하다; 촉진하다

⮟ DOWN

1	자포자기한; 필사적인
3	열정적인, 열광적인
4	습득하다; 취득하다
6	보완하다; 보완물
7	부분적인; 편파적인

de-	멀어져, '강조'

1201 de**part**

de	+	part
멀어져		갈라지다

~에서 갈라져서 멀어지다
동 **출발하다, 떠나다**

The first train for Boston is scheduled to **depart** at 5 a.m.
보스턴으로 가는 첫 기차는 아침 5시에 출발할 예정이다.

1268 de**clare**

de	+	clare
'강조'		명확하게 하다

분명히 하다
동 **선언하다; (세관 등에) 신고하다**

Numerous people **declared** their opposition to the proposed law.
수많은 사람이 제안된 그 법률에 대해 반대 선언을 했다.

1294 de**spair**

de	+	spair
멀어져		희망

희망에서 멀어짐
명 **절망**
동 **절망하다**

In **despair**, he asked his teacher to help him.
그는 절망하여 선생님에게 도와달라고 요청했다.

de-　　　　　반대

1258　decode

de + **code**
반대　　암호화하다

암호화한 것을 풀다
동 (암호를) 해독하다

For years, scientists have been trying to **decode** the mysteries of human DNA.
수년 동안, 과학자들은 인간 DNA의 신비를 풀기 위해 노력해 오고 있다.

1273　destruction

de + **struct** + **ion**
반대　　세우다　　명사형 접미사

세우는 것의 반대
명 파괴, 파멸

Global warming causes the **destruction** of the ecosystem.
지구 온난화는 생태계 파괴를 유발한다.

1342　demerit

de + **merit**
반대　　장점

장점의 반대
명 단점, 결점, 약점

You should consider the merits and **demerits** of each proposal.
너는 각 제안의 장단점을 고려해야 한다.

DAY 46

1351

accord
[əkɔ́ːrd]

⑧ 일치하다[시키다] ⑲ ¹일치, 조화, 합의 ²협정

His principles and actions are not in **accord**.
그의 원칙과 행동은 서로 일치하지 않는다.

1352

accordance
[əkɔ́ːrdns]

⑲ 일치, 조화

We need to settle conflicts in **accordance** with laws.
우리는 분쟁을 법에 따라 해결해야 한다.

● **in accordance with** (규칙·지시 등에) 따라

1353

accordingly
[əkɔ́ːrdiŋli]

⑨ ¹그에 따라, 적절히 ²따라서

Good writers go over the first draft or get feedback from others, and revise them **accordingly**.
좋은 필자는 초안을 검토하거나 다른 사람들로부터 피드백을 받아서 그에 따라 수정한다.

1354

bilingual
[bailíŋgwəl]

⑱ 2개 국어를 구사하는

Jennifer is **bilingual** in Spanish and English.
Jennifer는 스페인어와 영어 2개 국어를 구사한다.

1355

linguistic
[liŋgwístik]

⑱ 언어(학)의

Linguistic skills are required to work in the United Nations.
국제연합에서 일하려면 언어 능력이 필요하다.

● **linguistics** ⑲ 언어학

1356

extracurricular
[èkstrəkəríkjulər]

형 정규 교과 이외의, 과외의

I participated in some **extracurricular** activities at school.
나는 학교에서 몇몇 과외 활동에 참여했다.

1357

subscribe
[səbskráib]

통 ¹(신문 등을) 구독하다 ²서명하다

He **subscribes** to news feeds that interest him.
그는 관심 있는 뉴스 피드를 구독한다.

◎ **subscription** 명 구독(료)

1358

adhere
[ædhíər]

통 ¹들러붙다, 부착하다 ²(신념·의견을) 고수하다

The sticker will **adhere** to any surface.
그 스티커는 어떤 표면에도 들러붙을 것이다.

◎ **adhesion** 명 부착, 접착(력)

1359

contrast
[kántræst]

명 ¹대조, 대비 ²차이

Artificial lighting reduces the **contrast** of stars' brightness against the dark sky. 교과서
인공조명은 어두운 하늘에 대한 별의 밝기 대비를 감소시킨다.

◎ **in contrast** 대조적으로, 반대로

1360

contrary
[kántreri]

형 반대의, 정반대인 명 [the ~] 반대

Contrary to my plan, the flight was delayed.
내 계획과는 반대로, 비행기가 연착되었다.

◎ **on the contrary** 그와는 반대로

1361

refrain
[rifréin]

동 삼가다, 자제하다 명 (노래) 후렴

Please **refrain** from eating and talking at the same time.
먹으면서 동시에 말하는 것을 삼가십시오.

1362

naughty
[nɔ́:ti]

형 장난꾸러기인, 버릇없는

He seems **naughty**, but is a responsible kid.
그는 버릇없는 것처럼 보이지만, 책임감이 있는 아이다.

1363

mischief
[místʃif]

명 장난(기)

The naughty boys were getting into **mischief**.
그 장난꾸러기 소년들은 장난을 꾸미고 있었다.

1364

resolve
[rizálv]

동 ¹해결하다, 해소하다 ²결심하다

He had to find a way to **resolve** his anxiety. 교과서
그는 불안을 해소하기 위한 방법을 찾아야만 했다.

1365

resolution
[rèzəlú:ʃən]

명 ¹결의, 결심 ²해결 ³해상도

We set **resolutions** based on what we're supposed to do
rather than what matters to us. 모의
우리는 우리에게 중요한 것이라기보다 우리가 해야만 하는 것에 근거하여
결심하게 된다.

1366

biofuel
[báioufjù:əl]

명 바이오 연료

She bought a diesel truck and had it converted to run on **biofuel**. 교과서
그녀는 디젤 트럭을 한 대 사서 바이오 연료로 달릴 수 있게 개조했다.

1367

biotechnology
[bàiouteknáədgi]

명 생명 공학

Biotechnology is the major industry in the country.
생명 공학은 그 나라의 핵심 산업이다.

1368

biodiversity
[bàioudaivə́:rsəti]

명 생물 다양성

The loss of rainforest has a major effect on the jungle's **biodiversity**. 교과서
열대 우림의 손실은 정글의 생물 다양성에 큰 영향을 미친다.

1369

extinct
[ikstíŋkt]

형 멸종한, 사라진

Though dinosaurs went **extinct** long ago, they are a popular topic for kids across the planet. 모의
공룡은 오래전에 멸종했지만, 세계 전역에서 아이들에게 인기 있는 주제이다.

1370

meantime
[mí:ntàim]

명 [the ~] 그동안 부 ¹그동안에 ²한편

The elevator is being repaired. In the **meantime**, take the stairs.
엘리베이터가 수리 중이니 그동안 계단을 이용하세요.

1371

radioactive
[rèidiouǽktiv]

형 방사성의, 방사능의

The nuclear disaster released **radioactive** material into the surrounding area. 교과서
그 핵 재난은 방사성 물질을 주변 지역으로 방출시켰다.

1372

sustain
[səstéin]

동 ¹지속하다, 유지하다 ²지탱하다, 지지하다

The country is struggling to **sustain** economic growth.
그 나라는 경제 성장을 지속하기 위해 고군분투하고 있다.

1373

sustainable
[səstéinəbl]

형 지속 가능한

Eco-fashion, also known as **sustainable** clothing, is trendy. 교과서
지속 가능한 의류로도 알려진 에코 패션은 최신 유행이다.

1374

compensate
[kámpənsèit]

동 ¹보상하다 ²상쇄하다

The heart has to work harder during space travel to **compensate** for the zero gravity. 교과서
우주여행 중에 심장은 무중력을 상쇄하기 위해 더 열심히 움직여야 한다.

○ **compensation** 명 보상(금)

1375

obscure
[əbskjúər]

형 불분명한, 애매한 동 모호하게 하다

The origin of the custom is **obscure**.
그 풍습의 기원은 불분명하다.

1376 ─────────────────────────────────── ●●●●●

prestige
[prestí:dʒ]

圐 위신, 명예

Some people prefer **prestige** to money.
어떤 사람은 돈보다 명예를 선호한다.

1377 ─────────────────────────────────── ●●●●●

biography
[baiágrəfi]

圐 전기

A **biography** is an account of a person's life written by someone else.
전기는 다른 누군가가 쓴 한 사람의 일대기이다.

◉ **autobiography** 圐 자서전

1378 ─────────────────────────────────── ●●●●●

assembly
[əsémbli]

圐 ¹집회 ²조립 ³의회

Freedom of **assembly** should be protected.
집회의 자유는 보호받아야 한다.

 시험 빈출 혼동 단어

1379 ─────────────────────────────────── ●●●●●

assemble
[əsémbl]

圐 ¹모으다 ²모이다 ³조립하다

A lot of people **assembled** to support her act of courage.
교과서
수많은 사람이 그녀의 용감한 행동을 지지하기 위해 모였다.

1380 ─────────────────────────────────── ●●●●●

resemble
[rizémbl]

圐 ~와 닮다, 비슷하다

His daughters closely **resemble** each other.
그의 딸들은 서로 똑 닮았다.

바로 테스트

영어는 우리말로, 우리말은 영어로 쓰세요.

01	adhere	11	2개 국어를 구사하는	
02	biofuel	12	(신문 등을) 구독하다	
03	radioactive	13	장난(기)	
04	refrain	14	생명 공학	
05	meantime	15	위신, 명예	
06	compensate	16	생물 다양성	
07	accordance	17	집회; 조립; 의회	
08	obscure	18	전기	
09	naughty	19	언어(학)의	
10	extracurricular	20	멸종한, 사라진	

함께 외우는 어휘 쌍

우리말을 보고 알맞은 단어를 쓰세요.

21		일치하다[시키다]	—		그에 따라, 적절히
22		해결하다; 결심하다	—		해결; 결심
23		대조, 대비; 차이	—		반대의
24		지속하다	—		지속 가능한

괄호 안에서 알맞은 단어를 고르세요.

25 If you join our band, you can (assemble / resemble) your own model airplane or car.

DAY 47

1381 ●●●●●

renovate
[rénəvèit]

동 개조하다, 보수하다

The house was **renovated** between 1904 and 1906.
교과서
그 집은 1904년과 1906년 사이에 보수되었다.

1382 ●●●●●

exceed
[iksíːd]

동 초과하다, 넘다

Since the storm hit Vietnam, the total number of deaths and injuries has **exceeded** one hundred. 교과서
폭풍이 베트남을 강타한 이래 총 사상자의 수가 백 명을 넘었다.

1383 ●●●●●

excess
[iksés]

명 초과(량), 과다 형 초과한

Even the best things in life are not so great in **excess**.
모의
인생에서 가장 좋은 것도 지나치면 그리 좋지 않다.

1384 ●●●●●

subtract
[səbtrǽkt]

동 (수·양을) 빼다, 공제하다

You have to **subtract** 25% tax from the sum you receive.
당신이 받는 총액에서 세금으로 25%를 공제해야 한다.
◉ **subtraction** 명 ¹뺄셈 ²공제

1385 ●●●●●

simplify
[símpləfài]

동 단순화하다

In the painting, the women's faces and bodies have been **simplified**. 교과서
그 그림에서 여자들의 얼굴과 몸은 단순화되어 있다.

1386 ●●●●●

portion
[pɔ́ːrʃən]

명 ¹부분 ²몫, 1인분 동 분할하다

If you are motivated to lose weight, you will eat smaller **portions** and exercise. 모의
체중을 줄이고자 하는 동기가 있다면, 당신은 더 적은 1인분의 양을 먹고 운동을 할 것이다.

1387 ●●●●●

proportion
[prəpɔ́ːrʃən]

명 ¹비율 ²균형 ³(전체의) 부분

The width and length of the kite are in a 2 to 3 **proportion**. 교과서
그 연의 가로와 세로는 2:3의 비율이다.

1388 ●●●●●

glimpse
[glimps]

동 힐끗[언뜻] 보다 명 힐끗[언뜻] 보기

We **glimpsed** the ruined factories from the windows of the train.
우리는 기차 창문으로 폐허가 된 공장을 언뜻 보았다.

1389 ●●●●●

universal
[jùːnəvə́ːrsəl]

형 보편적인, 일반적인

Food, like weather, is a subject of almost **universal** interest.
날씨와 마찬가지로 음식은 거의 보편적인 관심의 대상이다.

◉ **universally** 부 보편적으로, 일반적으로

1390 ●●●●●

controversy
[kántrəvə̀ːrsi]

명 논란, 논쟁, 언쟁

The book has created a lot of **controversy**.
그 책은 많은 논란을 불러일으켰다.

1391 ● ● ● ● ●

crumple
[krʌ́mpl]

통 ¹(종이 등을) 구기다 ²(적을) 압도하다

He **crumpled** the message and threw it away.
그는 그 메시지를 구겨서 버렸다.

1392 ● ● ● ● ●

intense
[inténs]

형 ¹강렬한, 극도의 ²치열한

There is **intense** competition among the players for places on the team.
팀 내에서 자리를 차지하기 위한 선수들 사이의 치열한 경쟁이 있다.

1393 ● ● ● ● ●

intensive
[inténsiv]

형 집중적인, 강도 높은

I took an **intensive** English course for two months.
나는 두 달 동안 집중 과정으로 영어 수업을 들었다.

1394 ● ● ● ● ●

incentive
[inséntiv]

명 ¹유인(책), 자극 ²보상물

Advertisers provide **incentives** like coupons to encourage consumers to watch their commercials. 모의
광고주들은 소비자들이 그들의 광고를 보도록 장려하기 위해 쿠폰 같은 유인책을 제공한다.

1395 ● ● ● ● ●

margin
[máːrdʒin]

명 ¹여백 ²가장자리 ³수익

Ms. Brown wrote comments in the **margins** of my report.
Brown 선생님은 나의 과제물 여백에 논평을 써 주셨다.

1396

flatten
[flǽtn]

동 납작하게 만들다

The press machines **flatten** the cleaned styrofoam. 교과서
프레스 기계는 세척된 스티로폼을 납작하게 만든다.

1397

resent
[rizént]

동 분개하다, 원망하다

Lisa **resented** her brother for revealing her secret.
Lisa는 남동생이 자신의 비밀을 누설해서 화가 났다.

○ **resentful** 형 분개하는

1398

counteract
[kàuntərǽkt]

동 대항하다, 중화하다

Fresh fruits and vegetables help **counteract** too much salt in the diet.
신선한 과일과 채소는 음식에 들어간 과다한 염분을 중화하는 데 도움이 된다.

1399

tolerant
[tálərənt]

형 ¹관대한 ²내성이 있는

My homeroom teacher is **tolerant**.
나의 담임선생님은 관대하다.
The patient has become **tolerant** of the medication.
그 환자는 그 약에 내성이 생겼다.

1400

tolerate
[tálərèit]

동 ¹용인하다, 참다 ²내성이 있다

He could not **tolerate** his opponent's foul.
그는 상대편 선수의 파울을 참을 수 없었다.

○ **tolerance** 명 ¹관용, 용인 ²내성

1401 ●●●●●

substitute
[sʌ́bstətʃùːt]

동 대신하다, 대체하다 명 대리(인), 대체물

She has decided to **substitute** water for her daily coffee.
그녀는 매일 마시는 커피를 물로 대신하기로 결심했다.

1402 ●●●●●

illusion
[ilúːʒən]

명 ¹환상, 착시 ²오해, 착각

명 ¹환상, 착시 ²오해, 착각

Some artists used **illusions** to tell a story. 교과서
어떤 화가들은 이야기를 들려주기 위해 착시를 이용했다.

◉ **illusionist** 명 마술사

1403 ●●●●●

empathize
[émpəθàiz]

동 공감하다

People often **empathize** without being conscious of doing so. 교과서
사람들은 종종 공감하고 있다는 것을 의식하지 못한 채 공감을 한다.

1404 ●●●●●

emphasize
[émfəsàiz]

동 강조하다, 역설하다

The proverb, "Two heads are better than one," **emphasizes** the importance of collective wisdom. 교과서
'백지장도 맞들면 낫다.'라는 속담은 집단 지성의 중요성을 강조한다.

1405 ●●●●●

emphasis
[émfəsis]

명 ¹강조, 주안점 ²강한 어조

The teacher put special **emphasis** on safety.
선생님은 안전을 특별히 강조했다.

1406

suburb
[sʌ́bəːrb]

명 교외, 근교

Those who use the delivery service mostly live in Mumbai's **suburbs**. 교과서
배달 서비스를 이용하는 사람들은 주로 뭄바이 교외에 거주한다.

1407

colony
[kɑ́ləni]

명 ¹식민지 ²집단, 군집

India was once a **colony** of England.
인도는 한때 영국의 식민지였다.
an ant **colony** 개미 군집

1408

notorious
[noutɔ́ːriəs]

형 악명 높은

The city is **notorious** for its severe traffic jams.
그 도시는 심각한 교통 체증으로 악명 높다.

시험 빈출 혼동 단어

1409

shiver
[ʃívər]

동 (몸을) 떨다 명 떨림, 전율

Shivering with cold, he wrapped his body in the blankets. 교과서
추위에 몸을 떨며, 그는 담요로 몸을 감쌌다.

1410

shovel
[ʃʌ́vəl]

동 삽질하다 명 삽

When robots are sent to another planet to collect soil samples, the standard method is to use a **shovel**. 교과서
로봇들이 토양 샘플을 수집하기 위해 다른 행성으로 보내질 때, 표준 방식은 삽을 사용하는 것이다.

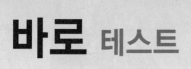

바로 테스트

정답 413쪽

영어는 우리말로, 우리말은 영어로 쓰세요.

01	glimpse	11	개조하다, 보수하다
02	illusion	12	논란, 논쟁, 언쟁
03	portion	13	대항하다, 중화하다
04	incentive	14	여백; 가장자리; 수익
05	crumple	15	대신하다; 대체물
06	proportion	16	분개하다, 원망하다
07	flatten	17	(수·양을) 빼다
08	suburb	18	공감하다
09	simplify	19	보편적인, 일반적인
10	notorious	20	식민지; 집단, 군집

> 함께 외우는 어휘 쌍

우리말을 보고 알맞은 단어를 쓰세요.

21	초과하다, 넘다	—	초과(량), 과다
22	강조하다	—	강조; 강한 어조
23	강열한; 치열한	—	집중적인, 강도 높은
24	관대한; 내성이 있는	—	용인하다; 내성이 있다

괄호 안에서 알맞은 단어를 고르세요.

25 The cold made me (shovel / shiver) from head to toe.

DAY 48

1411

optimism
[áptəmìzm]

명 낙관론, 낙관주의

The players are filled with **optimism** about winning the finals.
선수들은 결승전에서 이긴다는 낙관론에 차 있다.

1412

pessimism
[pésəmìzm]

명 비관론, 비관주의

Pessimism about the future may help us live more carefully.
미래에 대한 비관론은 우리가 좀 더 주의하며 사는 데 도움이 될지도 모른다.

1413

skeptical
[sképtikəl]

형 의심 많은, 회의적인

Not everyone is **skeptical** of modern conveniences.
모두가 현대적인 편리함에 회의적인 것은 아니다.

1414

ritual
[rítʃuəl]

명 의식 형 의식상의, 의례적인

Juldarigi was regarded not just as a sport but also as a **ritual**. 교과서
줄다리기는 단순한 운동으로뿐만 아니라 하나의 의식으로 여겨졌다.

1415

priest
[pri:st]

명 사제, 성직자

After becoming a **priest**, he returned to Madrid and spent the rest of his life peacefully. 모의
사제가 되고 난 후, 그는 마드리드로 돌아와 평화롭게 여생을 보냈다.

1416 ──────────────────────────────────── ● ● ● ● ●

religion
[rilídʒən]

명 종교

You cannot eat beef or pork in some places because of Indian **religions**. 교과서
인도의 종교 때문에 몇몇 장소에서는 소고기나 돼지고기를 먹을 수 없다.

1417 ──────────────────────────────────── ● ● ● ● ●

religious
[rilídʒəs]

형 ¹종교의 ²독실한

Flamenco is performed during **religious** festivals, rituals, and at private celebrations. 교과서
플라멩코는 종교적 축제, 의식 그리고 사적인 축하 모임에서 공연된다.

1418 ──────────────────────────────────── ● ● ● ● ●

primary
[práimeri]

형 ¹주요한 ²초기의, 원시적인 ³초급의

The **primary** purpose of a drama is to deliver a story.
교과서
드라마의 주된 목표는 이야기를 전달하는 것이다.

◉ **primarily** 부 주로

1419 ──────────────────────────────────── ● ● ● ● ●

primitive
[prímətiv]

형 ¹원시(시대)의 ²초기의

If it were not for electricity and transportation, we would have to live like **primitive** people. 교과서
전기나 교통 수단이 없다면, 우리는 원시인처럼 살아야 할 것이다.

◉ **primitively** 부 원시적으로

1420 ──────────────────────────────────── ● ● ● ● ●

superstition
[sùːpərstíʃən]

명 미신

Many **superstitions** are based on myths.
많은 미신은 신화에 바탕을 두고 있다.

1421

aesthetic
[esθétik]

형 심미적인, 미적인

Aesthetic sense is required to be a fashion designer.
패션 디자이너가 되려면 미적 감각이 요구된다.

1422

conventional
[kənvénʃənl]

형 ^{1}전통적인, 관습적인 ^{2}틀에 박힌, 형식적인

The shopping complex was constructed without a **conventional** cooling system. 교과서
그 쇼핑 단지는 전형적인 냉방 시스템 없이 건설되었다.

1423

revolution
[rèvəlú:ʃən]

명 ^{1}혁명 ^{2}개혁, 격변

Bread was not mass-produced until the Industrial **Revolution**. 교과서
빵은 산업 혁명 때까지는 대량 생산되지 않았다.

1424

impose
[impóuz]

동 ^{1}(세금·의무 등을) 부과하다 ^{2}강요하다

A new tax will be **imposed** on vehicles.
차량에 새로운 세금이 부과될 것이다.

○ **imposition** 명 ^{1}부과, 세금 ^{2}강요

1425

imprison
[imprízn]

동 투옥하다, 감금하다

The murderer will be **imprisoned** for the rest of his life.
그 살인자는 평생 감옥에 투옥될 것이다.

1426

manipulate
[mənípjulèit]

통 ¹조종하다, 조작하다 ²잘 다루다

In the puppet show, the puppets are **manipulated** by a master. 교과서
인형극에서 인형들은 장인에 의해 조종된다.

● **manipulation** 명 (교묘한) 조작

1427

attorney
[ətə́ːrni]

명 변호사

If you have legal problems, you need to see an **attorney**.
법적인 문제가 있으면 변호사를 만나야 한다.

1428

prosecute
[prάsikjùːt]

통 기소하다, 고소하다

Criminals are **prosecuted** and then sent to prison.
범죄자들은 기소된 후에 교도소로 보내진다.

1429

confess
[kənfés]

통 ¹자백하다 ²인정하다

The young man was forced by the police to **confess**.
그 젊은 남자는 경찰에 의해 자백하도록 강요받았다.

● **confession** 명 자백, 고백

1430

punishment
[pʌ́niʃmənt]

명 처벌

Sometimes, rewards are better than **punishment**.
때로는 상이 벌보다 더 낫다.

1431

advocacy
[ǽdvəkəsi]

명 옹호, 변호, 지지

He has devoted all his life to the **advocacy** of human rights.
그는 인권 옹호를 위해 그의 일생을 바쳐 왔다.

1432

advocate
동 [ǽdvəkèit]
명 [ǽdvəkət]

동 옹호하다, 지지하다 명 ¹옹호자 ²대변인

Unions **advocate** for workers' rights.
노동조합은 노동자들의 권리를 옹호한다.

1433

endorse
[indɔ́ːrs]

동 ¹지지하다 ²보증하다

The committee refused to **endorse** the bill.
위원회는 그 법안을 지지하는 것을 거부했다.

◉ **endorsement** 명 ¹지지 ²보증

1434

priority
[praiɔ́ːrəti]

명 우선(권), 우선 사항

Health is always my top **priority**.
나에게는 건강이 항상 최우선이다.

◉ **prior** 형 ¹이전의, 먼저의 ²(~에) 우선하는

1435

privilege
[prívəlidʒ]

명 특권, 면책 특권 동 특권을 주다

Limitless dreaming is a **privilege** of the young. 교과서
무한한 꿈은 젊은이들의 특권이다.

1436 ●●●●●

pathetic
[pəθétik]

형 ¹불쌍한 ²한심한

It was the most **pathetic** excuse that I had ever heard.
그것은 내가 들어본 변명 중에 가장 한심한 것이었다.

1437 ●●●●●

doubtful
[dáutfəl]

형 의심스러운, 불확실한

It is **doubtful** whether the rumor is true or not.
그 소문이 사실인지 아닌지 의심스럽다.

1438 ●●●●●

aptitude
[ǽptətjùːd]

명 소질, 적성

He has an **aptitude** for languages.
그는 언어에 소질이 있다.

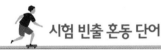

🏃 시험 빈출 혼동 단어

1439 ●●●●●

attitude
[ǽtitʃùːd]

명 태도, 자세

Seeing his smile, positive **attitude**, and hard work lifted everyone's spirits. 교과서
그의 미소, 긍정적인 태도, 성실함을 보는 것은 모든 사람의 기운을 북돋아 주었다.

1440 ●●●●●

altitude
[ǽltətjùːd]

명 (해발) 고도, 높이

Temperature decreases with increases in **altitude**.
고도가 높아지면 기온이 내려간다.

바로 테스트

영어는 우리말로, 우리말은 영어로 쓰세요.

01	primary	11	의식
02	punishment	12	전통적인; 틀에 박힌
03	impose	13	혁명; 개혁
04	pathetic	14	기소하다, 고소하다
05	endorse	15	사제, 성직자
06	attorney	16	미신
07	doubtful	17	자백하다
08	skeptical	18	소질, 적성
09	imprison	19	심미적인, 미적인
10	manipulate	20	원시(시대)의; 초기의

함께 외우는 어휘 쌍

우리말을 보고 알맞은 단어를 쓰세요.

21		낙관론, 낙관주의	—	비관론, 비관주의
22		종교	—	종교의
23		옹호하다, 지지하다	—	옹호, 지지
24		우선(권), 우선 사항	—	특권, 면책 특권

괄호 안에서 알맞은 단어를 고르세요.

25 A positive (attitude / altitude) can lead to success.

DAY 49

1441

compel
[kəmpél]

통 강요하다, 강제하다

Plants produce deadly poisons to **compel** other creatures to leave them alone. 모의
식물은 다른 생물체가 그들을 내버려 두도록 강제하려고 치명적인 독을 만들어 낸다.

1442

compulsory
[kəmpʌ́lsəri]

형 강제적인, 의무적인, 필수의

Military service is **compulsory** in Korea.
한국에서 군 복무는 의무적이다.

1443

solidity
[səlídəti]

명 ¹고체성 ²견고함

Black gives a sense of **solidity**.
검은색은 견고한 느낌을 준다.

1444

imperial
[impíəriəl]

형 제국(주의)의, 황제의

European countries had strong **imperial** ambitions.
유럽 국가들은 강한 제국주의의 야망을 가지고 있었다.

1445

loyal
[lɔ́iəl]

형 충실한, 충성스러운

All bosses who engage in acts of care and concern have **loyal** employees. 모의
배려와 관심의 행동을 하는 모든 상사는 충성스러운 부하 직원을 두고 있다.

○ **loyalty** 명 충실, 충성

1446 ●●●●●

hierarchy
[háiərɑ̀ːrki]

명 ¹계급제 ²지배층 ³(분류) 체계

The **hierarchy** of India goes from the Brahmins to the Shudras.
인도의 계급제는 브라만에서 수드라로 내려간다.

1447 ●●●●●

summit
[sʌ́mit]

명 ¹정상, 정점 ²정상 회담

At the **summit** of Spain's architectural genius, stands Antoni Gaudi. 교과서
스페인 건축의 천재성의 정점에 안토니오 가우디가 있다.

1448 ●●●●●

federal
[fédərəl]

형 연방의, 연방 정부의

The United States has **federal** and state governments.
미국에는 연방 정부와 주 정부가 있다.

1449 ●●●●●

bureaucrat
[bjúərəkræt]

명 (정부) 관료, 공무원

The **bureaucrat** put off the important decision to avoid responsibility later.
그 관료는 후일에 책임을 피하려고 중요한 결정을 미뤘다.

◉ **bureaucracy** 명 ¹관료 정치 ²관료주의

1450 ●●●●●

senator
[sénətər]

명 상원 의원

She has been elected as a **senator** twice.
그녀는 상원 의원으로 두 번 당선되었다.

1451

terrain
[təréin]

명 ¹지형, 지역 ²분야, 영역

The robot can open a door, navigate rough **terrain**, and climb stairs. 교과서
그 로봇은 문을 열고, 거친 지형을 다니고, 계단을 오를 수 있다.

1452

territory
[térətɔ̀:ri]

명 영토, 지역, 구역

Ulleungdo and Dokdo are Korean **territories**. 교과서
울릉도와 독도는 한국 영토이다.

◎ **territorial** 형 영토의

1453

sake
[seik]

명 동기, 이익, 목적

When was the last time you went for a walk, just for the **sake** of walking? 교과서
당신은 언제 마지막으로 오직 걷기를 위한 산책을 했는가?

◎ **for the sake of** ~을 위해서

1454

attribute
[ətríbju:t]

동 결과로 보다, ~의 덕분으로 돌리다

We **attribute** his great success to hard work.
우리는 그의 큰 성공을 열심히 노력한 결과로 본다.

◎ **attribution** 명 ¹귀속 ²속성, 특성

1455

deduct
[didʌ́kt]

동 빼다, 공제하다

Taxes are **deducted** from your salary.
세금은 월급에서 공제된다.

◎ **deduction** 명 ¹빼기, 공제 ²추론

1456

tickle
[tíkl]

동 간지럼을 태우다   명 간지럼

He felt something **tickle** his back.
그는 무언가가 등을 간지럽히는 것을 느꼈다.

◉ **ticklish**   형 간지럼을 잘 타는

1457

epic
[épik]

형 ^{1}서사시의 ^{2}영웅적인   명 ^{1}서사시 ^{2}영웅 이야기

It is the **epic** story of battles in ancient China.
그것은 고대 중국의 전쟁을 다룬 서사적 이야기이다.

1458

metaphor
[métəfɔːr]

명 은유, 비유

A **metaphor** is a figure of speech in which a comparison is made between two different things. 교과서
은유란 두 가지의 서로 다른 것을 비교하는 비유적 표현이다.

◉ **metaphoric**   형 은유의, 비유적인

1459

immerse
[imə́ːrs]

동 ^{1}(액체에) 담그다 ^{2}몰두하다, 몰입하다

People of all ages **immersed** themselves in the song.
모든 연령대의 사람들이 그 노래에 빠져들었다.

1460

immersion
[imə́ːrʒən]

명 ^{1}담금 ^{2}몰두, 몰입

English **immersion** education can be effective for learners.
영어 몰입식 교육은 학습자에게 효과적일 수 있다.

1461 ●●●●●

sober

[sóubər]

형 ¹술 취하지 않은 ²진지한 ³수수한

David is **sober** when he works.
David는 일할 때 진지하다.

1462 ●●●●●

hypnosis

[hipnóusis]

명 최면 (상태)

The doctor used **hypnosis** as part of the therapy.
그 의사는 치료의 일환으로 최면을 사용했다.

1463 ●●●●●

acquaint

[əkwéint]

동 ¹알게 하다 ²숙지시키다

I am **acquainted** with Ed, but he is not my friend.
나는 Ed와 아는 사이이지만, 그는 내 친구는 아니다.

1464 ●●●●●

acquaintance

[əkwéintəns]

명 ¹아는 사람, 면식 ²지식

If a man does not make new **acquaintances** as he advances through life, he will soon find himself alone.
만약 사람이 살면서 새 친구를 사귀지 않는다면, 곧 홀로 남게 될 것이다.

1465 ●●●●●

slender

[sléndər]

형 ¹날씬한, 가느다란 ²빈약한

There were tall **slender** trees around the lake.
호수 주변으로 키가 큰 가느다란 나무들이 있었다.

1466 ●●●●●

magnificent
[mǽgnífəsnt]

혱 웅장한, 훌륭한

This bookshop used to be a theater famous for **magnificent** paintings on its ceiling. 교과서
이 서점은 천장의 웅장한 그림들로 유명한 극장이었다.

◉ **magnificently** 븣 훌륭하게, 장대하게

1467 ●●●●●

surrealism
[sərí:əlìzm]

몡 초현실주의

Rene Magritte, a Belgian painter, belonged to an art movement called **Surrealism**. 교과서
벨기에 화가 르네 마그리트는 초현실주의라 불리는 미술 사조에 속했다.

1468 ●●●●●

mortal
[mɔ́:rtl]

혱 ¹죽을 운명의 ²치명적인

Everyone is **mortal**. 누구나 죽게 마련이다.
The only **mortal** weakness of Achilles was his heel.
아킬레스의 유일한 치명적인 약점은 그의 뒤꿈치였다.

 시험 빈출 혼동 단어

1469 ●●●●●

spontaneously
[spɑntéiniəsli]

븣 자발적으로, 자연스럽게

Light bleeding usually stops **spontaneously**.
가벼운 출혈은 대개 저절로 멈춘다.

1470 ●●●●●

simultaneously
[sàiməltéiniəsli]

븣 동시에

The lunch bell rang, and the class **simultaneously** leaped out of their seats. 교과서
점심시간 종이 울렸고, 반 학생들은 동시에 자리를 박차고 나왔다.

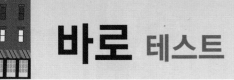

바로 테스트

영어는 우리말로, 우리말은 영어로 쓰세요.

01	sake	11	고체성; 견고함
02	magnificent	12	결과로 보다, ~의 덕분으로 돌리다
03	summit	13	은유, 비유
04	imperial	14	최면 (상태)
05	sober	15	연방의, 연방 정부의
06	mortal	16	간지럼을 태우다
07	deduct	17	초현실주의
08	loyal	18	서사시의; 영웅적인
09	slender	19	계급제; 지배층
10	senator	20	(정부) 관료

우리말을 보고 알맞은 단어를 쓰세요.

21		강제하다	—	강제적인, 의무적인
22		지형, 지역; 분야	—	영토, 지역, 구역
23		몰두하다	—	몰두
24		알게 하다	—	아는 사람; 지식

괄호 안에서 알맞은 단어를 고르세요.

25 It is difficult for my mom to read and listen to music (simultaneously / spontaneously).

DAY 50

1471 ●●●●●

strand
[strænd]

명 ¹(실 등의) 가닥 ²(이야기의) 맥락

There was not a single **strand** of fur out of place. 교과서
털 한 가닥도 흐트러진 것이 없었다.

1472 ●●●●●

parallel
[pǽrəlèl]

형 ¹평행의 ²유사한 명 ¹평행선 ²유사점

He drew two **parallel** lines on the board.
그는 칠판에 두 개의 평행선을 그렸다.

1473 ●●●●●

prejudice
[prédʒudis]

명 편견, 선입관 동 편견을 갖게 하다

When indifference joins hands with ignorance, **prejudice** is born. 교과서
무관심이 무지함과 합쳐질 때 편견이 생겨난다.

1474 ●●●●●

discriminate
[diskrímənèit]

동 ¹차별하다 ²정확히 구별하다

It is not right to **discriminate** on *grounds of race or sex.
인종이나 성별을 이유로 차별하는 것은 옳지 않다.

*ground(s) 이유

1475 ●●●●●

discrimination
[diskrìmənéiʃən]

명 ¹차별 ²구별력

In the 1930s, African-American people were facing severe **discrimination**. 교과서
1930년대에 아프리카계 미국인들은 극심한 차별에 직면해 있었다.

1476

counterfeit
[káuntərfìt]

형 위조의, 가짜의 명 위조품 동 위조하다

The diamond ring was **counterfeit**.
그 다이아몬드 반지는 가짜였다.

1477

sole
[soul]

형 ¹유일한 ²단독의 명 ¹발바닥 ²(신발 등의) 밑창

She is the **sole** survivor of the plane crash.
그녀는 비행기 추락 사고의 유일한 생존자이다.

1478

solitary
[sálətèri]

형 ¹혼자 있는, 고독한 ²유일한

Solitary people usually tend to stay away from crowds.
혼자 있기를 좋아하는 사람들은 대개 사람들을 멀리하는 경향이 있다.

1479

resolute
[rézəlù:t]

형 단호한, 확고한

I took part in the audition with **resolute** determination.
나는 비장한 각오로 오디션에 참가했다.

◉ **resolution** 명 ¹결의(안) ²결단(력)

1480

sociology
[sòusiálədʒi]

명 사회학

The **sociology** professor states that identities are social products formed in relationships with others. 모의
그 사회학 교수는 정체성은 다른 사람들과의 관계에서 형성되는 사회적 산물이라고 진술한다.

1481

imply
[implái]

동 ¹암시하다 ²내포하다, 함축하다

She seemed to **imply** something that is not true.
그녀는 사실이 아닌 것을 암시하는 것 같았다.

1482

implicit
[implísit]

형 ¹내재적인, 함축적인 ²절대적인

When you learn things without really thinking about it, it is **implicit** memory. 모의
당신이 무언가에 대해서 진정으로 생각하지 않고서 그것을 배울 때, 그것은 내재적 기억이다.

1483

implication
[ìmplikéiʃən]

명 함축, 암시

I couldn't understand the **implication** of the poem.
나는 그 시에 함축된 의미를 이해하지 못했다.

1484

virtue
[vɔ́:rtʃu:]

명 ¹선행, 미덕 ²장점

Aristotle's suggestion is that **virtue** is the midpoint, where someone is neither too afraid nor recklessly brave. 모의
아리스토텔레스는 미덕은 너무 두려워하지도 너무 무모하게 용감하지도 않은 중간 지점에 있다고 말한다.

1485

exemplify
[igzémpləfài]

동 ~의 좋은 예가 되다

Hangeul **exemplifies** the Great King Sejong's genius.
한글은 세종대왕의 천재성을 보여주는 좋은 예이다.

1486 ●●●●●

phobia
[fóubiə]

명 공포증

My brother doesn't swim as he has a **phobia** of water.
나의 오빠는 물 공포증이 있기 때문에 수영을 하지 않는다.

1487 ●●●●●

turbulence
[tə́:rbjuləns]

명 ¹(마음의) 동요, 혼란 ²난기류

The airplane made an emergency landing because of
severe **turbulence**.
심한 난기류로 비행기는 비상 착륙했다.

1488 ●●●●●

catastrophe
[kətǽstrəfi]

명 대참사, 큰 재앙

The volcano eruption was a **catastrophe**.
그 화산 폭발은 엄청난 재해였다.

◉ **catastrophic** 형 큰 재앙의, 비극적인

1489 ●●●●●

qualify
[kwáləfài]

동 자격을 얻다

He is planning to **qualify** as an environmental engineer.
그는 환경 기사 자격을 딸 계획이다.

◉ **qualified** 형 자격 있는, 적임의

1490 ●●●●●

qualification
[kwὰləfikéiʃən]

명 ¹자격(증) ²자질, 능력 ³필요조건

In a competitive environment, almost everyone has
strong **qualifications**. 모의
경쟁적 환경에서 거의 모든 사람은 상당한 자격 조건을 갖추고 있다.

1491

enterprise
[éntərpràiz]

명 기업, 사업

She established a social **enterprise** to support children in need.
그녀는 도움이 필요한 아이들을 지원하는 사회적 기업을 설립했다.

1492

entrepreneur
[à:ntrəprənə́ːr]

명 기업가, 사업가

The **entrepreneur** was not afraid to face challenges that seemed impossible. 교과서
그 사업가는 불가능해 보이는 도전에 맞서는 것을 두려워하지 않았다.

1493

tenancy
[ténənsi]

명 임차 (기간), 임차권

She extended her **tenancy** for another year.
그녀는 임대 기간을 1년 더 연장했다.

1494

metabolize
[mətǽbəlàiz]

동 (신진) 대사 작용을 하다

In contrast to a living cell, viruses cannot **metabolize** on their own.
살아 있는 세포와는 다르게 바이러스는 스스로 대사 작용을 할 수 없다.

1495

metabolism
[mətǽbəlìzm]

명 신진대사

The **metabolism** of the human body is slowed down by extreme cold.
극도의 추위에서는 인체의 신진대사가 느려진다.

1496

hemisphere
[hémisfìər]

명 (지구의) 반구

Seoul is in the northern **hemisphere**.
서울은 북반구에 있다.

1497

synthesize
[sínθəsàiz]

통 ¹종합하다 ²(화학) ~을 합성하다

He **synthesized** various data to answer the question.
그는 그 질문에 답하기 위해 다양한 정보를 종합했다.

- **synthesis** 명 ¹종합 ²합성
- **synthetic** 형 ¹합성의, 인조의 ²종합적인

1498

photosynthesis
[fòutəsínθəsis]

명 광합성

Plants use light from the sun for **photosynthesis**. 교과서
식물은 광합성을 위해 태양 빛을 이용한다.

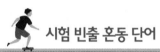 시험 빈출 혼동 단어

1499

momentary
[móuməntèri]

형 순간적인, 잠깐의

The bus will have a **momentary** stop for 15 minutes at the highway rest stop.
그 버스는 고속도로 휴게소에서 15분 동안 잠시 정차할 것이다.

1500

momentous
[mouméntəs]

형 중요한, 중대한

A birthday is a **momentous** event for most people.
생일은 대부분의 사람들에게 중요한 행사이다.

바로 테스트

영어는 우리말로, 우리말은 영어로 쓰세요.

01	resolute	11	(실 등의) 가닥
02	catastrophe	12	~의 좋은 예가 되다
03	solitary	13	(마음의) 동요; 난기류
04	metabolize	14	평행의; 평행선
05	counterfeit	15	유일한; 단독의; 발바닥
06	synthesize	16	사회학
07	tenancy	17	함축, 암시
08	phobia	18	신진대사
09	hemisphere	19	편견, 선입관
10	virtue	20	광합성

함께 외우는 어휘 쌍

우리말을 보고 알맞은 단어를 쓰세요.

21		차별하다	—		차별
22		기업가, 사업가	—		기업, 사업
23		함축하다	—		함축적인
24		자격을 얻다	—		자격(증); 자질

괄호 안에서 알맞은 단어를 고르세요.

25 It was a (momentary / momentous) day for Germany when the Berlin
Wall fell.

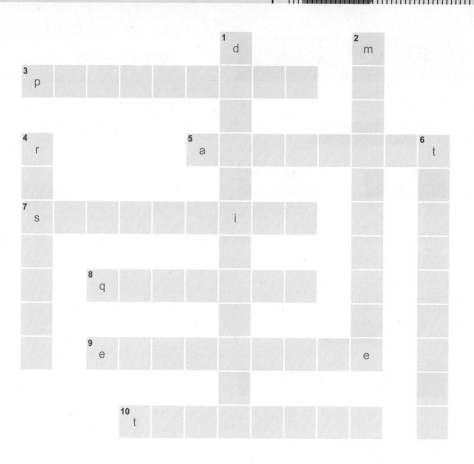

➤ ACROSS

3 원시(시대)의; 초기의

5 알게 하다; 숙지시키다

7 (신문 등을) 구독하다

8 자격을 얻다

9 강조하다, 역설하다

10 관대한; 내성이 있는

➤ DOWN

1 차별하다; 정확히 구별하다

2 조종하다, 조작하다; 잘 다루다

4 해결하다; 결심하다

6 영토, 지역, 구역

sub-	아래에, 근처에

1357 subscribe

sub	+	scrib(e)
아래에		쓰다

서류의 아랫부분에 서명하다
동 (신문 등을) 구독하다; 서명하다

The number of people who **subscribe** to newspapers is decreasing.
신문을 구독하는 사람의 수가 줄어들고 있다.

1384 subtract

sub	+	tract
아래에		끌다

아래로 끌어당기다
동 (수 · 양을) 빼다, 공제하다

If you **subtract** 5 from 10, you get 5.
10에서 5를 빼면 5이다.

1406 suburb

sub	+	urb
근처에		도시

도시 근처
명 교외, 근교

They live in a **suburb** of Seoul.
그들은 서울 근교에 산다.

contra- 반대의, 대항하여 ＊변화형 counter-

1360 contrary

contra + **ry**
반대의   형용사형 접미사

반대의
형 반대의, 정반대인
명 [the ~] 반대

The company's actions were **contrary** to the public interest.
그 회사의 조치는 대중의 관심사와는 정반대였다.

1398 counteract

counter + **act**
대항하여   작용하다

대항하여 작용하다
동 대항하다, 중화하다

Exercise works to **counteract** diabetes symtoms.
운동은 당뇨병 증상을 없애는 데 효과가 있다.

1476 counterfeit

counter + **feit**
대항하여   만들다

(진짜에) 대항하여 만들다
형 위조의, 가짜의 명 위조품
동 위조하다

Her signature turned out to be a **counterfeit**.
그녀의 서명은 위조된 것임이 드러났다.

**True life is lived
when tiny changes occur.**

– Leo Tolstoy

작은 변화가 일어날 때
진정한 삶을 살게 된다.

ANSWERS

ANSWERS

DAY 01 바로 테스트
p. 24

01 긴급한, 다급한
02 사과하다
03 걱정하는; 관심 있는
04 분명한, 확실한
05 달아나다, 탈출하다 / 탈출, 도피
06 (특정한) 때, 경우; 행사; 이유
07 중요한
08 증거, 흔적
09 필수적인; 생명 유지와 관련된
10 도처에; ~ 동안 쭉, 내내

11 apply
12 subject
13 shadow
14 sincerely
15 approach
16 object
17 attempt
18 suggest
19 survive
20 concern

21 motivation – motivate
22 objective – subjective
23 diverse – diversity
24 reside – resident

25 adopt / 국제축구연맹(FIFA)은 월드컵에 골라인 판독 기술을 채택하기로 결정했다.

DAY 02 바로 테스트
p. 31

01 쓰레기 매립지
02 10년
03 목적, 의도
04 결국, 마침내
05 위기, 최악의 고비
06 직접적인, 직행의
07 지식
08 생태계
09 기회
10 바다의; 해운업의; 해군의

11 transform
12 electronic
13 issue
14 reasonable
15 debate
16 gather
17 discard
18 feature
19 flavor
20 appoint

21 include – exclude
22 reduce – reduction
23 guilty – innocent
24 device – devise

25 expand / 그 센터는 해양 생태계에 대한 대중의 지식을 넓히기 위해 교육 프로그램을 제공한다.

DAY 03 바로 테스트
p. 38

01 상처, 부상 / 상처를 입히다
02 배심원단, 심사위원단
03 그럼에도 불구하고
04 혼란시키다; 혼동하다
05 성, 성별
06 개의치[상관하지] 않고
07 가파른; 급격한
08 즉각적인; 즉석요리의 / 즉시, 순간
09 합법적인; 법률과 관련된
10 간섭하다, 참견하다; 방해하다

11 regard
12 nutrient
13 violate
14 barrier
15 emigrant
16 minor
17 witness
18 heal
19 acid
20 immigrant

21 absorb – absorption
22 emigrate – immigrate
23 exhaust – exhaustion
24 minority – majority

25 breed / 많은 동물이 일 년 중에 특정한 시기에만 새끼를 낳는다.

DAY 04 바로 테스트
p. 45

01 선명한, 생생한
02 이상한, 특이한; 홀수의
03 연약한; 민감한; 은은한
04 보이는, 가시적인, 뚜렷한
05 ~을 받을 만하다, 자격이 있다
06 배정하다; 파견하다
07 역경, 곤란; 가능성
08 각각, 각자
09 나타내다, 가리키다; 참조하다, 인용[언급]하다
10 자선 단체; 너그러움, 자비

11 respect
12 yield
13 specific
14 fade
15 border
16 possess
17 influence
18 blame
19 function
20 appropriate

21 former – latter
22 locate – location
23 afford – affordable
24 donation – donate

25 access / 과학 기술 덕분에, 우리는 이메일이나 컴퓨터로 우리가 필요로 하는 어떤 데이터에도 쉽게 접근할 수 있다.

DAY 05 바로 테스트 p. 52

01 ~에도 불구하고
02 금지하다 / 금지
03 지나친, 과도한
04 과학의; 과학적인, 체계적인
05 부인[부정]하다; 거절하다
06 한낱, 단지, 그저
07 보안관; 법원 공무원
08 거절하다, 거부하다
09 살해하다 / 살인(죄)
10 점진적인, 단계적인; (경사가) 완만한

11 consumer
12 separate
13 fossil
14 install
15 brilliant
16 boost
17 alternative
18 demand
19 applaud
20 abandon

21 regret – regretful
22 dedicate – dedication
23 accurate – accuracy
24 consume – consumption

25 principle / 그 선생님은 그녀의 수업 시간에 혼란스러워하는 학생들에게 그 원리를 다시 설명해 주었다.

DAY 01-05 Crossword Puzzle p. 53

```
¹d i v e r s i t y          ³a
      e        ⁴i            t
      f        n            t
⁵a l t e r n a t i v e
      r        o            m
   ⁶v          ⁷c           p
   i           e            t
⁸p o s s e s s
   l           n            e
⁹e x h a u s t              r
   t                        v
     ¹⁰f e a t u r e
```

DAY 06 바로 테스트 p. 62

01 수수료; 요금, 회비
02 사라지다; 실종되다

11 imaginable
12 term

03 초안, 초고 / 초안을 작성하다
04 앞서다, 선행하다
05 실험 / 실험을 하다
06 (강한) 영향, 충격; (물체끼리의) 충돌
07 치료(법); 치유; 해결책 / 낫게 하다; 해결하다
08 거절하다, 거부하다
09 움켜잡다; 관심을 끌다
10 상상에만 존재하는, 가상적인

13 potential
14 concentrate
15 replace
16 alert
17 injured
18 mature
19 revise
20 mental

21 accomplish – accomplishment
22 found – foundation
23 imaginative – imagination
24 appreciate – appreciation

25 confirmed / NASA 과학자들은 화성이 한때 남극해보다 더 많은 물을 가지고 있었다는 것을 확인했다.

DAY 07 바로 테스트 p. 69

01 회복
02 바로 밑에, 아래에
03 공무상의; 공식적인 / 공무원
04 정말, 참으로
05 높이다, 강화하다
06 (어떤 일이) 있을 것 같은, 개연성 있는
07 짜증 나게 하다, 괴롭히다
08 ~인 척하다; ~라고 가정[상상]하다
09 일, 문제, 사건
10 더욱이, 게다가

11 surgery
12 promotion
13 probably
14 isolation
15 aggressive
16 blend
17 remain
18 temporarily
19 preserve
20 license

21 ignore – ignorant
22 current – currency
23 operate – operation
24 permanent – temporary

25 exploded / 런던의 지하철역에서 폭탄이 터져 6명이 숨졌다.

ANSWERS

01 변하다; 바꾸다, 고치다
02 예보하다, 예측하다 / 예보, 예측
03 행하다, 실시하다; 공연하다
04 매년의, 연례의
05 경제의, 경제성이 있는
06 구조하다, 구출하다 / 구조, 구출
07 이동하다, 이주하다; 바꾸다
08 이전의; 바로 앞의
09 (선거로) 선출하다; 선택하다
10 많은 돈이 드는, 값비싼; 희생이 큰

11 illustrate
12 immediately
13 maintain
14 confidence
15 realize
16 confidential
17 neglect
18 board
19 intake
20 fulfil(l)

21 attach – detach
22 document – documentary
23 increase – decrease
24 economy – economical

25 ensured / 우리는 그가 약속을 지킬 것이라고 보장했다.

01 요즘에는
02 매우 유용한, 귀중한
03 악화되다; 악화시키다
04 혐오감, 역겨움 / 역겹게 하다
05 구입, 구매 / 구입하다
06 거대한, 엄청난
07 운하, 수로
08 전체의, 온
09 미루다; 지연시키다 / 지연; 미룸
10 엄청난, 아주 멋진

11 due
12 precise
13 recharge
14 shift
15 burden
16 grant
17 scrub
18 stare
19 independent
20 versus

21 value – valuable
22 aware – awareness
23 impressive – impress
24 generate – generation

25 zealous / 선수들은 후반전에 더 열성적이었다.

01 뛰어난, 중요한
02 남용하다; 학대하다 / 남용, 오용; 학대
03 정치; 정치적 견해
04 서식지
05 체포하다; 심장이 멎다 / 체포; 정지
06 관여하다; 약속하다; (관심을) 끌다
07 투자하다; (시간·노력 등을) 쏟다
08 흠뻑 적시다; 담그다
09 적절한, 충분한
10 의심하다 / 용의자 / 의심스러운

11 supply
12 remote
13 surface
14 account
15 folk
16 owe
17 council
18 award
19 theory
20 achievement

21 reveal – conceal
22 recognize – recognition
23 caution – cautious
24 distribute – distribution

25 statue / 그들은 대통령 동상을 세울 것을 계획했다.

```
a t t a c h
e     c         d
m     5 c o n f i r m         e
p     o         s             n
o     u         a     7 g     g
r     n         p     e       a
a     t         p     n       g
r             8 p r e s e r v e
y               a     r
          9 d e c r e a s e
                      t
10 i n d e p e n d e n t
```

402　**ANSWERS**

DAY 11 바로 테스트
p. 100

01 외교관
02 아주 멋진, 근사한
03 하품하다 / 하품
04 금지하다
05 (크기·중요성 등의) 정도, 규모
06 게다가
07 장애, (신체) 질환; 무질서, 어수선함
08 매우 많은, 무수한
09 방해하다; 어지럽히다
10 불안

11 enable
12 shortage
13 embassy
14 agriculture
15 memorize
16 humble
17 tremble
18 trigger
19 limitation
20 sacrifice

21 classified – classify
22 extensive – extend
23 massive – mass
24 tendency – tend

25 literal / 그 단어의 글자 그대로의 의미 이상을 이해하려고 노력하라.

DAY 12 바로 테스트
p. 107

01 무관심한
02 문자 그대로
03 편집하다, (자료를) 수집하다
04 멋진, 아주 인상적인
05 자유
06 믿을 수 없는, 믿기 힘든
07 이점; 수당, 혜택 / 유익하다; 득을 보다
08 일관된; ~와 일치하는
09 오만(함)
10 보험(업); 보험금, 보험료

11 literature
12 drought
13 hatch
14 effect
15 branch
16 harvest
17 modesty
18 flexible
19 bunch
20 leak

21 count – countless
22 efficient – effective
23 credible – credibility
24 modest – arrogant

25 phrases / 상점들과 회사들은 그들의 사업을 친환경적으로 홍보하기 위해 '친환경'과 같은 문구들을 사용한다.

DAY 13 바로 테스트
p. 114

01 교도소, 감옥 / 투옥하다
02 심각한; 엄격한
03 원자력의; 핵(무기)의
04 동반하다, 동행하다
05 섬유, 섬유질
06 장애, 장애물
07 필수적인; 본질적인 / 필수적인 것; 요점
08 제공하다
09 중요한; 의미 있는; 상당한
10 인정하다, 승인하다; 감사하다

11 succeed
12 debt
13 physics
14 dismiss
15 disaster
16 element
17 distinguish
18 practical
19 dietary
20 compromise

21 success – successful
22 threat – threaten
23 adolescent – adolescence
24 remind – reminder

25 swallowing / 혀는 씹고 삼키고 말하는 데 중요한 역할을 한다.

DAY 14 바로 테스트
p. 121

01 순진한, 천진난만한
02 폐
03 화산의
04 (재판에서) 피고
05 죄, 잘못 / 죄를 짓다
06 복종하다, (법 등을) 따르다
07 유동성의
08 고소하다
09 굶주리다; 굶기다
10 (너무 아름답거나 놀라워서) 숨이 막히는

11 generalize
12 detect
13 courtesy
14 vehicle
15 trial
16 accuse
17 offense
18 eruption
19 edible
20 confront

21 occupy – occupation
22 defend – offend
23 identify – identical

ANSWERS

24 innovate – innovative

25 crash / 열차 승객 몇 명이 충돌 사고로 심각한 부상을 입었다.

DAY 15 바로 테스트   p. 128

01 일어나다; 존재하다
02 횃불; 손전등
03 (배·비행기 등에) 탑승한
04 기념물; 기념비적인 것
05 창백한; (색깔이) 연한 / 창백해지다
06 괴롭히다 / 약자를 괴롭히는 사람
07 추구하다; 계속하다
08 풍부한
09 잡초
10 설득하다

11 capital
12 disability
13 discourage
14 defeat
15 landscape
16 barely
17 examine
18 aim
19 originate
20 vocation

21 admit – admission
22 combine – combination
23 range – ranger
24 origin – original

25 Besides / 경제학자로서의 업적 외에도, 그는 그의 인생에 대한 많은 흥미로운 이야기들로 잘 알려져 있다.

DAY 11-15 Crossword Puzzle   p. 129

¹o			⁴d				⁶i			
c			i		⁸o		n			
²c	l	³a	s	s	i	f	i	e	d	
u		c	m		f		i		¹⁰t	
p		c	i		e		f		e	
a		o	s		n		⁹d	e	f	e	n	d
t		m	s				r		e	
i		p		⁵p	u	r	s	u	e	
o		a					n		n	
n		n					n		c	
y			⁷c	o	u	n	t		y	

DAY 16 바로 테스트   p. 138

01 끔찍한; 못된; 위험한
02 눈을 깜박이다 / 눈을 깜박거림
03 ~할 것 같은; 그럴듯한, 가능성 있는
04 내구성이 있는, 오래가는
05 뒤쫓다, 추적하다; 추구하다 / 추적
06 (물에) 뜨다, 떠다니다
07 생각하다, 가정하다
08 즐겁게 하다
09 영향을 미치다, 작용하다
10 이상적인, 완벽한 / 이상(형)

11 participate
12 observe
13 grip
14 deposit
15 advance
16 concrete
17 flock
18 cattle
19 withdraw
20 trace

21 exhibit – exhibition
22 violent – violence
23 characterize – characteristic
24 complex – complexity

25 herbs / 어떤 약초와 향신료는 땀을 나게 하여 몸을 자연스럽게 식힌다.

DAY 17 바로 테스트   p. 145

01 터무니없는, 불합리한 / 불합리, 부조리
02 극도로, 매우
03 겪다, 경험하다
04 귀중한, 값비싼
05 추가의
06 ~인 반면
07 꾸준한, 안정된
08 (업무상의) 동료
09 기념비(적인 것) / 기념하기 위한, 추모의
10 거의, 대략

11 insight
12 mess
13 injustice
14 tissue
15 contemporary
16 fasten
17 insult
18 cliff
19 ancestor
20 routine

21 descend – ascend
22 transport – transportation
23 regulate – regulation
24 infect – infection

25 personal / 경우에 따라 개인적인 언어는 매우 독특해서 전문가들이 용의자 그룹에서 문서의 작성자를 알아낼 수 있다.

DAY 18 바로 테스트
p. 152

01 비참한, 불쌍한		**11** retire	
02 약간의, 사소한; 가냘픈		**12** profit	
03 달의		**13** tragic	
04 그렇지 않으면		**14** gravity	
05 조절하다; 적응하다; 바로잡다		**15** reflect	
		16 immune	
06 무덤; 죽음 / 심각한, 엄숙한		**17** wander	
07 쓸다, 청소하다; 휩쓸고 가다		**18** atmosphere	
		19 inject	
08 소심한, 겁이 많은		**20** consequence	
09 궁극적인, 최후의; 최상의, 최고의			
10 어색한; 서투른, 불편한			

21 vertical – horizontal
22 attend – attendant
23 knee – kneel
24 state – statement

25 pray / 대부분의 사람들은 보통 다급한 일이 생기면 기도를 한다.

DAY 19 바로 테스트
p. 159

01 꺼리는, 마지못한	**11** candidate
02 산들바람, 미풍	**12** asset
03 충돌하다 / 갈등, 대립, (물리적) 충돌	**13** scale
	14 assistant
04 한정하다; 가두다, 감금하다; (병상에) 눕다	**15** pronounce
	16 destination
05 포식자	**17** resource
06 자살	**18** passage
07 화려한; 고급의 / 공상, 상상	**19** launch
	20 species
08 중독자 / 중독시키다	
09 기다리다	
10 예정해 두다; (운명으로) 정해지다	

21 assist – assistance   **22** define – definition
23 invade – invasion   **24** superior – inferior

25 infinite / 하늘에는 무한한 수의 반짝이는 별들이 있다.

DAY 20 바로 테스트
p. 166

01 심리학; 심리 (상태)	**11** allergic
02 해결하다; 배치하다, 정착시키다; 진정시키다	**12** organic
	13 inevitable
03 중단하다, 그만두다	**14** quote
04 금하다, 금지하다; 방해하다	**15** dairy
	16 adoption
05 분쟁, 논쟁 / 논쟁하다; 반박하다	**17** virtual
06 도둑질하다, 털다	**18** scent
07 기이한, 기묘한	**19** random
08 잡다; 장악하다; 빼앗다	**20** adaptation
09 파괴하다; 망치다 / 파괴, 붕괴; 잔해, 유적	
10 인체 내의 장기[기관]; (파이프) 오르간	

21 adoptive – adaptive
22 react – reaction
23 external – internal   **24** envy – envious

25 peered / 멧돼지 소리를 듣고, 그는 나무 뒤에서 밖을 내다보았다.

DAY 16-20 Crossword Puzzle
p. 167

```
      1
      c o n s e q u e n c e
                          2
                          o
 3         5         7         9
 p         i         r    n    r
 r         n       8 s e t t l e
 4
 o b s e r v e     f    e    g
 h         v         l    m    u
 i         i         e    p    l
 b         t         c    o    a
 i       6 a d j u s t    r    t
 t         b              a    i
           l              r    o
10
 i n f e c t i o n        y    n
```

ANSWERS 405

ANSWERS

DAY 21 바로 테스트
p. 176

01 두근거리다,설레다 /
　　전율, 설렘
02 시행[집행]하다;
　　강요하다
03 골목
04 거두다, 수확하다
05 복잡하게 하다
06 회사 / 딱딱한; 확고한,
　　단호한
07 말하다, 언급하다 /
　　언급
08 동맹국; 협력자 / 동맹시키다[하다]
09 일, 사건
10 용기를 북돋우다; 권장[장려]하다

11 enclose
12 reputation
13 sow
14 content
15 refund
16 rehearse
17 attraction
18 fund
19 population
20 popularity

21 commerce – commercial
22 attract – attractive
23 finance – financial
24 counsel – counselor

25 bold / 그 소년은 매우 대담해서 낯선 사람에게로 곧장
　　걸어갔다.

DAY 22 바로 테스트
p. 183

01 (말·글이) 유창한
02 숭배하다; 예배를 보다 /
　　숭배; 예배
03 가르침, 교육; 지시;
　　설명서
04 비교적, 상대적으로
05 이국적인, 외국의
06 고난, 어려움
07 웃기는, 터무니없는
08 완화하다, 편하게 하다 /
　　쉬움, 편안함
09 조사하다, 검사하다
10 맹세하다, 선서하다; 욕하다

11 infant
12 basis
13 expose
14 process
15 vacuum
16 criminal
17 frequency
18 glow
19 honor
20 management

21 requirement – require
22 grateful – gratitude
23 meditate – meditation

24 proceed – procedure

25 mediated / 그녀는 친구들 사이의 다툼을 중재했다.

DAY 23 바로 테스트
p. 190

01 운명, 숙명
02 빈, 비어 있는; 공허한
03 조종하다; 이끌다
04 공화국
05 철저한, 빈틈없는
06 가혹한, 모진; 거친,
　　심한
07 통치하다, 지배하다
08 (우연히) 마주치다;
　　(위험에) 부닥치다 /
　　마주침
09 치료, 요법
10 신경; 긴장, 불안; 용기

11 certain
12 conclude
13 satisfied
14 intellectual
15 trait
16 verbal
17 authority
18 intelligent
19 symptom
20 dye

21 arrange – arrangement
22 evolve – evolution
23 gene – genetic
24 surrender – conquer

25 Neutral / 중립국인 스위스는 전쟁에 참여하지 않는다.

DAY 24 바로 테스트
p. 197

01 수동적인, 소극적인
02 제대로 된, 적절한;
　　예의 바른
03 빠르게, 급격히
04 견디다, 참다; 지속하다
05 유리한 조건; 이점, 장점
06 소설; 허구
07 신성한, 종교적인
08 간결한
09 부서지기 쉬운, 취약한
10 견디다, 이겨내다

11 soar
12 grace
13 mine
14 hesitate
15 glance
16 extract
17 architecture
18 progress
19 patent
20 slope

21 measure – measurable
22 summarize – summary

23 faith – faithful

24 vibration – vibrate

25 curved / 그 건축가는 자연이 직선보다는 곡선으로 가득 차 있다고 믿었다.

DAY 25 바로 테스트 p. 204

01 유익한

02 위험 (요소)

03 등록하다, 명부에 올리다, 입학시키다

04 무질서, 혼돈, 혼란

05 놀리다, 괴롭히다 / 장난, 놀림

06 좌절감을 주다; 방해하다

07 전달하다; 운반하다

08 예언하다, 예지하다

09 놀리다; 흉내내다 / 놀림; 흉내

10 미묘한; 교묘한; 민감한

11 distort

12 rare

13 drown

14 conservative

15 conservatory

16 distant

17 strain

18 harassment

19 grind

20 analogy

21 logic – logical

22 conserve – conservation

23 compare – comparison

24 anticipate – anticipation

25 spilled / 나의 딸은 책상 위에 오렌지 주스를 엎질렀다.

DAY 21-25 Crossword Puzzle p. 205

```
1
e
n        2            3
4         m            c
c o n v e y    5       o
l        d    6 a r r a n g e   7
o        i    a       c       n
       8 p a t e n t   l       f
e        a    i       u       o
       9 w i t h s t a n d     r
         e    u       d       c
              d               e
10
c o n s e r v e
```

DAY 26 바로 테스트 p. 214

01 결과, 성과

02 주장하다; 요구하다 / 주장; 요구

03 (겁에 질려) 당황하다 / 당황한 / 공포, 공황

04 넓어지다, 퍼지다

05 매혹하다

06 매력 / 매혹하다

07 활기찬; 선명한

08 운동, 움직임; 동작

09 광대한, 막대한

10 쓰레기 / 어지럽히다

11 organize

12 motive

13 vessel

14 genuine

15 trail

16 upward

17 transfer

18 resistant

19 involve

20 terminal

21 risk – risky

22 prove – proof

23 navigate – navigator

24 equip – equipment

25 resist / 그 초콜릿 케이크가 맛있어 보여서 그녀는 그것을 먹지 않을 수 없었다.

DAY 27 바로 테스트 p. 221

01 유혹하다

02 변동할 수 있는 / 변수

03 의도하다, ~할 작정이다

04 종류, 분류 / 분류하다

05 외향적인; (자리를) 떠나는

06 결함, 결점; 부족, 결핍

07 몰두하는, 전념하는; 작정한 / 의도

08 결함, 결점; (갈라진) 금, 흠

09 휘다, 비틀다, 돌리다

10 운 좋은, 다행인

11 responsible

12 impulse

13 squeeze

14 guarantee

15 admire

16 translate

17 bind

18 evaluate

19 bond

20 scoop

21 marvel – marvelous

22 project – projection

23 frighten – fright

24 rely – reliable

25 considerate / 나는 네가 이해심 있고 사려 깊기를 바란다.

ANSWERS

01 신장, 콩팥
02 나가는, 떠나는
03 기억해 내다; 회수하다 / 기억; 회수
04 유발하다; 화나게 하다, 자극하다
05 (사람·동물의) 살; 과육
06 이야기하다, 해설하다
07 측면, 양상; 방향
08 유능한
09 끔찍한, 무서운, 지독한
10 승인하다, 찬성하다
11 division
12 blaze
13 transplant
14 complain
15 radical
16 mistreat
17 initial
18 miracle
19 fury
20 spare

21 ambition – ambitious
22 converse – conversation
23 compete – competition
24 core – outline

25 initial / 그 신생 회사는 첫 해에 초기 투자금을 회수했다.

---

01 특유의; 특별한
02 낭독하다, 암송하다
03 싸움; 노력 / 싸우다; 노력하다
04 최상의, 훌륭한
05 희미한, 모호한
06 실험실
07 분명한; ~인 것처럼 보이는
08 전략, 계획
09 관련 있는, 적절한; 유의미한
10 무모한, 난폭한; 개의치 않는
11 triumph
12 row
13 sensation
14 chemistry
15 criticism
16 capable
17 output
18 appeal
19 component
20 oral

21 scholar – scholarship
22 criticize – critic
23 agent – agency   **24** suit – suitable

25 sensitive / 이 카메라는 온도에 매우 민감하다.

---

01 휘젓다, 섞다; (살짝) 움직이다
02 부정적인; 반대의
03 납치하다, 유괴하다
04 식욕; 욕구
05 증오, 혐오
06 정당화하다
07 편향된, 편견을 가진
08 설득하다, 확신시키다
09 변화, 변천; 과도기
10 풀어 주다, 석방하다; 발표하다, 공개하다
11 session
12 digestion
13 convict
14 alien
15 sophomore
16 chill
17 penalty
18 obesity
19 corporate
20 scramble

21 tense – tension   **22** racial – racism
23 profession – professional
24 cooperate – cooperative

25 cooperation / 시민들의 협조로 그 도시는 국제적인 스포츠 행사를 성공적으로 개최할 수 있었다.

---

	f	a	s	c	i	n	a	t	e	
			o							
		i	n	t	e	n	t	p	c	
			s				r	o		
s		d	i	g	e	s	t	i	o	n	m
t		d				v		p		
r	e	l	e	v	a	n	t	o		
a		a			k					
t		r	r	e	l	e	a	s	e	
e		b			n					
g		l			t					
y	r	e	s	i	s	t	a	n	t	

---

01 살다, 거주하다; 생각하다
11 overnight
12 capacity

02 군대, 부대; 떼, 무리
03 방법[수단], 형태, 상태
04 보호소, 피난처; 주거지 /
보호하다
05 일회용의
06 초상화
07 장식용의
08 서두름, 성급함
09 전환하다, 바꾸다
10 열망하는; 열심인

13 collapse
14 code
15 sigh
16 frown
17 reserve
18 manual
19 dispose
20 column

21 region – regional
22 sculpt – sculpture
23 greed – greedy
24 persist – persistence

25 accommodate / 그 소파는 다섯 명이 앉을 정도로 충분히 넓다.

DAY 32 바로 테스트 p. 259

01 외양간, 헛간
02 깊은, 심오한
03 온건한, 온화한; 적당한 /
완화하다
04 (예로) 들다, 인용하다
05 강화하다; 강해지다
06 해외로
07 당황하게 하다
08 결정하다; 밝히다,
알아내다
09 솔직한, 숨김없는
10 가축(류)

11 overlap
12 domestic
13 reverse
14 craft
15 shipment
16 commute
17 inhabit
18 presence
19 commuter
20 stock

21 assume – assumption
22 instinct – instinctive
23 biology – biologist
24 capture – captive

25 vain / 그들은 누군가가 도와줄지도 모른다는 헛된 희망을 품고 크게 소리쳤다.

DAY 33 바로 테스트 p. 266

01 자세, 태도
11 overlook

---

02 시골의
03 현실적인, 사실적인
04 혜성
05 장비, 장치
06 깜짝 놀라게 하다
07 도시의
08 깜짝 놀라게 하다
09 도구, 기기 / (약속·
계획 등을) 시행하다
10 (마음이) 기울다;
경향이 있다; 경사지다

12 manufacture
13 orbit
14 pedestrian
15 decline
16 urbanize
17 bewildered
18 analyze
19 axis
20 straighten

21 estimate – underestimate
22 astronomer – astronomy
23 rotate – rotation
24 audible – auditory

25 crawl / 나는 나뭇잎 주변을 기어 다니는 개미들을 보았다.

DAY 34 바로 테스트 p. 273

01 (노력 끝에) 이루다,
획득하다
02 여가, 틈
03 우연히 듣다, 엿듣다
04 협상가, 교섭자
05 똑같이, 마찬가지로
06 제출하다; 복종하다;
제안하다
07 주목할 만한
08 폭발하다; 터뜨리다 /
파열, 폭발
09 산책 / 거닐다, 산책하다
10 나중에, 뒤에

11 rage
12 stroke
13 spit
14 negotiation
15 spark
16 cast
17 representative
18 resign
19 endeavor
20 recruit

21 passion – passionate
22 inquire – inquiry
23 devote – devotion
24 consult – consultant

25 innate / 어떤 학자들은 우리의 언어 능력이 선천적인 것이라고 생각한다.

ANSWERS

DAY 35 바로 테스트   p. 280

01 통합하다, 통일하다
02 괴로워하는, 고민하는
03 상황, 환경
04 위장[변장]하다; 숨기다 / 변장; 은폐
05 (마음을) 달래다, 진정시키다
06 부드러운, 다정한
07 위원회
08 슬픔, 비탄
09 압도하다, 휩싸다; 제압하다
10 (시합 등에서) 맞붙다; 충돌하다 / 충돌, 대립

11 overall
12 exaggerate
13 commission
14 budget
15 eliminate
16 abolish
17 amend
18 dispense
19 loan
20 slavery

21 associate – association
22 institution – institute
23 deceive – deceit
24 commit – commitment

25 register / 이사를 하면, 새 주소를 등록해야 한다.

DAY 31-35 Crossword Puzzle   p. 281

```
1 p e 2r s i s t e n c e
      e                     3c
4d        m        5d     r    6i
      7a s s u m e     c    n
 i      r              v    u    s
 p      k        8c o m m i t
 o      a        t    s    i
 s      b        i    t    n
9a n a l y z e   o    a    c
 b      e        n    n    t
 l                         c
 e      10i m p l e m e n t
```

DAY 36 바로 테스트   p. 290

01 최대의, 최고의 / 최대, 최고
11 diminish
12 irregular
02 분해되다, 부패하다
03 갑작스러운; 퉁명스러운
04 열대의, 열대 지방의
05 방해하다, 중단시키다
06 파괴적인; 치명적인, 충격적인
07 정화하다
08 우울증; 불경기; 저기압
09 재현하다, 되살리다
10 가정, 가구 / 가정의, 가정용의

13 bankrupt
14 prospect
15 sanitary
16 flourish
17 restore
18 cling
19 seemingly
20 welfare

21 minimize – maximize
22 contribute – contribution
23 investigate – investigation
24 oppose – opponent

25 fierce / 사나운 개에 겁먹어서, 그 아이는 바닥에 앉아 울었다.

DAY 37 바로 테스트   p. 297

01 (기후가) 온화한; 온건한, 절제하는
02 맥락, 문맥, 전후 관계
03 고의의; 신중한 / 숙고하다
04 여론 조사; 투표(수)
05 역설
06 감독하다, 지휘하다
07 결정적으로; 단호히
08 구성하다; 작곡하다
09 다소, 어느 정도, 약간
10 합창단

11 establish
12 interval
13 dictate
14 tame
15 reform
16 illiterate
17 irony
18 abbreviate
19 censor
20 corrupt

21 civil – civilization
22 literacy – illiteracy
23 conduct – conductor
24 minister – ministry

25 conscious / 그 남자는 아직 의식이 있지만 심하게 다쳤다.

DAY 38 바로 테스트 · p. 304

01 허용하다, 허락하다
02 시대, 연대, 시기
03 개척자, 선구자 / 개척하다
04 다가오는, 곧 있을
05 괴로워하다, 고뇌하다
06 전압
07 짜증 나게 하다
08 재산, 소유물; 부동산; 특성
09 축가, 찬송가
10 부도덕한

11 patriotism
12 dare
13 coincide
14 expedition
15 clarify
16 dense
17 prosper
18 antarctic
19 fundamental
20 productive

21 circulate – circuit
22 interpret – interpretation
23 ordinary – extraordinary
24 correspond – correspondent

25 moral / DNA 기술은 몇 가지 도덕적인 문제점을 초래한다.

DAY 39 바로 테스트 · p. 311

01 산업의, 공업의
02 인지의, 인식의
03 익숙한
04 정지된, 고정된
05 잘 믿는, 잘 속는
06 불화, 다툼
07 도매 / 도매의
08 만연하다; 우세하다
09 영원한, 불멸의
10 ~을 거쳐; ~을 이용하여

11 dependence
12 transaction
13 retail
14 interaction
15 formation
16 portable
17 exploit
18 cope
19 foster
20 tug

21 interact – interactive
22 orphan – orphanage
23 comply – compliance
24 industry – industrialize

25 derived / '자연 모방'이라는 용어는 '생명'을 뜻하는 그리스어인 bios와 '모방'을 뜻하는 mimesis에서 파생되었다.

DAY 40 바로 테스트 · p. 318

01 (땅이) 척박한, 불모의
02 교환하다 / 교환; 교차로
03 훈련, 규율, 훈육
04 얻다, 획득하다
05 부족한; 희귀한
06 장담하다, 보증하다; 안심시키다
07 밀다, 찌르다 / 추진력
08 농부, 소작농
09 협력하다, 협업하다
10 전투, 싸움 / 싸우다

11 shed
12 equivalent
13 auction
14 assault
15 statistics
16 globalization
17 pesticide
18 cultivate
19 command
20 contract

21 fertile – fertilizer
22 utilize – utility
23 expire – expiration
24 stable – stabilize

25 distract / 친구들과 대화하는 것은 당신이 불안감으로부터 주의를 돌리도록 도와줄지도 모른다.

DAY 36-40 Crossword Puzzle · p. 319

	1 s	a	n	2 i	t	a	r	y		3 f
				b						u
4 d				b			5 p			n
i				r			r			d
s		6 t	e	m	p	e	r	a	t	e
t				v			v			m
r		7 d	e	l	i	8 b	e	r	a	t	e
i				a		x		i		n
9 c	o	r	r	u	p	t	p		l	t
t				e		i		a
		10 i	r	r	i	t	a	t	e

ANSWERS 411

ANSWERS

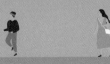

DAY 41 바로 테스트   p. 328

01 치료, 처리; 대우, 취급   11 diagnose
02 배, 복부   12 faint
03 피로, 피곤   13 ethical
04 척추, 등뼈   14 anatomy
05 유산   15 phenomenon
06 대륙   16 glacier
07 치료(약); 해결책   17 skeleton
08 기하학   18 heredity
09 소중히 여기다, 간직하다   19 pottery
   20 joint
10 썩다; 쇠퇴하다 / 부패; 쇠퇴

21 diabetic – diabetes
22 acute – chronic
23 comprehend – comprehensive
24 depart – departure

25 geology / 땅이나 돌에 관심이 있는 사람은 지질학을 연구한다.

DAY 42 바로 테스트   p. 335

01 꽃잎   11 anchor
02 열정적인, 열광적인   12 philosophy
03 열망하다, 바라다   13 lecture
04 심사숙고하다   14 coexist
05 배신하다   15 orient
06 실제의, 현실의   16 humidity
07 식물학   17 decode
08 흠모하다, 아주 좋아하다   18 plot
   19 perspiration
09 상의하다; (상·학위 등을) 수여하다   20 creep
10 추상적인, 관념적인 / 추상화

21 demonstrate – demonstration
22 inspire – inspiration
23 dominate – dominant
24 facility – facilitate

25 notify / 다행히 Brown 선생님은 내가 결석했다는 것을 엄마에게 알리지 않으셨다.

DAY 43 바로 테스트   p. 342

01 중간의, 중급의   11 pledge
02 물질; 실체, 본질   12 accelerate
03 지름; (렌즈의) 배율   13 stab
04 인지하다   14 emission
05 축축한, 눅눅한   15 casual
06 얼룩진   16 coherent
07 녹다, 용해하다   17 tackle
08 선언하다; (세관 등에) 신고하다   18 destruction
   19 fluid
09 증발하다, 사라지다   20 coordinate
10 방정식

21 indicate – indication
22 vapor – vaporize / evaporate
23 construct – construction
24 emerge – emergence

25 perspective / 도덕적 또는 윤리적 견해는 개인의 문화적 관점에 의해 영향을 받는다.

DAY 44 바로 테스트   p. 349

01 잔인한, 혹독한   11 particle
02 빙빙 돌다, 소용돌이치다 / 소용돌이   12 atom
   13 nightmare
03 불안해하는, 동요된   14 despair
04 개념   15 infer
05 작동시키다, 활성화하다   16 haunt
06 짐승   17 parasite
07 자포자기한; 필사적인, 절실한   18 ambiguous
   19 partial
08 익은, 숙성한, 무르익은   20 spiral
09 괴롭히다, 피해를 주다
10 정교한, 공들인 / 자세히 말하다

21 stimulate – stimulus
22 administer – administration
23 revive – revival
24 mechanic – mechanism

25 hospitality / 그는 항상 다른 사람들에게 호의와 친절을 보여 준다.

DAY 45 바로 테스트
p. 356

01 안전한; 안심하는 /
    안전하게 지키다
02 단점, 결점, 약점
03 관습, 풍습
04 매달다; (일시) 중지하다;
    정학[정직]시키다
05 결핍, 결함
06 강요하다; 제약을
    가하다
07 모의실험, 흉내
08 인공물, 공예품;
    인공 유물
09 연민, 동정심
10 인류학

11 inherit
12 intuition
13 archaeological
14 intangible
15 obsessive
16 personality
17 companion
18 deal
19 humiliate
20 merit

21 acquire – acquisition
22 restrict – restriction
23 sympathize – sympathy
24 archaeology – archaeologist

25 complement / 케첩은 핫도그의 훌륭한 보완물이다.

DAY 41-45 Crossword Puzzle
p. 357

```
 1                          4
 d   2 r  e  m  e  d  y      a
 e       n                  c
 5        h                  6
 s  y  m  p  a  t  h  y      q     c
 p        u                  u     o
 e        i                  i     m
 r        s     7            r     p
 a     8 h  e  r  i  t  a  g  e     l
 t        a     r                  e
 e        s     t                  m
        9 r  e  s  t  r  i  c  t     e
          i     a                  n
       10 f  a  c  i  l  i  t  a  t  e
```

DAY 46 바로 테스트
p. 366

01 들러붙다, 부착하다;
    (신념·의견을) 고수하다

11 bilingual
12 subscribe

02 바이오 연료
03 방사성의, 방사능의
04 삼가다, 자제하다 /
    (노래) 후렴
05 그동안 / 그동안에;
    한편
06 보상하다; 상쇄하다
07 일치, 조화
08 불분명한, 애매한 /
    모호하게 하다
09 장난꾸러기인, 버릇없는
10 정규 교과 이외의, 과외의

13 mischief
14 biotechnology
15 prestige
16 biodiversity
17 assembly
18 biography
19 linguistic
20 extinct

21 accord – accordingly
22 resolve – resolution
23 contrast – contrary
24 sustain – sustainable

25 assemble / 우리 동아리에 가입하면 너는 너만의 모형 비행기나 자동차를 조립할 수 있다.

DAY 47 바로 테스트
p. 373

01 힐끗[언뜻] 보다 / 힐끗
    [언뜻] 보기
02 환상, 착시 ; 오해, 착각
03 부분; 몫, 1인분 /
    분할하다
04 유인(책), 자극; 보상물
05 (종이 등을) 구기다;
    (적을) 압도하다
06 비율; 균형; (전체의)
    부분
07 납작하게 만들다
08 교외, 근교
09 단순화하다
10 악명 높은

11 renovate
12 controversy
13 counteract
14 margin
15 substitute
16 resent
17 subtract
18 empathize
19 universal
20 colony

21 exceed – excess
22 emphasize – emphasis
23 intense – intensive
24 tolerant – tolerate

25 shiver / 나는 추워서 머리끝에서 발끝까지 떨렸다.

ANSWERS

DAY 48 바로 테스트
p. 380

01 주요한; 초기의,
　 원시적인; 초급의
02 처벌
03 (세금·의무 등을)
　 부과하다; 강요하다
04 불쌍한; 한심한
05 지지하다; 보증하다
06 변호사
07 의심스러운, 불확실한
08 의심 많은, 회의적인
09 투옥하다, 감금하다
10 조종하다, 조작하다; 잘 다루다

11 ritual
12 conventional
13 revolution
14 prosecute
15 priest
16 superstition
17 confess
18 aptitude
19 aesthetic
20 primitive

21 optimism – pessimism
22 religion – religious
23 advocate – advocacy
24 priority – privilege

25 attitude / 긍정적인 자세는 성공으로 이끌 수 있다.

DAY 49 바로 테스트
p. 387

01 동기, 이익, 목적
02 웅장한, 훌륭한
03 정상, 정점; 정상 회담
04 제국(주의)의, 황제의
05 술 취하지 않은;
　 진지한; 수수한
06 죽을 운명의; 치명적인
07 빼다, 공제하다
08 충실한, 충성스러운
09 날씬한, 가느다란;
　 빈약한
10 상원 의원

11 solidity
12 attribute
13 metaphor
14 hypnosis
15 federal
16 tickle
17 surrealism
18 epic
19 hierarchy
20 bureaucrat

21 compel – compulsory
22 terrain – territory
23 immerse – immersion
24 acquaint – acquaintance

25 simultaneously / 나의 엄마에게 독서와 음악 듣는
　 것을 동시에 하는 것은 어려운 일이다.

DAY 50 바로 테스트
p. 394

01 단호한, 확고한
02 대참사, 큰 재앙
03 혼자 있는, 고독한;
　 유일한
04 (신진) 대사 작용을 하다
05 위조의, 가짜의 /
　 위조품 / 위조하다
06 종합하다; (화학) ~을
　 합성하다
07 임차 (기간), 임차권
08 공포증
09 (지구의) 반구
10 선행, 미덕; 장점

11 strand
12 exemplify
13 turbulence
14 parallel
15 sole
16 sociology
17 implication
18 metabolism
19 prejudice
20 photosynthesis

21 discriminate – discrimination
22 entrepreneur – enterprise
23 imply – implicit
24 qualify – qualification

25 momentous / 베를린 장벽이 허물어지던 날은 독일에
　 중요한 날이었다.

DAY 46-50 Crossword Puzzle
p. 395

						d			m	
p	r	i	m	i	t	i	v	e		
						s			a	
r					a	c	q	u	a	i	n	t
e					r				p		e
s	u	b	s	c	r	i	b	e		u		r
o					m				l		r
l		q	u	a	l	i	f	y		a		i
v					n				t		t
e		e	m	p	h	a	s	i	z	e		o
					t					r
		t	o	l	e	r	a	n	t		y

414　ANSWERS

표제어 INDEX

표제어 INDEX

표제어 INDEX